中国可再生能源研究报告（2022）：开发绩效与影响评估

於世为　胡　星　刘　杰　著

科　学　出　版　社
北　京

内 容 简 介

发展可再生能源是实现2030年碳达峰、2060年前碳中和目标的根本途径，也是履行我国应对气候变化国际承诺的关键举措，更是推动绿色低碳经济发展、实现能源供给与消费革命、助推生态文明建设的重要支撑。本书围绕可再生能源的开发绩效与影响相关问题展开了系统研究。本书在梳理我国可再生能源发展历史脉络、政策演变的基础上，识别了我国可再生能源发展的核心驱动力与关键制约因素；评估了我国可再生能源的开发利用绩效现状和时空差异；探究了可再生能源发展对经济增长、能源安全等其他宏观经济因素的影响。相关研究发现为精准制定促进可再生能源发展的区域政策提供决策支持。

本书适合能源经济与环境管理、可再生能源与气候政策等领域的政府工作人员、企业管理人员、高等院校师生、科研院所人员及对该领域感兴趣的学者阅读。

图书在版编目（CIP）数据

中国可再生能源研究报告（2022）：开发绩效与影响评估 / 於世为，胡星，刘杰著. —北京：科学出版社，2022.7

ISBN 978-7-03-061504-6

Ⅰ. ①中… Ⅱ. ①於… ②胡… ③刘… Ⅲ. ①再生能源-能源发展-研究报告-中国-2022 Ⅳ. ①F426.2

中国版本图书馆 CIP 数据核字（2021）第 198106 号

责任编辑：郝 悦 / 责任校对：张亚丹
责任印制：张 伟 / 封面设计：无极书装

科 学 出 版 社 出版
北京东黄城根北街 16 号
邮政编码：100717
http://www.sciencep.com

北京虎彩文化传播有限公司印刷
科学出版社发行 各地新华书店经销

*

2022年7月第 一 版 开本：720 × 1000 1/16
2022年7月第一次印刷 印张：14
字数：280 000

定价：142.00 元

（如有印装质量问题，我社负责调换）

前　言

为积极应对气候变化的威胁，提高国家自主贡献力度，我国在 2020 年 9 月 22 日第七十五届联合国大会一般性辩论上承诺于 2030 年实现碳达峰，努力争取 2060 年前实现碳中和（“30 • 60”“双碳”目标）。这一目标的宣示，是以习近平同志为核心的党中央国务院统筹国内国际两个大局做出的重大战略决策，事关中华民族永续发展和构建人类命运共同体，充分体现了一个负责任的大国对人与自然前途命运的深切关注和主动担当。实现碳达峰、碳中和是一场广泛而深刻的经济社会系统性变革，是生态文明建设的重要内容。然而，我国 CO_2 排放体量大，据统计，2020 年碳排放量高达 98.99 亿 t，且我国目前正处于城镇化与工业化进程的加速阶段，能源需求日益扩张，“双碳”目标的如期实现面临着严峻的挑战。

发展可再生能源是实现双碳目标的根本途径。“双碳”目标的实现要求温室气体减排力度的进一步加强，做到深度脱碳。而我国能源需求将随着经济规模的扩大而持续增长，且呈刚性特征。因此，推进能源绿色低碳转型，即从以化石能源为基础的碳基能源系统转为以可再生能源为基础的零碳能源系统，是实现碳达峰、碳中和的关键。重构以化石能源为基础的能源体系和相关基础设施，大幅度提升可再生能源的比例，使其由能源电力消费增量的补充变为增量的主体，实现能源结构的根本性转变。从而有力推动可再生能源从能源绿色低碳转型的生力军成长为碳达峰、碳中和的主力军。

通过多方的一系列努力，我国可再生能源发展取得了显著的成就。截至 2020 年底，全国可再生能源发电累计装机容量和发电量达 9.34 亿 kW 和 2.2 万亿 kW·h，分别占全部电力装机的 42.5%和发电量的 29.1%。同期，全国可再生能源电力实际消纳量为 2.16 万亿 kW·h，占全社会用电量比重的 28.8%，其中非水可再生能源电力消纳量为 8562 亿 kW·h。

明晰可再生能源的开发利用绩效及其影响是促进可再生能源进一步实现大规模、高比例、市场化、高质量发展的重要前提。为此，本书围绕可再生能源的影响因素、可再生能源的开发利用现状及绩效、可再生能源产生的宏观影响等展开以下研究，并得出相关结论。

（1）通过对数平均迪氏指数（logarithmic mean Divisia index，LMDI）法识别了可再生能源发展的核心驱动因素。综合利用 LMDI 分解分析、情景分析与灰色关联分析（grey relation analysis，GRA）等方法，研究测度了不同可再生能源驱动因素不同情景下的贡献大小与具体影响。研究发现能源对外依存度和碳排放是促进可再生能源发电增长的决定性因素，而能源强度是抑制可再生能源发展的首要因素。能源对外依存度和碳排放量在2001～2018年对可再生能源发电量变化的贡献分别为51.3%和35.5%，而能源强度在“十一五”、“十二五”和“十三五”时期的贡献分别为–33.5%、–34.5%和–39.8%。

（2）构建可再生能源技术创新水平与可再生能源发电量的空间面板模型，利用中国31个省区市（除港澳台）面板，明确了技术进步对可再生能源发展的驱动效应。研究发现特定省份的可再生能源技术创新水平提高1%，直接促使该省份的可再生能源发电量增长 0.449%（直接效应），而邻近省份的可再生能源发电量也会因技术扩散而增加 3.046%（间接效应）。此外，可再生能源技术创新水平对可再生能源发电量的影响可能会通过邻近的省份，再返回到省份本身，其影响占直接效应的7.8%（反馈效应）。

（3）开发可再生能源支持政策与可再生能源发展的固定效应模型及双重差分（difference in difference，DID）模型，评估了不同类型可再生能源支持政策的具体效应。研究发现，规划综合类政策、行业管理类政策和市场管理类政策数量的增加会抑制可再生能源发展，这三类政策数量每增加1%，可再生能源发电量将分别减少 0.892%、0.793%和 0.337%。而技术开发类、电价管理与财税支持类政策可以有效促进可再生能源发展，这两类政策数量每增加1%，将分别促进可再生能源发电量增加0.316%和0.705%。

（4）建立省域可再生能源产能过剩数据包络分析（data envelopment analysis，DEA）评价模型和面板 Tobit 成因模型，基于上市公司数据，识别了非水可再生能源相关产业产能过剩的关键因素。研究发现，我国光伏行业的产能过剩最为严重，其次是风能和生物质能行业。研究期间，光伏、风能和生物质能行业平均产能过剩程度分别为55.9%、42.6%和22.9%。企业的盈利能力、政府补贴和国内外市场结构均对光伏行业的产能过剩有显著影响。政府过度补贴是导致风能相关行业产能过剩的主要原因，而对于生物质能产业来说，国内外市场结构的失衡是导致其产能过剩的主要原因。

（5）构建可再生能源开发利用绩效网络层次分析（analytic network process，ANP）综合评价模型，揭示了我国可再生能源开发利用绩效水平在时间和空间上的变化及差异。研究提出了一套涵盖能源、经济、技术、环境和社会五个维度的可再生能源开发利用绩效指标体系，并应用于我国30个省区市（除港澳台、西藏）的可再生能源展开绩效评价。评价结果显示，我国可再生能源开发利用综合绩效总体提升，由2011年的8.72逐步提高到2018年的10.52。其中，青海、云南、四川的可再生能源开发利用综合绩效位列全国前三，北京和辽宁排名垫底。

（6）应用柯布–道格拉斯（Cobb-Douglas）生产函数，探明了可再生能源发展对经济增长的影响机理。研究运用完全修正的普通最小二乘（fully modified ordinary least squares，FMOLS）法对2005～2018年的我国省际面板数据进行回归。结果表明，就全国水平而言，可再生能源发展会抑制经济增长。主要是由于可再生能源初始开发利用成本较高，需要政府部门进行补贴，形成一定的财政负担且伴随“挤出效应”阻碍其他产业的发展。而从省域水平来看，可再生能源发展对经济增长的影响在不同省间表现出显著差异。

（7）开发能源安全的熵权-GRA-TOPSIS综合评价模型，结合广义矩估计法（generalized method of moments，GMM）发现了可再生能源对能源安全的影响。基于我国30个省区市2013～2018年数据实证分析发现，尽管我国省域能源安全程度在样本期间均有所提高，但总体水平仍普遍偏低。除化石能源资源禀赋较高的山西、内蒙古和陕西三个省区外，其余省区市能源安全指数均低于0.45。可再生能源发展有助于能源安全的保证，但前提是其对化石能源进行了有效的替代，可再生能源在电源结构中的比重得到显著提高。

（8）应用部分线性泛函系数面板模型，揭示了我国可再生能源发展在降低能源强度中的作用。研究发现2005～2018年随着经济发展水平的提高，我国可再生能源对能源强度的抑制作用会逐渐增强。当东、中、西部地区各省份的人均国内生产总值（gross domestic product，GDP）分别高于5.6万元、3.2万元、4.7万元时，可再生能源发展将有效抑制能源强度增长。

（9）构建非可加性固定效应面板分位回归模型，探明了可再生能源发展对碳排放的影响机理。研究利用中国30个省区市2005～2018年的数据，发现可再生能源发展水平的提高有利于碳强度的进一步下降，但其作用相对有限。这种有限的减排作用可能与地方电力消纳能力不足且电力外输通道不畅导致的可再生电力窝电使得能源结构及效率的改善不明显有关。虽然能源强度的下降仍是我国碳强度下降的最主要因素，但可再生能源发展对碳强度下降的作用逐年明显。

感谢中国地质大学（武汉）校长王焰新院士、校党委成金华副书记、经济管理学院诸克军教授和王开明教授，以及北京理工大学管理经济学院魏一鸣教授对相关研究给予的指导和帮助；感谢科学出版社徐倩编辑对本书出版的帮助。同时也特别感谢郑雅丽、段浩然、郑舒虹和耿昊鹏四位研究生在相关数据收集、计算和实证分析上提供的帮助。此外，感谢国家自然科学基金项目（71822403和31961143006）及湖北省“双一流”学科建设项目对相关研究工作的经费支持。

由于著者学识和水平有限，内容方面会存在许多不尽如人意的地方，书中疏漏之处在所难免，敬请广大同行、读者批评指正。

目　　录

第1章 绪　论

1.1 世界可再生能源发展概况

世界可再生能源的利用伴随着人类文明的演进而不断发展，可再生能源逐渐被应用在生产和生活之中。人们早期仅对自然界中存在的可再生能源形式进行利用，如风干食物进行存储、利用河流运输木材、晾晒衣物和粮食等都是人类利用风能、水能和太阳能的行为。之后，人们开始借助工具开发可再生能源，将可再生能源转化为机械能。2000 多年前，中国、巴比伦、波斯等国家开始利用古老的风车提水灌溉、碾磨谷物，并且 16 世纪 90 年代风车在荷兰盛行并达到了顶峰。此外，公元前 200 年至公元 31 年左右，欧盟的水轮和中国汉代的水排也相继出现，它们都是将水能转化为动能，并应用于生产中。19 世纪 60 年代后期开始的第二次工业革命，将人类发展带入“电气时代”。这推动了可再生能源开发利用的形式从“转化为机械能”发展到“转化为电能”，对太阳能和地热能的开发利用也逐渐增加。1860 年，法国数学家奥古斯丁·穆肖特发明了世界上第一个太阳能蒸汽机（USDE，2021）；1882 年，世界上第一座水力发电站在美国福克斯河上建成发电；1904 年，意大利试验地热发电成功（Wikimili，2021）；1908 年，世界上首批风力发电机组在丹麦问世；1913 年，美国在埃及建成当时世界上最大的太阳热发电站（国家电力公司战略规划部，2002）。从第一座水电站投产至今，全球可再生能源装机从近乎为 0 增长为 2020 年的 2802GW，发电量也在 2020 年达到 6963.5TW·h，占全球发电总量近 29%（IRENA，2021）。

1.1.1 可再生能源消费量

全球能源需求的持续增长和气候变化的威胁迫切要求建立安全、高效、清洁的能源系统。各国普遍认为加大利用可再生能源是改变当前化石能源过度耗竭局面的一种有前景的方案。根据英国石油公司（British Petroleum Company，简称BP）2020 年的统计数据，1990～2019 年，世界可再生能源（水电和非水可再生能源）消费量由 23.2EJ[①]增至 66.6EJ，年均增速为 3.7%，高于一次能源消费的 2.4%

① EJ 为艾焦耳，J 为焦耳，1 艾焦耳=1×10^{18} 焦耳。

和化石能源消费（石油、天然气和煤炭消费）的 2.2%，如图 1-1 所示。目前，全球一次能源消费总量中，化石能源消费占比仍超过 80%，但资源相对受限，煤炭储采比为 100 年，油气储采比仅为 50 年，而可再生能源可以无限循环利用。全球能源结构转型已经成为共识。如图 1-1 所示，相较于 1990 年，2019 年全球的石油、煤炭和核能消费量占比分别下 6.6%、0.2%和 1.6%，而天然气作为一种清洁能源，消费占比增长 3.7%；可再生能源消费（包括水电消费）占比由 1990 年的 6.8%增至 2019 年的 11.4%，增幅为 4.6%。

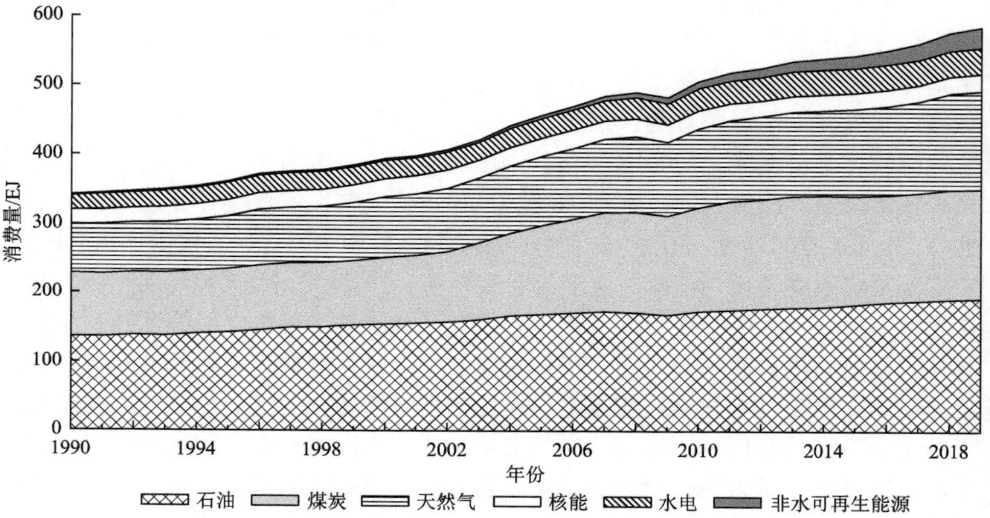

图 1-1 世界一次能源消费结构

近年来能源行业正在发生重大改变，两大新模式正在推动能源转型在世界范围内成为现实。一是当前的大型发电厂能够被分布式发电系统取代。这些小型可再生能源发电装置包括燃料电池、小型燃气轮机、小型光伏发电、小型风光互补发电，或燃气轮机与燃料电池的混合装置等。偏远地区或者贫穷国家的电力短缺问题有望得到彻底解决；二是多源遥感勘测、地理信息系统（geographic information system，GIS）、大数据分析、机器学习、区块链、虚拟现实（virtual reality，VR）、分布式能源管理和云计算等数字技术在能源行业的运用将成为新一代能源系统的控制及运行的核心。这有助于提高间歇性可再生能源消纳，促进分布式电网、微网、虚拟电厂等在更大范围的发展。

1990～2019 年世界主要国家和地区可再生能源消费量如图 1-2 所示，其中消费增量的 63.0%以上来自非经济合作与发展组织（Organization for Economic

Co-operation and Development，OECD）国家。2005 年中国的可再生能源消费量（包括水电消费量）增至 32.6EJ，排名世界第一，并且 30 年间其消费增量占世界增量的比例约为 38.4%。截至 2020 年底，水电、风电、光伏发电和生物质能发电分别连续 16 年、11 年、6 年和 3 年稳居全球首位（国家能源局，2021）。中国已经建成相对完备的可再生能源产业体系，包括全球最大的百万 kW 水轮机组自主设计制造能力，风速低于每秒 7m 的 2MW 的低风速风力发电机批量生产，世界首个高温熔盐槽式光热发电平台并网投入运营，多次刷新电池转换效率世界纪录等。美国的可再生能源消费量增长迅速，由 1990 年的 3.6EJ 上升至 2019 年的 8.3EJ，年均增长 4.3%。美国是世界上第一个将最大限度地利用可再生能源纳入能源安全战略的国家。由于可再生能源装备技术的进步，2008～2017 年，风能和太阳能发电厂的能源生产成本分别下降了 67.0%和 86.0%（EI，2019）。

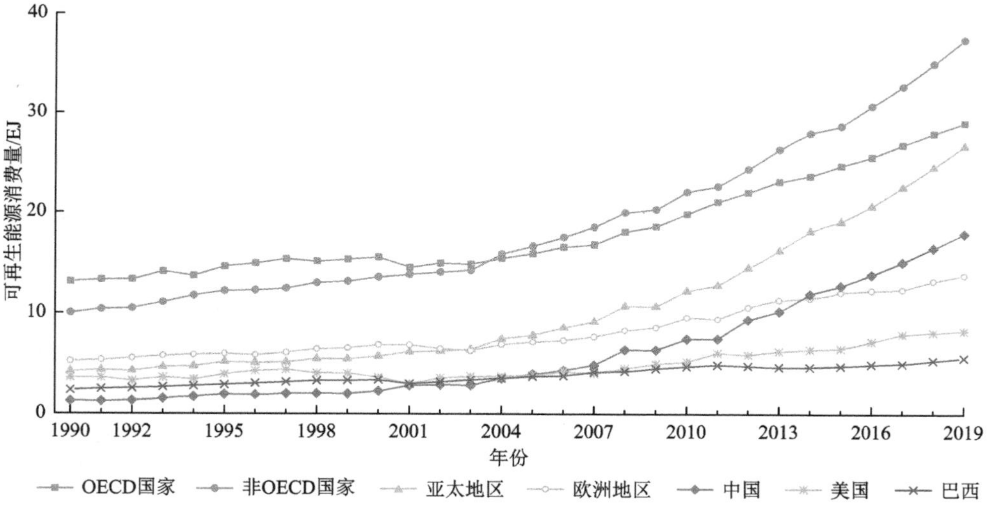

图 1-2　世界主要国家和地区的可再生能源消费量

1.1.2　可再生能源发电量

为了实现可持续经济增长和缓解气候变化的双重目标，各国都在大力发展可再生能源，其中太阳能和风能发展迅速。1990～2019 年，太阳能发电量由 0.39TW·h 增至 724.09TW·h，年均增速高达 29.63%；风力发电量由 3.63TW·h 增至 1429.62TW·h，年均增速为 22.88%；生物质能和废弃物发电量占比增长速度相对缓慢，其消费量由 93.66TW·h 增至 660.81TW·h，年均增速为 6.97%，如图 1-3 所示。

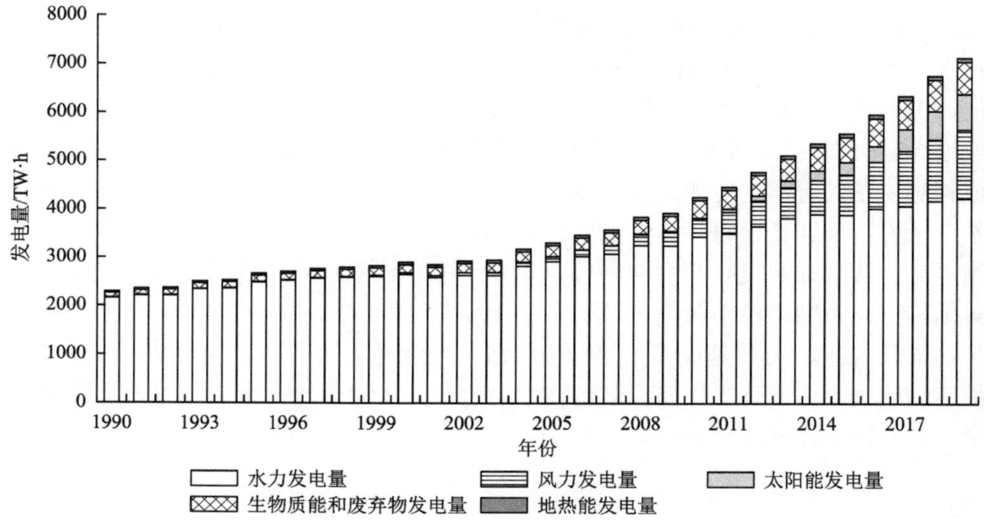

图 1-3 世界可再生能源发电量（1990～2019 年）

全球可再生能源装备和技术水平大幅提升，可再生能源装机容量屡创新高。2001～2019 年，水力、太阳能和地热能发电的最大市场都位于亚洲—大洋洲地区，其中，水力发电的年均新增装机容量为 16.01GW，2019 年累计装机容量为 475.80GW，占全球水电累计装机容量 41.7%；太阳能发电年均新增装机容量为 18.19GW，2019 年累计装机容量为 345.92GW，占全球太阳能发电累计装机容量 59.2%；地热能发电的新增装机容量出现下降，增长率为–14.7%，2019 年累计装机容量为 5.63GW，占全球地热能发电累计装机容量 40.1%。风力发电的市场主要位于亚洲—大洋洲地区和欧洲地区，2019 年累计装机容量 265.67GW 和 202.10GW，占全球风电累计装机容量中份额为 42.7%和 32.5%，年均新增装机容量为 13.89GW 和 9.97GW。19 年间，生物质能和废弃物发电的最大市场在欧洲地区，其新增装机容量由 2001 年的 1.61GW 降至 2019 年的 0.93GW，2019 年累计装机容量为 47.43GW，占全球生物质能和废弃物发电累计装机容量 35.3%。亚洲—大洋洲和欧洲地区的可再生能源累计装机容量具体如图 1-4 所示。

1.1.3 可再生能源强度

1990～2019 年世界可再生能源强度呈现波动上升趋势，如图 1-5 所示。受益于世界各国的能源消费结构转型，技术进步和可再生能源产业政策，1990～1995 年，世界可再生能源强度由 0.45EJ/万亿美元增至 0.47EJ/万亿美元，增长了 4.4%。然而，1996～2003 年，世界可再生能源强度下降 14.8%，其原因在于经济发展对化石能源消费的需求迅速增长，而可再生能源消费增长相对缓慢。这一时期石油、天然气和煤炭的消费量分别增长了 10.5%、16.2%和 18.5%，而可再生能源消费量仅增长了 7.0%。2004～2019 年，世界可再生能源强度由 0.40EJ/万亿美元增至 0.51EJ/万亿美元，增长了 27.5%。

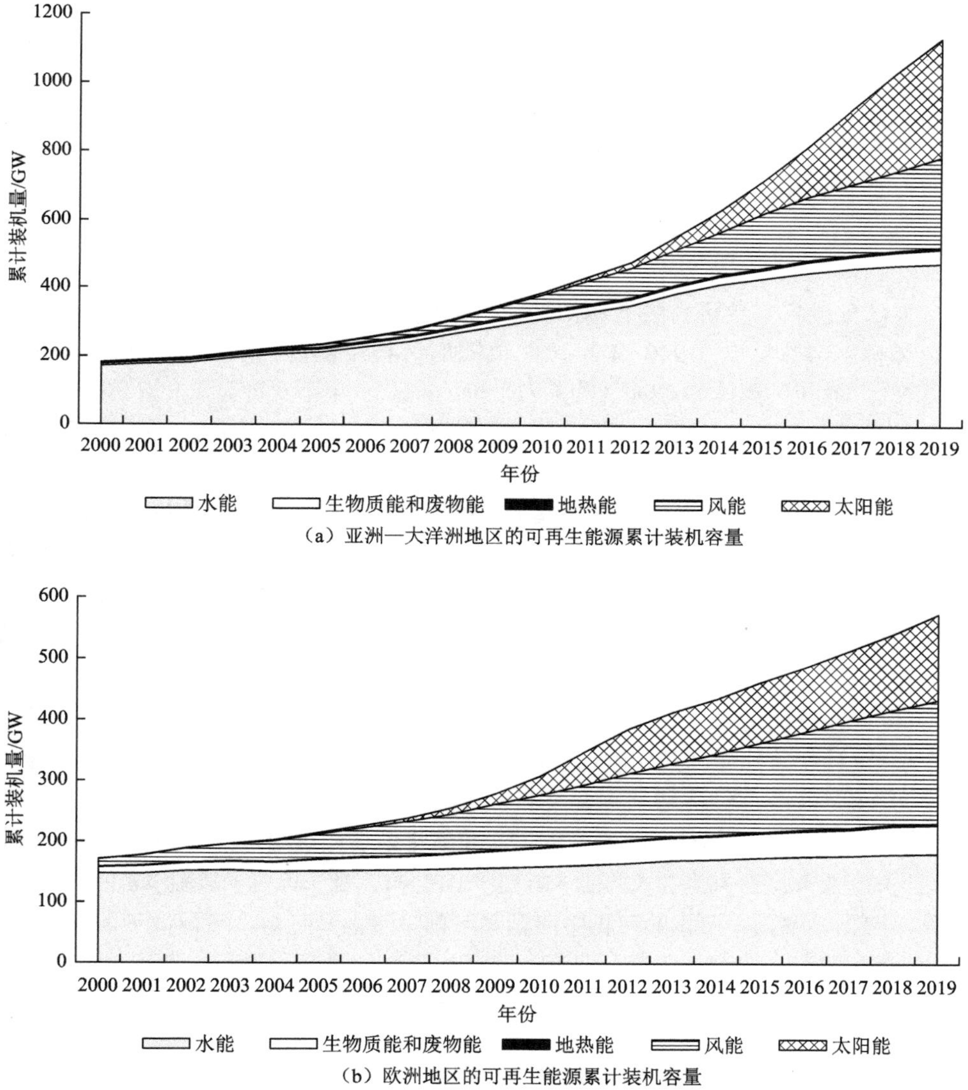

（a）亚洲—大洋洲地区的可再生能源累计装机容量

（b）欧洲地区的可再生能源累计装机容量

图 1-4　亚洲—大洋洲和欧洲地区的可再生能源累计装机容量

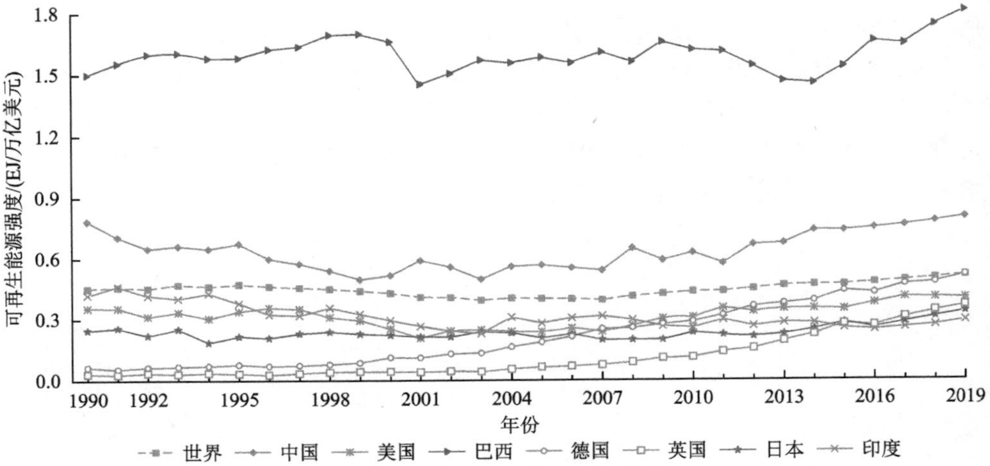

图 1-5　世界及主要国家可再生能源强度变化

大部分世界主要可再生能源消费国家的可再生能源强度都实现了正向增长，但是增幅差异大。与 1990 年相比，英国的可再生能源强度上升最快，增幅为 1013.6%。30 年间英国的 GDP（购买力平价法：2017 年不变价美元）增幅为 77.8%，远低于可再生能源消费的 1880.5%。为了改善严重的空气污染状况，20 世纪 90 年代英国政府开始通过颁布一系列政策和法律调整能源结构，不断提高天然气及新能源的应用比例，如《环境保护法案》（1990 年）、《非化石燃料义务》（1990 年）、《可再生能源义务令》（2002 年）等。随后是德国，其可再生能源强度从 1990 年的 0.06EJ/万亿美元迅速增至 2019 年的 0.51EJ/万亿美元，增幅高达 750%。巴西的可再生能源强度上升速度相对较慢，增幅仅为 20.4%，但是可再生能源强度最高，平均值为 1.59EJ/万亿美元。印度的可再生能源强度呈现下降趋势。1990～2019 年，印度的可再生能源强度从 0.42EJ/万亿美元降至 0.29EJ/万亿美元，降幅 31.0%。这种现象的原因是印度的 GDP（购买力平价法：2017 年不变价美元）增幅为 479.3%，其高速经济增长主要来源于基础设施的投资规模扩大，而这些投资需要投入大量非可再生能源，导致可再生能源消费增长相对缓慢；印度的煤炭、石油、天然气的消费增幅分别为 305.3%、310.1%、414.8%，高于可再生能源消费的 298.7%。此外，美国、中国、日本的可再生能源强度都呈现上升趋势，增幅低于 36%。

1.2　中国可再生能源发展概况

1.2.1　可再生能源开发利用历史与现状

中国是世界上最早开发和利用可再生能源的国家，3100 多年前的古书《周礼》

中便有对“阳燧”（太阳能聚光装置）取火的记载。利用风车磨面粉、利用高山流水带动水车臼米磨粉、利用水流伐木运输、利用阳光烘干食品等更是常见。从1904年开始，中国开始缓慢对可再生能源发电进行商业开发。在一百多年的历程中，中国可再生能源发展伴随着政治沉浮与经济状况的变迁，走过了艰难曲折的发展道路。如图1-6所示，可再生能源事业在战火纷飞与百废待兴中走过了缓慢发展阶段，在全民生产热情高涨时期经历了恢复重建阶段，在改革开放之后进入了探索发展阶段，进入21世纪之后迎来了蓬勃发展阶段。

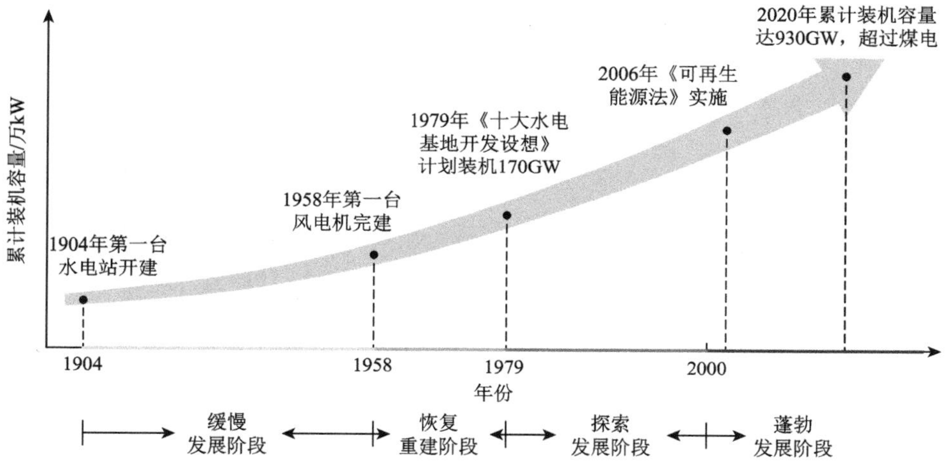

图1-6　中国可再生能源发展

在推进可再生能源开发利用过程中，中国可再生能源表现出以下特征。

中国可再生能源在装机规模和利用水平上都取得了显著成效。由图1-7可知，中国可再生能源装机容量和发电量在2000年后呈现出稳定的增长趋势。截止到2020年，中国可再生能源装机容量达930GW，相对2000年增长超过10倍，年均增长13.1%。同时，可再生能源发电量由2439亿kW·h增至22 148亿kW·h，相对2000年增长8.1倍，年均增长约11.7%。此外，2020年，可再生能源装机和发电量分别占全国装机总量和发电量的42.4%和29.1%，分别相对2000年上升17.5和11.2个百分点。这也说明在重可再生能源的政策导向下，中国可再生能源开发效果明显，增长迅速。

可再生能源电力中太阳能发电装机规模增长最快，风电次之，而水电增长相对缓慢。如图1-7所示，2005年之前可再生能源种类几乎是水电，而2009年开始风电增长迅猛，随后，2014年太阳能发电技术也逐渐成熟。由于中国水电发展相对来说较为成熟，技术也相对完备，因而较其他两种主要的可再生能源而言，装机规模的扩增速度显得较为缓慢。如图 1-7 所示，从 2000 年到 2020 年，水电的装机容量由 79GW 增加到 371GW，增长近 3.7 倍。同时，太阳能发电和风电随着技术进步，边际开发成本不断下降，增长迅猛。具体而言：2020 年，太阳能发电装机容量相对 2011 年增加 250GW，增长 112.7 倍，而风力发电的装机容量相对 2005 年则增加 280GW，其装机规模增长了 263.9 倍，远低于太阳能发电的装机增速。而这也与风电发展较太阳能发电起步更早有关。

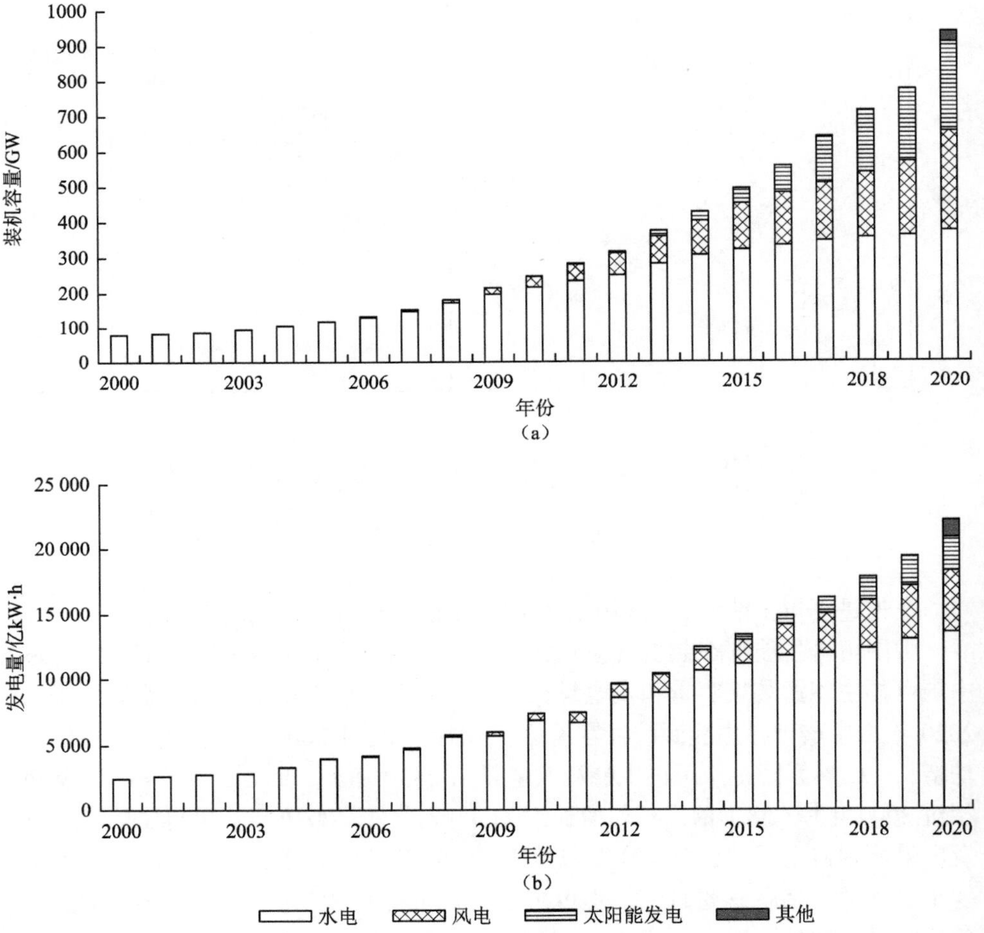

图 1-7　中国历年可再生能源装机容量与发电量（2000～2020 年）

可再生能源的快速发展改善了中国火力发电绝对地位的现状。由图 1-8 可知，火电装机规模始终占据着全国装机容量绝对的主导地位。但我们发现，火电装机容量尽管在总量上有所增加，由 2000 年的 2.37 亿 kW 增长至 2020 年的 12.5 亿 kW，相对增长了4.27倍，但相较风电、太阳能发电及水电的增速都要更低。同时，火电装机规模在全国装机中的比重呈现了下降趋势。2005年，火电装机容量占全国装机容量的比重高达75.7%，到2020年火电装机容量占比下降至56.7%。这意味着可再生能源的快速发展挤占了部分火电的空间，对消解火电的绝对主导地位起到积极有效的作用。

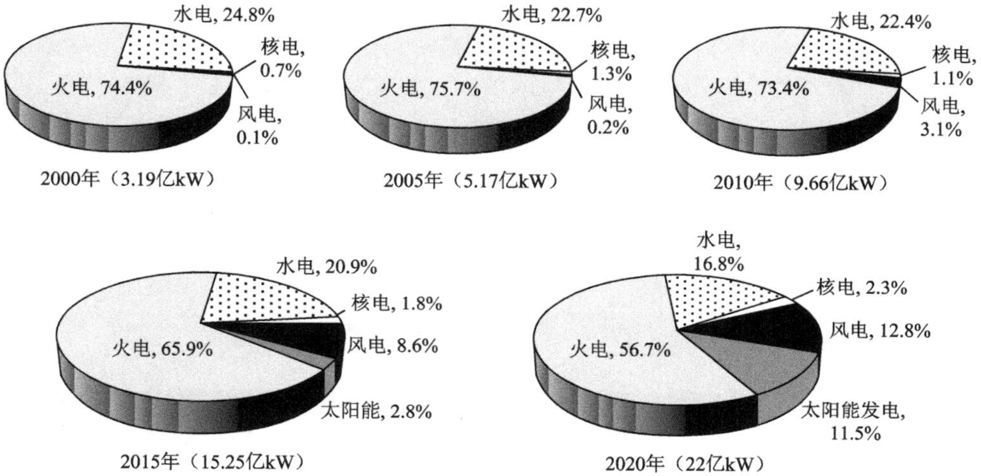

图1-8 全国分能源品种发电装机容量

因数据四舍五入所致，各数相加可能不等于100%，余同

具体而言，中国可再生能源发展可以从水电、风电、太阳能发电及生物质能发电四个方面具体介绍。

1. 水电

如图1-9所示，1904年台湾龟山水电站正式建成，拉开了中国水电发展的序幕，也标志着可再生能源发展的开始。1908年8月中国大陆第一座水电站——云南石龙坝电站开工建设，1912年5月发电。石龙坝水电站最初装机容量为480kW，截至2021年底，石龙坝水电站总装机容量已扩建至7360万kW，而且仍在运营。在随后的四十余年时间里，数十座水电站先后在中国土地上建设落成。到1949年中华人民共和国成立时，中国（不含港澳台）水电装机达16.3万kW，当年发电量达7.1亿kW·h，分别占当时电力总装机容量和总发电量的8.8%和16.5%。在16.3万kW的水电中，大部分单站容量在1.2万kW以下，其中500kW以下的小水电有33处，共装机3634kW（国家电力公司战略规划部，2002）。其中位于吉林省的丰满水电站是建设最早的大型水电站，中国接收时装机容量为14.3万kW。这同时也是日本侵略者极具代表性的“压榨工程”，在工程建设期间，数万中国人民被强行征用为劳工，其中有6500人以上的劳工受虐待或被镇压死亡。

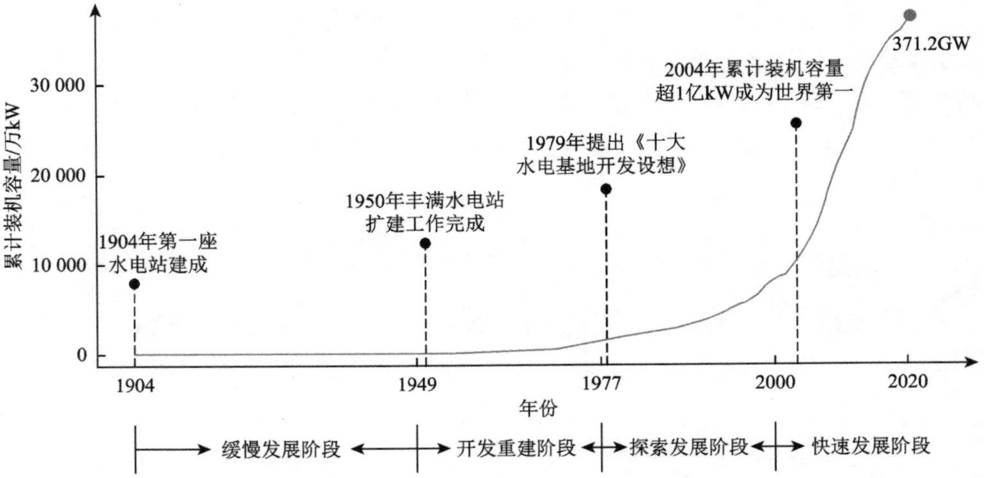

图 1-9　水电装机发展脉络图

1949～1976 年是中国水电开发重建阶段。中国在恢复经济建设与摸索发展道路的同时，对水电进行了平稳有序的恢复与发展。1949～1957 年是新中国水电建设的开创阶段，中国在中华民国时期两次水能资源普查基础之上，开展了三次大规模的水能资源普查，并积极开展水电建设工作。在此期间，于 1950 年完成了对吉林丰满水电站的改建工作，同时在全国范围内完成了一批小水电建设。1957 年，浙江新安江水电站和黄河三门峡枢纽相继开工，标志着中国向建设大型水电站迈进。1958～1965 年，中国水电快速发展，浙江新安江（1957 年）、广东新丰江（1960 年）、甘肃盐锅峡（1961 年）、湖南柘溪（1962 年）及鸭绿江云峰（1965 年）五座大型水电站相继投产，广西西津、湖南双牌、北京密云等 18 座中型水电站建设完成。1957 年 4 月开工的新安江水电站，是中国自行设计、自制设备、自主建设的第一座大型水电站，也是中国第一座百米高的混凝土重力坝。1958 年 9 月，中国首座百万 kW 级的水电站——刘家峡水电站在黄河上游开工建设，同时，下游的盐锅峡、八盘峡水电站也相继开工兴建。1975 年，总装机容量 122.5 万 kW 的刘家峡水电站建成，成为当时全国最大的水利电力枢纽工程，被誉为“黄河明珠”。此后中国又陆续建成了一批百万 kW 级的水电站。1966～1976 年中国水电建设受到“文化大革命”的冲击，诸多设计、科研机构被撤销，水电前期工作停顿，建设工程规模也因此被迫缩减，影响了后续的水电发展进程（国家电力公司战略规划部，2002）。这一时期，中国水电在前期工作基础和水电职工的共同努力下，完成了湖北丹江口（1968 年）、河南三门峡（1960 年）等 7 座大型水电站及湖北黄龙滩（1976 年）、辽宁桓仁（1968 年）等 43 座中型水电站的建设工作。截至 1976 年，全国水电装机容量达 1465 万 kW，年发电量 456.4 亿 kW·h（国家电力公司战略规划部，2002）。

1977～1985年是中国水电发展的积极探索阶段，这一时期中国的勘测、设计和科研机构恢复重建，水资源普查工作积极开展，水电前期工作被动、落后的局面逐步扭转。1979年，《十大水电基地开发设想》正式提出，葛洲坝一期（1981年）、白山一期（1983年）等大、中型水电站陆续投产发电。直至1985年底，全国水电装机容量达2560万kW，年发电量465.68亿kW·h，在建大型水电站21座，总装机容量达1958万～1998万kW，年发电量789.68亿kW·h，为今后水电大发展奠定了良好基础（国家电力公司战略规划部，2002）。

1986～2000年是中国水电建设蓬勃发展阶段，地方、部门和企业集资建设，投资包干的方式加快了水电的开发，水电建设飞跃发展。1988年，中国万里长江第一坝——葛洲坝水利枢纽工程建设落成；1991年，二滩水电站作为世界银行在单个项目上贷款最多的项目正式开工。同一时期16座百万kW以上的水电站建设投产，吉林丰满、白山水电站扩建为百万kW级电站，一批大型水电站投产发电，广州、浙江天荒坪抽水蓄能电站开工建设，小水电也取得较大发展。1999年，全国水电装机容量达7297万kW，其中小水电装机2200万kW，年发电量达2129kW·h（国家电力公司战略规划部，2002）。1994年12月14日，世界总装机规模最大的水电站——三峡工程正式开工建设，标志着中国水电建设进入全盛时期。

21世纪以来，中国水电进入飞速发展阶段，水电开发前期工作、电站选址规划及重大项目的勘测设计有序开展。在完成《电力工业“十五”规划》设立的水电装机9500万kW目标后，“十一五”和“十二五”时期中国在建设完成一大批重大水电项目的同时，积极引进吸收国外水电装备制造和施工技术，培养了有国际竞争力的水电装备制造和施工能力，形成了完整的水电工程规划、设计、施工、运营管理体系。2010以来，世界规模最大的三峡水利枢纽工程，总水推力最大的小湾混凝土双曲拱坝（小湾水电站，2010年），泄洪功率最大的溪洛渡水电工程（溪洛渡水电站，2014年），地震设防烈度最高的大岗山水电工程（大岗山水电站，2014年），世界最高的黄登碾压混凝土重力坝（黄登水电站，2017年），规模最大的深埋长大洞室群锦屏二级水电站已成功建设并投入运行。在“十三五”规划中，受电力产能过剩及经济增速放缓等多方面因素影响，中国常规水电项目开发速度大幅下降；与常规水电情况相反，“十三五”的电力规划中抽水蓄能新开工项目的规模在“十二五”规划的基础上增加了50%，这一规划项目为中国能源革命和电力转型做了铺垫，为更大规模的可再生能源电力入网提供了可能（张博庭，2017）。2020年7月，世界首台长短叶片百万kW机组转轮在白鹤滩水电站吊装成功，标志着世界在建规模最大、单机容量最大的水电站工程建设进入新阶段。

2. 风电

如图 1-10 所示，1958 年吉林省白城市中国第一台风电机组建设完成，标志着中国风电事业进入探索实验阶段。一批功率小于 10kW、风轮直径 10 米以下的小型风力发电装置在辽宁、吉林等地先后安装。然而中国当时制作风力发电机材料工艺并不过关，发电装置故障频出，大多数发电机组建造不久后便被迫停运。1979 年水利电力部建立八达岭风电实验站，先后安装了 120kW 的风力发电机组用于试验。然而受到资金、政策及工业生产水平的制约，这些机组最终没能实现商业化运营，中国自主研发风力发电的道路进入停滞阶段（壮仁清，1984）。

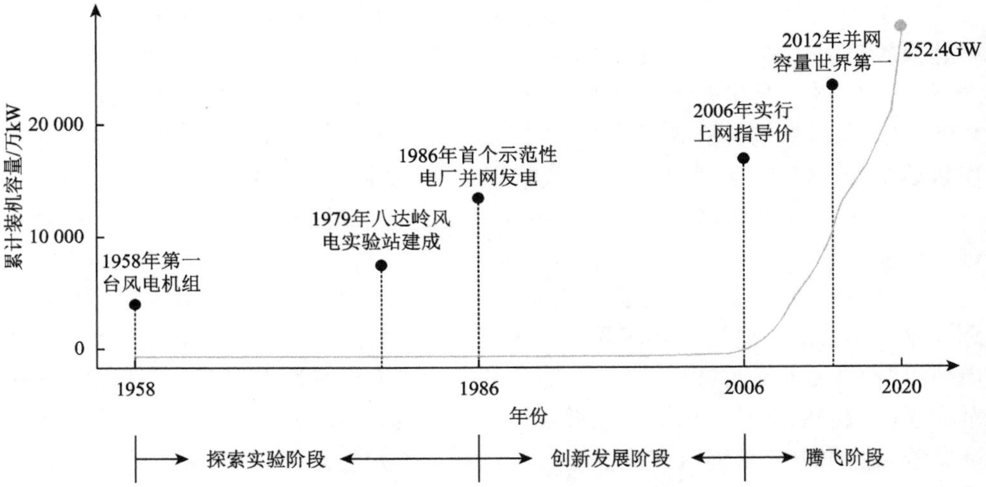

图 1-10 风电发展脉络图

1986 年中国首个示范性电厂在山东荣成马兰湾并网发电，标志着中国风力发电进入创新发展阶段。通过引进国外先进的风电机组，中国在实现风力发电装机规模扩张的同时，积极学习、模仿国外相对成熟的技术，并在此基础上进行创新。20 世纪 90 年代，为促进中国可再生能源发电装机并网，国家将新能源技术列入“八五”计划的重点研发项目；同时加大财税支持力度来提高可再生能源投资规模和消纳水平。1999 年底，中国风电装机累计并网规模达 263.8MW，相当于 1994 年装机 9.7MW 的 27.2 倍（赖明东和刘益东，2016）。

20 世纪末中国风电装机规模的快速扩张让各部委意识到，推动风电设备国产化对于保障中国可再生能源平稳有序发展至关重要。2003 年，国家发展和改革委员会（以下简称国家发展改革委）组织风电特许招标项目，要求经投标建设的风电场中风电机组国产率不低于 50%（第二期提升至 70%）。该项目的实施不但有效提高了中国风电装机规模，而且拉动了风电技术装备国产化的进程，使得新疆金风公司（现更名为新疆金风科技股份有限公司）等一批国产风电设备制造企业有机会参与市场竞争（赖明东和刘益东，2016）。

2006 年 1 月，《中华人民共和国可再生能源法》（以下简称《可再生能源法》）正式实施，中国风电产业也随之进入飞速发展阶段，风电技术不断创新突破、风电装机总量逐年稳步攀升。在风力发电技术方面，2009 年，中国能源企业自主创新推出全球首款 87 米风轮 1.5MW 低风速风机，标志着中国超低风速风机技术发展的重大突破。2010 年 11 月，中国首个千万 kW 级风电基地一期项目在甘肃酒泉竣工，这是继西气东输、西油东输、西电东送和青藏铁路之后，西部大开发的又一标志性工程，被誉为“风电三峡”。2012 年中国风电装机突破 6000 万 kW，取代美国成为世界第一风电大国。2015 年 2 月，中国风电迎来新的里程碑——并网风电装机容量首次突破 1 亿 kW。2017 年 4 月，全国首台 140 米高度全钢塔筒低风速机组在河南兰考完成吊装，这标志着中国低风速风电开发迎来新的里程碑。此外塔筒高度、风机叶轮直径不断提高，风电工程单位造价大幅下降也是这一阶段风电技术发展的显著特点。2019 年中国风电行业平均单位造价约为 7000 元/kW，部分地区更是低至 5500 元/kW，较 2015 年的平均单位造价下降了 1000～2500 元/kW，工程造价的大幅降低为“十四五”期间陆上风电全面实现平价上网贡献了重要力量。与此同时，塔筒高度和风机叶轮直径的不断提高适应了平原地区风速随高度正比增加的高切变特点，风机每 kW 的扫风面积增大，增强了平原地区发展风电的可行性。中国拥有 500 多个平原县城，初步估算可为风电平价上网项目提高 1 亿 kW 以上的装机容量，发展潜力十分可观。

从风电装机容量发展速度来看，中国风电装机容量从 2006 年的 1.06GW 增长到 2020 年的 280.8GW，增长约 264 倍。中国的风电发展不但提前完成了“十三五”装机目标，还实现了“提质增效”——由单纯追求装机容量转向提升发电数量，实现了利用水平质的飞跃。“十二五”末年，中国风电行业平均利用小时数仅为 1728 小时，弃风量高达 339 亿 kW·h，全国平均弃风率为 15%，黑龙江、内蒙古两省区的弃风率分别高达 21%和 18%，甘肃、新疆、吉林三省区弃风率更是超过 30%。通过四年的不懈努力，2019 年中国风电平均利用小时数达 2082 小时，弃风量降低至 169 亿 kW·h，全国平均弃风率降低至 4%。甘肃、新疆、吉林弃风率分别降至 7.6%、14%、2.5%；黑龙江和内蒙古两省区弃风率也分别下降至 1.3%和 7.1%。风电利用小时数显著提高，弃风限电现象明显改善，弃风量和弃电率实现“双降”。

3. 太阳能发电

21 世纪以前，太阳能作为补充能源缺口的重要资源，在能源相对匮乏的农村地区被广泛地开发利用。太阳能的建设增加了农村地区能源的有效供给，缓解了农村地区能源短缺的状况，成为农村经济发展、改善生态环境的重要动力。日光温室、塑料大棚及太阳灶在农村地区的推广，缓解了农村居民生产、生活受到能源制约的状况。如图 1-11 所示，太阳能热在农村地区广泛使用，到 1997 年底，有太阳能温室约 125 万亩①、塑料大棚 650 万亩、太阳能圈 3086 万 m^2、太阳灶保有量达 30 万台。同一时期，太阳能热水器作为中国技术最成熟、市场最大、发展最快的分布式太阳能利用技术，1998 年销量达 400 万 m^2，销售额 36 亿元，保有量 1500 万 m^2，位居全球之首（国家电力公司战略规划部，2002）。

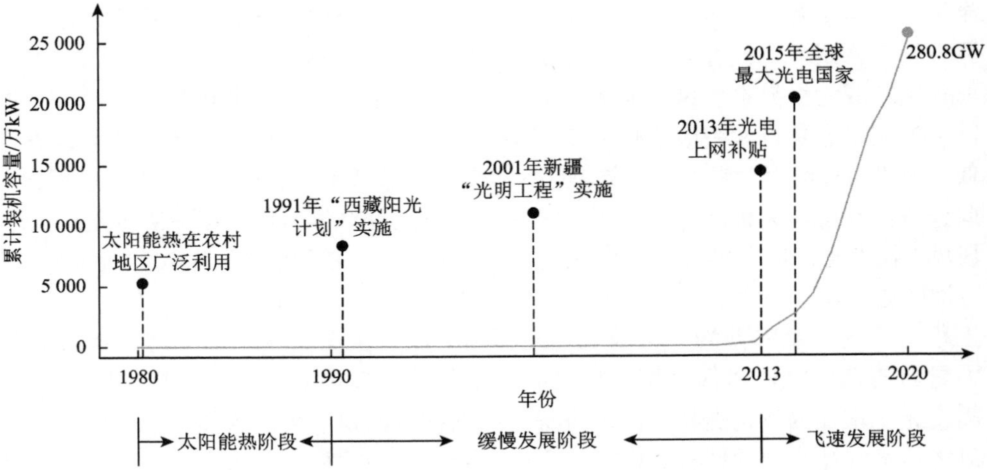

图 1-11　光伏装机发展脉络图

20 世纪末，光伏项目在中国西部地区纷纷落地，“西藏阳光计划”和新疆“光明工程”的开展起到了改善西部地区能源匮乏的状况、促进地方经济发展、加快脱贫致富步伐的作用（沈龙海和柳地，1993；王文静，2004）。1999 年底，“西藏阳光计划”已安装光伏发电系统 1800kW，其中包括 7 座 15～100kW 独立光伏电站和 3 万套 10～100W 户用光伏系统；新疆在 2001 年实施的“光明工程”计划为新疆地区居民安置 11.7 万套户用光伏系统（国家电力公司战略规划部，2002）。

进入 21 世纪，中国在推广太阳能热水器等太阳能热的同时，还积极地采取财税优惠政策来吸引外资、提升技术装备制造水平从而推动太阳能发电项目建设（谢治国，2006）。然而即便如此，中国太阳能发电装机规模增长仍十分缓慢，装机规模处于较低水平。2006 年 1 月 4 日，《可再生能源发电价格和费用分摊管理试行办

① 1 亩≈666.67m^2。

法》出台，尝试通过“成本＋利润”的价格政策刺激光伏装机的增长，然而收效甚微，甚至国家统计局在统计2010年电力装机规模时都没有将光伏发电纳入统计范围。

2011年7月，国家发展改革委发布《关于完善太阳能光伏发电上网电价政策的通知》，对非招标太阳能光伏发电项目实行全国统一的标杆上网电价。这一政策的发布打开了中国光伏发展的大门，2012年中国新增光伏装机容量11.9GW，光伏装机总量增长55.6%。2013年7月，国务院发布《关于促进光伏产业健康发展的若干意见》，在这一极具里程碑意义的文件中出台了标杆补贴电价，将光伏发电的财政支持政策由安装补贴转为电度补贴，并执行“满发满收”政策，保障了电站运营商的利益。在标杆电价等一系列优惠政策及装机成本下降的刺激之下，中国光伏发电行业在2013～2019年保持高速发展，装机容量从2013年的15.9GW增长为2019年的204.2GW，复合年均增长率高达37%。在“十三五”光伏发展的关键时期，产业升级、降低成本、扩大应用，真正实现平价上网成为产业链各环节发展和努力的方向。得益于国家能源局（National Energy Administration，NEA）等能源主管部门的大力支持和鼓励引导，中国光伏发电产业链体系日渐完善，设备制造、系统应用领域发展成绩斐然。现已建立了从上游高纯晶硅生产、中游高效太阳能电池片生产到终端光伏电站建设与运营的垂直一体化体系，形成了完整的拥有自主知识产权的光伏新能源产业链条，为行业抢占全球市场提供有力支撑。2020年，中国多晶硅、硅片、电池片和组件的产能在全球占比分别达到69.0%、93.7%、77.7%和69.2%，单晶硅太阳能电池最高转换效率达25.1%，产品产能和产量高居世界第一，已成为全球光伏产业发展主要推动力量之一。

以光伏发电快速发展为契机，国家能源局、国务院扶贫办于2014年10月提出《关于实施光伏扶贫工程工作方案》，通过为贫困户安装分布式光伏发电系统、在贫困地区建设光伏电站两条路径，实现增加贫困人口基本生活收入、创造就业岗位、改变生活方式的工作目标。截至2019年底，中国光伏扶贫工程累计建成扶贫电站规模26.4GW，惠及9.23万个村、415万户居民，每年可产生发电收益约180亿元。这些成绩，为2020年全面脱贫的实现做出巨大贡献。

为降低可再生能源补贴导致的巨大财政负担（北京大学国家发展研究院能源安全与国家发展研究中心等，2018），2019年1月国家发展改革委和国家能源局发布《关于积极推进风电、光伏发电无补贴平价上网有关工作的通知》，尝试利用“规模化平价＋竞争配置”的市场化手段推动补贴完全退出，引导光伏发电实现平价上网。可能受到补贴退坡进程加快的影响，2020年光伏发电新增装机与上年相比增长迅速，达4.8GW，总装机容量达252.4GW。

4. 生物质能发电

生物质能是以生物质作为载体的能量形式，是以化学能形式将太阳能储存在生物质中的能量（辛欣，2005）。生物质能源具有分布广、资源量丰富、种类较多等特点，不仅包括各类农林植物、生产废弃物、人畜排泄物，还包括纸浆废物、发酵残渣等有机废物（李登伟等，2006）。目前，生物质能仅次于煤炭、石油和天然气，居于世界能源消费总量的第四位，提供全球总量 10%～15%的能源供应（Khan et al.，2009）。生物质能直接或间接来源于植物的光合作用，在利用过程中产生的 CO_2 可以在植物生长过程中通过光合作用吸收，理论上的 CO_2 排放为零（Bilgili et al.，2017）。此外，生物质能又是一种含硫量较低的可再生能源，经过转化可以规模化产生固态、液态和气态燃料，可以成为化石能源的替代和补充，是解决能源和环境问题的重要途径之一（吴创之和马隆龙，2003）。生物质能发电是指通过将各种农林生物质资源、工业废弃物和城市固体废物等生物质资源直接燃烧或转化为可燃气体后进行燃烧，利用产生的热量进行发电，即生物质能发电是利用生物质所具有的生物质能进行的发电，是可再生能源发电的一种形式，包括直接燃烧发电、混合燃烧发电、垃圾发电、沼气发电和气化发电（孙立和张晓东，2011）。与光伏发电、风力发电等发电形式相比，生物质能发电具有电能质量好、可靠性高、技术较为成熟等特点（韦生安等，2016）。

中国在 20 世纪 70 年代中期，开始在农村推广户用沼气池。1979 年国务院转批农业部（现更名为农业农村部）等部委《关于当前农村沼气建设中的几个问题的报告》，提出兴办沼气是实现农村现代化的一项内容。随后财政部安排 500 万元资金用于沼气补助，将沼气建设纳入各级政府计划，国家和各地方政府设立沼气建设专门机构来支持沼气发展（谢治国，2006）。1980 年，中国农村户用沼气使用量达 373.5 万户，年生物质能消费量 2.29 亿 t 标准煤。1984 年国务院转发农牧渔业部《关于进一步发展沼气的报告》，要求各级政府和有关部门加强对沼气发展的支持力度。到 1987 年已建成农村户用沼气池 460 万座，供应 2300 万农民 8～10 个月的炊事用能。1999 年，全国农村市级使用的户用沼气池达 674 万座，年产气约 20 亿 m^3（国家电力公司战略规划部，2002）。中国生物质能发电的工业化生产起始于 2004 年，前期发展速度较慢，发电规模较小。2005 年底以前，中国生物质能发电总装机容量约 200 万 kW，主要是农业加工项目产生的现有集中废弃物的资源利用项目。随着可再生能源法和相关可再生能源电价补贴政策的出台和实施，中国政府积极建设了各类农林废弃物发电项目，生物质能发电产业呈现全面加速的发展态势（Liu et al.，2014a；Zhang et al.，2014a）。

自 2005 年《可再生能源法》颁布实施以来，国务院有关部门根据《可再生能源法》的相关规定，陆续制定颁布了一系列与生物质能发电相关的配套政策措施，使生物质能发电企业的电价补贴问题得到进一步落实。2006 年 1 月，国家发展改革委正式发布了《可再生能源发电价格和费用分摊管理试行办法》，规定在 2005 年各省在脱硫燃煤机组标杆上网电价的基础上加上生物质能发电补贴电价构成本地的生物质能发电价格，补贴电价自项目投产之日起补贴15年，补贴电价标准为0.25元/kW·h。2007年9月，国家发展改革委和国家电力监管委员会（以下简称国家电监会）根据《可再生能源发电价格和费用分摊管理试行办法》和《可再生能源电价附加收入调配暂行办法》的规定，共同发布《关于2006年度可再生能源电价补贴和配额交易方案的通知》，使可再生能源发电企业的电价补贴问题得到进一步落实。此外，从2007年10月开始，为了缓解燃料价格上涨给生物质能发电企业带来的亏损，在原电价补贴的基础上额外给予农林生物质能发电企业100元/MW的临时电价补贴。2010年7月，国家发展改革委在《国家发展改革委关于完善农林生物质发电价格政策的通知》中规定，未采用招标确认投资人的新建农林生物质能发电项目，统一执行标杆上网电价0.75元/kW·h，高出火电价格0.4元/kW·h。

为了促进中国生物质能发电累计装机规模的持续扩大，2007年8月，国家发展改革委发布《可再生能源中长期发展规划》，提出2010年农林生物质装机容量达到4.4GW、2020年达到24GW的宏伟目标。为实现此目标，财政部、国家发展改革委分别颁布具有针对性的财政政策和价格政策以促进生物质能发电项目投资。在2008年1月财政部颁布的《资源综合利用企业所得税优惠目录（2008年版）》中，规定农林生物质等（占70%以上）在计算所得税时，减按90%计入当年收入总额。2015年8月，《资源综合利用产品和劳务增值税优惠目录》中提出农作物秸秆等热电联产享受100%增值税返还。2017年国家能源局提出生物质能发电总装机到2020年达到2334MW，其中农林生物质能发电1312MW，垃圾焚烧1022MW。此外，为了促进生物质能发电可持续健康发展，2017年12月和2018年1月，国家能源局先后发布《关于印发促进生物质能供热发展指导意见的通知》和《关于开展“百个城镇”生物质热电联产县域清洁供热示范项目建设的通知》，进一步推动县域农林生物质热电联产项目的发展，计划形成100个以上生物质热电联产清洁能源供热为主的县城、乡镇及一批中小供热园区。

生物质能发电是目前中国生物质能利用技术较为成熟和发展规模较大的可再生能源利用形式之一，产业发展速度较快。2006～2020年中国生物质能发电产业发展规模与发展趋势如图1-12所示。由图1-12可知，中国生物质能发电累计装机容量呈快速增长趋势，从2006年140万kW增加到2020年2952万kW，增加了约20倍，年均增长率达到24%。其中，“十一五”及“十二五”期间，中国生物质能发电累计装机容量由2006年的140万kW增加到2015年的1120万kW，年均增长率超过26%。“十三五”期间，在各种政策的支持下，随着生物质能发电持续快速增长，生物质能累计装机占可再生能源的比重不断上升。截至2020年底，中国生物质能源装机容量占可再生能源的比重上升至2.5%（IRENA，2021）。生物质能发电的地位不断上升，反映生物质能发电正逐渐成为中国可再生能源利用中的新生力量。

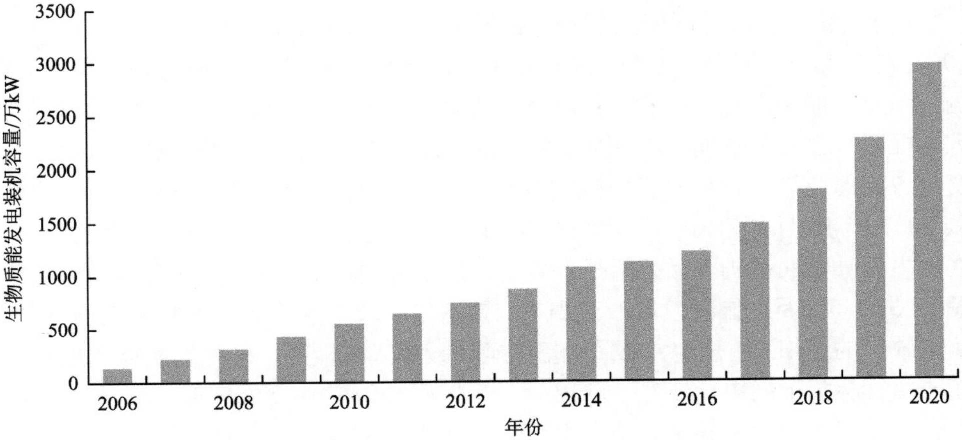

图 1-12　2006～2020 年中国生物质能发电装机容量

1.2.2　省域可再生能源发展

在长江流域水力资源丰富的四川、云南和湖北，以及以新疆、青海、甘肃和内蒙古为代表的风光资源丰富的西北地区，可再生能源发展水平增长最为显著。由图 1-13（a）和图 1-13（b）可以看出，从 2005 年到 2019 年，中国可再生能源装

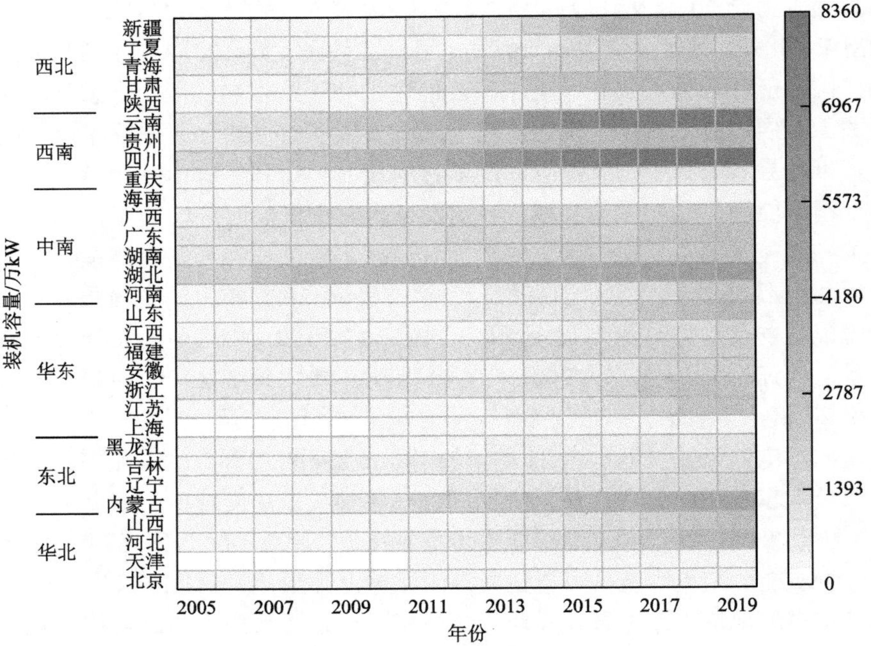

（a）装机容量

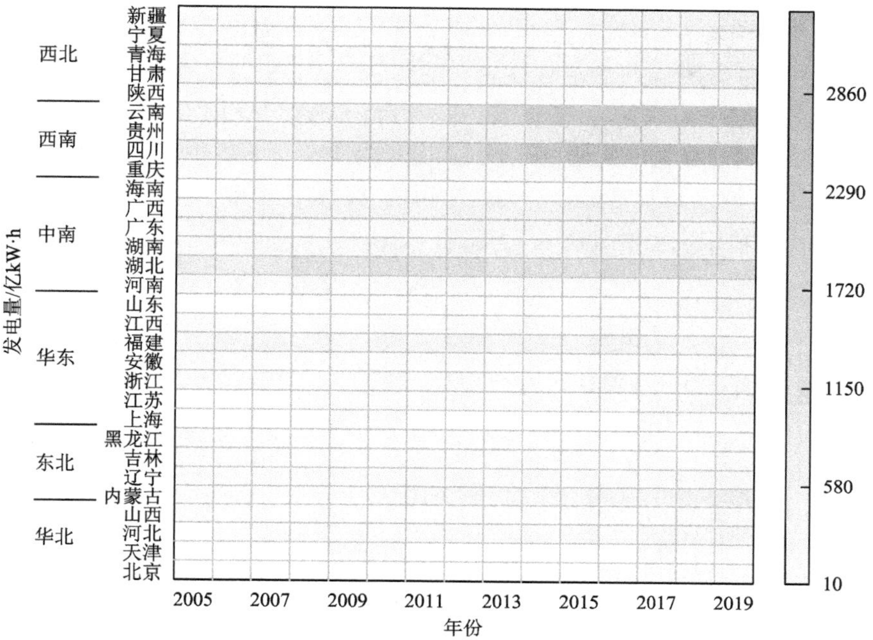

（b）发电量

图 1-13　各省区市可再生能源装机容量和发电量

机容量及发电量的热力图颜色逐渐变深，这意味着随着可再生能源逐步受到重视，各省的可再生能源的开发水平均取得了明显的成效。其中，长江流域水力资源丰富的四川、云南和湖北三省可再生能源发展水平始终居于全国前列，而随着风、光等非水可再生能源的开发，青海、新疆、甘肃、内蒙古四地的可再生能源发展也较为迅速。

受到不同能源分布的地域特征因素影响，中国可再生能源开发水平表现出较强的区域不均衡性。图 1-14 表示各省区市可再生能源装机容量和可再生能源发电量在 2005 年及 2019 年的情况，其中三角形标志代表每个地区 2019 年相对 2005 年增长的倍数。结合图 1-13 和图 1-14 可以看出，中国可再生能源装机容量及发电量在区域间的都具有较大的差异。2005 年，以湖北和四川为代表的中部以南的地区要高于其他区域可再生能源的开发水平，这也是由这两个区域成熟发达的水力发电系统导致。这两个省的可再生能源装机容量分别为 1789 万 kW 和 1496 万 kW，而 30 个省区市中可再生能源装机容量最少的地区天津市，其装机容量为 5000kW，仅占湖北省的 0.028%。同时，湖北和四川也位列全国可再生能源发电量之首，2005 年各自通过可再生能源发电 814 亿 kW·h 和 653 亿 kW·h，分别是发电最低地区山东（1.8 亿 kW·h）的 452 倍和 363 倍。到 2019 年，区域间的差异扩大，四川省的装机规模和发电量超过湖北省成为第一，云南省跃居第二，而湖北排名第三，三者可再生能源装机容量依次为：8359 万 kW、8111 万 kW 和 4705 万 kW，可再生能源发电量依次是 3415 亿 kW·h、3144 亿 kW·h 和 1488 亿 kW·h。北京市同时成为装机容量和发电量最小的地区，分别为 169 万 kW 和 18 亿 kW·h。四川省 2019 年的装机规模和发电量分别为北京市的 49 倍和 190 倍，显然可再生能源开发区域的不均衡性进一步加深。

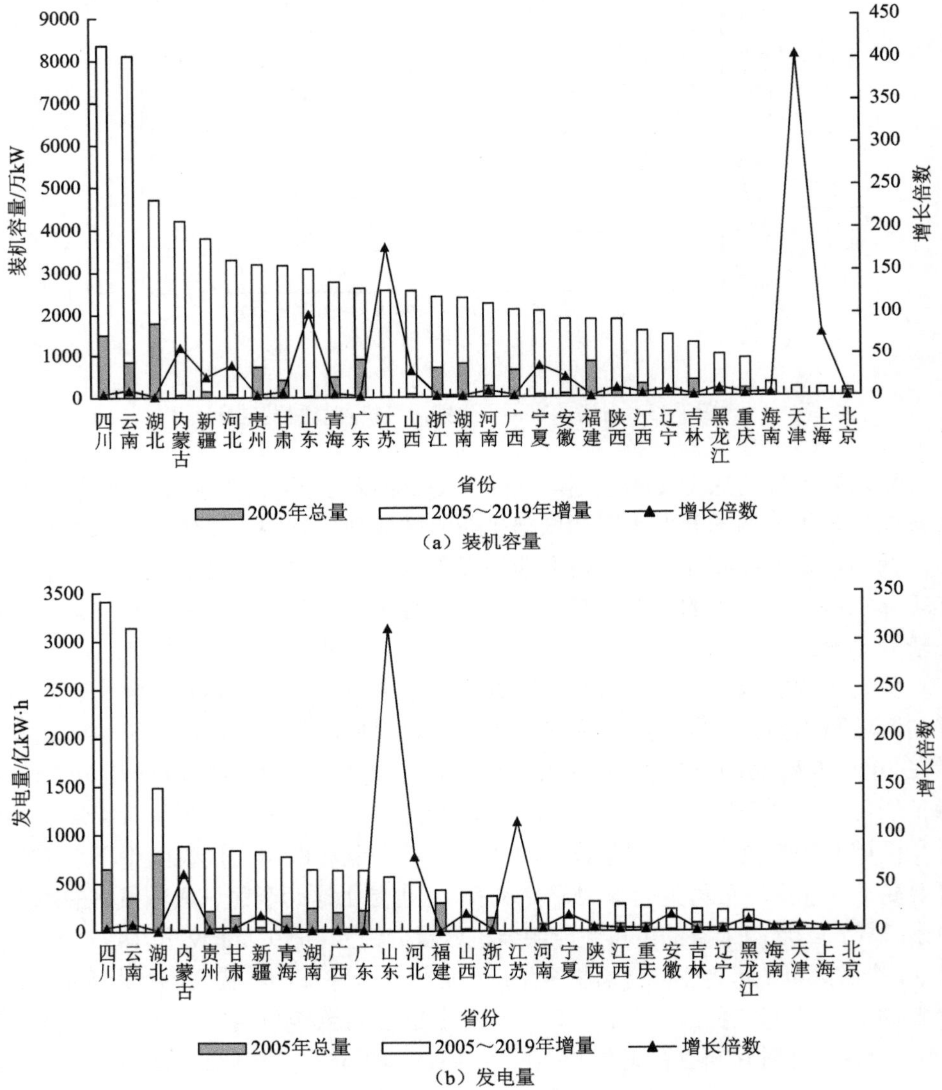

图 1-14　省域可再生能源装机容量和发电量

资源潜力分布不均是制约可再生能源发展的固有因素。由图 1-14 可知，四川、云南和湖北的平均可再生能源开发水平最高，对应地，天津、上海、北京和海南四地的可再生能源发展水平处于全国末游。我们发现处于长江流域且占据得到天成的地理位置，使得这三地具有丰富的水力资源和开发优势，可再生能源在政策支持下得到迅速发展。而天津、上海、北京和海南等地由于其贫瘠的资源潜力极大地限制了其可再生能源的发展。此外，可再生能源装机规模和发电规模增长最快的分别是天津和山东，分别增长近 405 倍和 314 倍。值得注意的是，这两个地区在 2005 年分别是有最低的可再生装机容量和发电量。

1.2.3　太阳能和风力发电成本

2050 年前，中国电力需求将保持持续增长趋势，发电量的饱和规模将达到 13.1 万亿～14.3 万亿 kW·h 左右，其中化石能源发电量占 57%左右（国家能源局，2013）。与传统能源相比，可再生能源发电技术，尤其是风电和太阳能发电，不具备成本优势。然而，在技术稳步提高、规模经济、具有竞争力的供应链和不断扩大的部署规模的推动下，可再生能源发电成本在过去 10 年大幅下降。如图 1-15 所示，中国陆上风电装机成本从 1996 年的 2717 美元/kW 降至 2019 年的 1222 美元/kW，年均降速 3.4%。相比之下，太阳能光伏发电装机成本下降速度更快。居民部门太阳能光伏装机成本以年均 15.9%的降速从 2012 年的 2823 美元/kW 降至 2019 年的

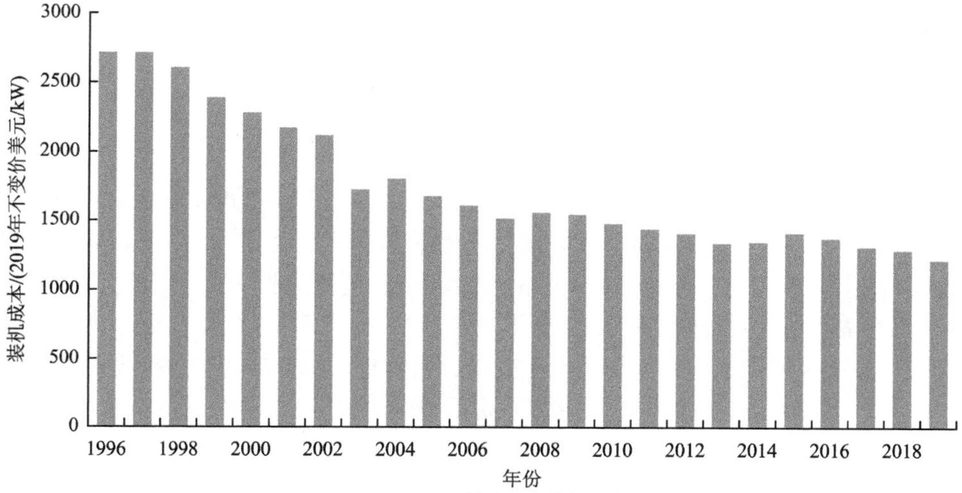

（a）陆上风电装机成本

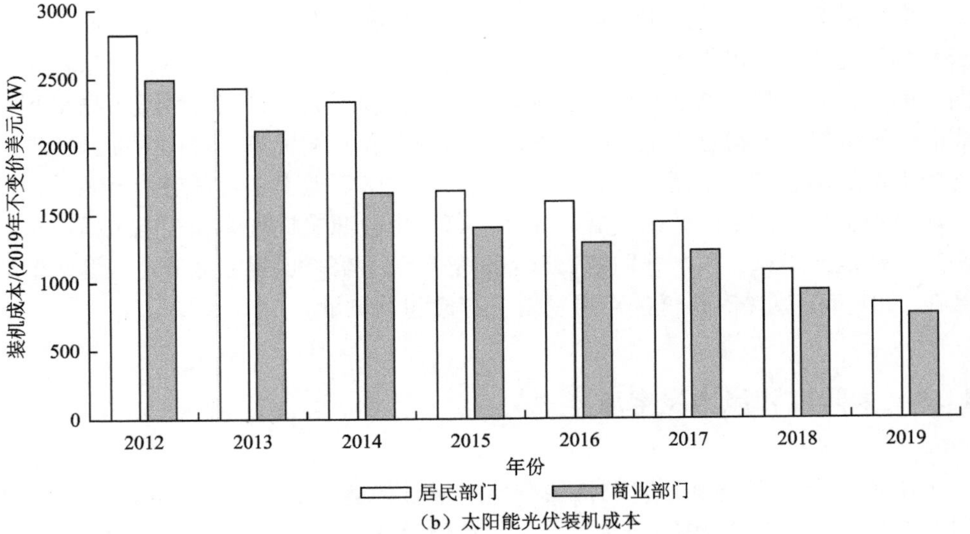

（b）太阳能光伏装机成本

图 1-15　陆上风电和太阳能光伏装机成本

840 美元/kW，同时商业部门的太阳能光伏装机成本降幅为 69.5%，2019 年达到 760 美元/kW。在此期间，陆上风电成本下降了 13.3%。新建的太阳能光伏和风电项目有利的成本趋势正在削弱燃煤电厂的竞争优势，这一情况将持续到 2020 年及以后（IRENA，2020b）。风电和太阳能发电技术成本持续大幅度下降的潜力将成为影响电力部门多源协调发展的重要因素，并加快电力部门的绿色转型进程。

1.2.4　可再生能源产业产能过剩

2020 年 12 月 12 日，习近平主席在气候雄心峰会上除重申了碳中和目标外，还提出到 2030 年：“中国风电、太阳能发电总装机容量将达到 12 亿 kW 以上”①的目标。在投资方面，中国 2013 年可再生能源装机投资达到 508 亿美元，超越欧洲成为可再生能源领域的最大投资国，并且在 2017 年，中国光伏和风能市场的领先优势达到峰值。特别是太阳能装机规模增至 53GW，占当年全球总量的一半。就 2010～2019 年可再生能源装机投资总额而言，中国投入 8180 亿美元排名世界第一。2019 年中国可再生能源装机投资为 834 亿美元，其中光伏装机

① 《继往开来，开启全球应对气候变化新征程——在气候雄心峰会上的讲话》，http://www.cidca.gov.cn/2020-12/14/c_1210930656.htm，2021 年 12 月 10 日。

吸引投资 257 亿美元，下降 33%，而风能装机则吸引了 550 亿美元，增加 10%。在低排放交通运输方面，2020 年，中国为续航里程超过 250 公里的电动汽车提供补贴，起价 1400 美元，续航里程超过 400 公里的电动汽车最高为 3600 美元。中国还制定了新能源汽车（包括电动和燃料电池车型）的目标，即到 2025 年占乘用车和商用车总销量的 25%。

近十几年来，中国可再生能源产业发展迅猛，但是出现了明显的产能过剩现象。以风电为例，中国风力发电量从 2011 年的 741 亿 kW·h 增至 2019 年的 4057 亿 kW·h，年均增长 23.7%，但是该时期的弃风电费损失约为 1254 亿元，如图 1-16 所示。2011 年、2012 年和 2016 年的弃风现象最严重，弃风率接近 1/5。2019 年弃风率最低，仅为 4%，但是弃风电量和电费损失分别高达 169 亿 kW·h 和 91 亿元。

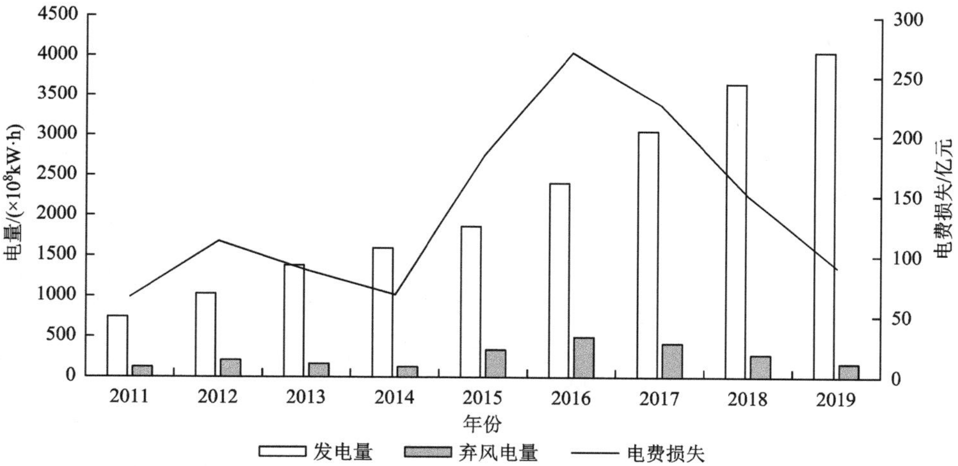

图 1-16　风力发电量、弃风电量和电费损失

1.3　可再生能源政策

中国可再生能源产业的发展受到法律的大力支持和保护。1995 年，中国颁布了《中华人民共和国电力法》（以下简称《电力法》），支持可再生能源和清洁能源用于发电。1997 年，为优化国内能源结构，鼓励新能源和可再生能源发展，颁布了《中华人民共和国节约能源法》。2005 年颁布了《可再生能源法》，明确了可再生能源发展的支持原则和方向，概述了政府在推广可再生能源方面的作用和责任。2009 年，修订了《可再生能源法》，规定了政府对可再生能源规划的责任、电网

公司全面收购接入电网的可再生能源的义务，以及设立可再生能源基金。《可再生能源法》为中国可再生能源发展提供了强有力的立法基础和重要保障（Yuan and Xi，2019）。此外，中国政府也制订了一系列的五年、中期和长期计划，为促进可再生能源制定了指导方针和目标。这些国家计划在可再生能源法律和政策体系中享有特殊地位，有时甚至会产生比法律更有效的实施效果。迄今，中国已经形成了一个全面的可再生能源法律体系，主要以《可再生能源法》为基础，并辅以其他相关法律和政策（Liu，2019）。

从涉及的可再生能源发展内容来看，与可再生能源相关的政策逐渐发展成两类，一类是专门针对可再生能源的法规政策，即其主要内容都是涉及可再生能源相关内容的政策。另一类是非主要针对可再生能源的法规政策，这类政策尽管不是专门指向可再生能源，但对可再生能源发展的相关内容也做出了强调，也对可再生能源的发展起着不可小觑的作用（Yuan and Xi，2019）。

1. 专门针对可再生能源的政策

发展可再生能源是中国环境保护和能源结构优化的必然选择（Zhang et al.，2011；Zhao et al.，2013）。中国政府制定了一系列专门针对可再生能源发展的政策，这些政策将可再生能源确定为其发展计划的关键组成部分（Liu et al.，2014b；Mischke and Karlsson，2014）。在 20 世纪 90 年代之前，中国开发和利用可再生能源的主要目的是弥补农业燃料的短缺。因此，当时可再生能源相关的指导意见基本上是农村能源建设政策。1990～2005 年，针对农村能源以外的可再生能源专门政策和法律逐渐出台。其中，最重要的一项是《可再生能源法》，该法于 2005 年制定并于 2009 年进行了修订。《可再生能源法》是中国开发和利用可再生能源的基本法律。它在不同的章节中全面涵盖了可再生能源的各个方面，如资源调查和开发计划、工业指导和技术支持、推广和应用、价格控制和成本分摊、经济激励和监督措施及法律责任（中华人民共和国中央人民政府，2005）。为了实施《可再生能源法》，中央各部委和地方政府制定了一系列部门规章、地方政府规章和其他监管文件。中央不同部门发布了关于可再生能源的特定政策。但是，可再生能源法的实施不仅仅取决于“命令与控制”模式，在这种模式下，省政府会接收到中央部门的命令，然后转发给市或县级政府（Chung，1995）。并且各省会根据自己的能源状况和经济水平制定专门针对可再生能源开发和利用的地方性法规政策。专门针对可再生能源的法规政策表现出以下特征。

（1）政策之间的协同关系逐渐加强。专门针对可再生能源的政策逐年形成，通过部门之间的功能、结构、资源的整合与有效合作，推动政策之间的相辅相成。例如，为进一步促进可再生能源的发展，国家发展改革委和国家电监会发布了《关于可再生能源电价补贴和配额交易方案（2010年10月—2011年4月）的通知》。可再生能源配额制度和绿色证书交易为可再生能源设定具体目标，并大大促进了可再生能源的生产和消费，为可再生能源提供了巨大的发展机会。然而即便如此，可再生能源相比于传统化石能源发电仍存在严重的成本劣势。2015年12月，国家出台了《关于完善陆上风电光伏发电上网标杆电价政策的通知》，以提高可再生能源的竞争力。同时，一些地方政府为可再生能源发电提供了投资补贴，可以通过提高生产技术水平逐步降低发电成本。

（2）以总体规划类政策为基础，特定政策作为辅助政策逐渐出台。部分地区专门针对可再生能源的法规政策如图1-17所示，专门针对可再生能源的法规政策基本上是从对可再生能源或特定能源的整体规划开始，如2011年上海市发布的《新能源发展“十二五”规划》，之后在项目建设、电站建设、能源消纳等方面出台相关政策以辅助总体规划目标更好地完成。

2. 非主要针对可再生能源的政策

除了专门针对可再生能源的政策外，非主要针对可再生能源也可能涉及可再生能源发展内容。例如，《中华人民共和国节约能源法》特别提及鼓励开发和利用可再生能源。《电力法》还支持通过清洁能源进行发电。由于清洁和低碳的特性，可再生能源可以大大减少污染物排放并产生重大的环境效益（Silva et al.，2013）。中国是世界上最大的温室气体，二氧化硫、氮氧化物和大气颗粒物排放国，因为一次能源消耗的67%和发电量的73%来自煤炭（Yang et al.，2016）。随着人们对环境保护的日益关注，提高能效和探索可再生能源的目标已明确反映在中国的环境和气候保护法等非主要针对可再生能源的法规政策中，发展可再生能源也成为中国环境保护的必然选择（Zhang et al.，2011；Zhao et al.，2013）。非主要针对可再生能源的法规政策表现出以下特征。

在非主要针对可再生能源的政策中，鼓励性政策占比较大。非主要针对可再生能源的法规政策包括节能减排、经济发展、生态建设、绿色低碳发展、产业发展等方面。这也意味着可再生能源发展在这些方面都起着积极的作用。大多数政策涉及的可再生能源内容都是以鼓励发展可再生能源、规定可再生能源配额标准、规划计划为主，较少涉及可再生能源发展的具体实施方案。部分地区非主要针对可再生能源的法规政策如图1-18所示。

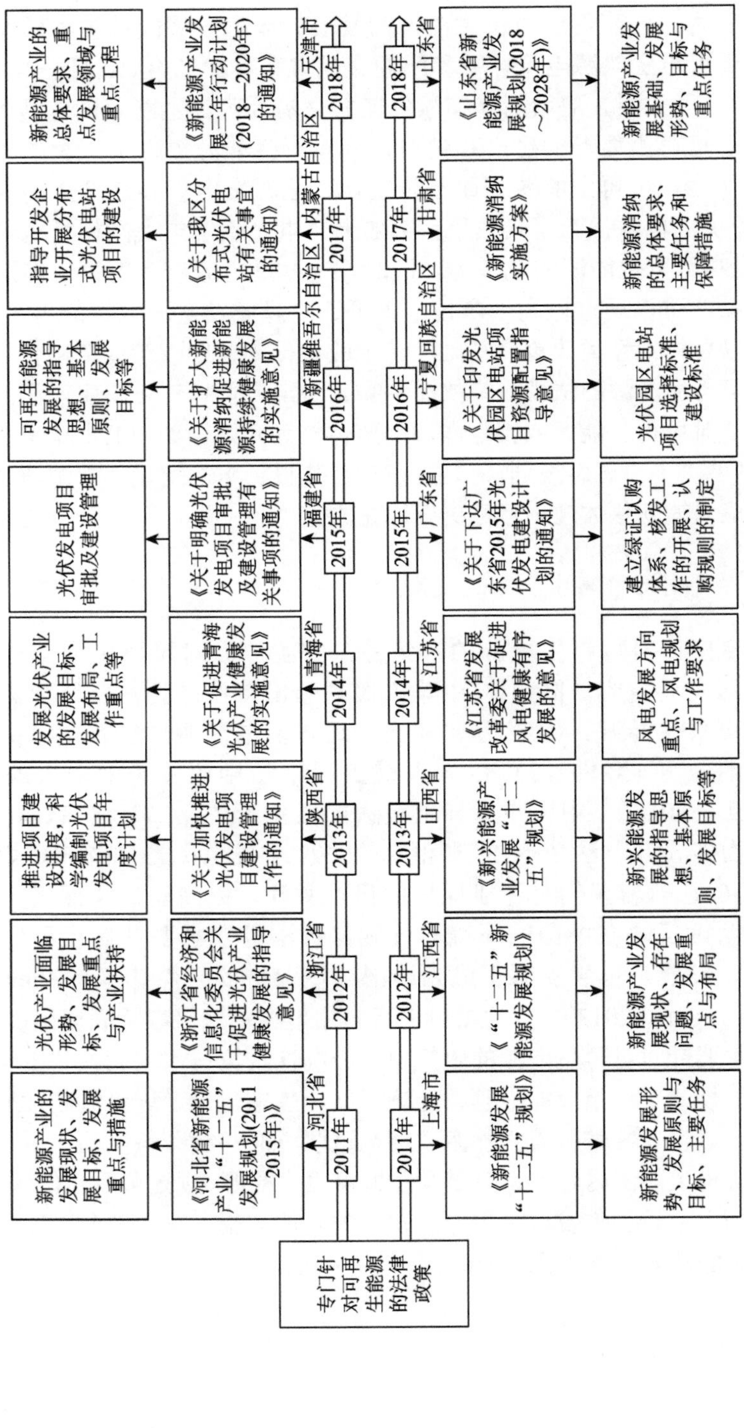

图 1-17　部分地区专门针对可再生能源的法规政策

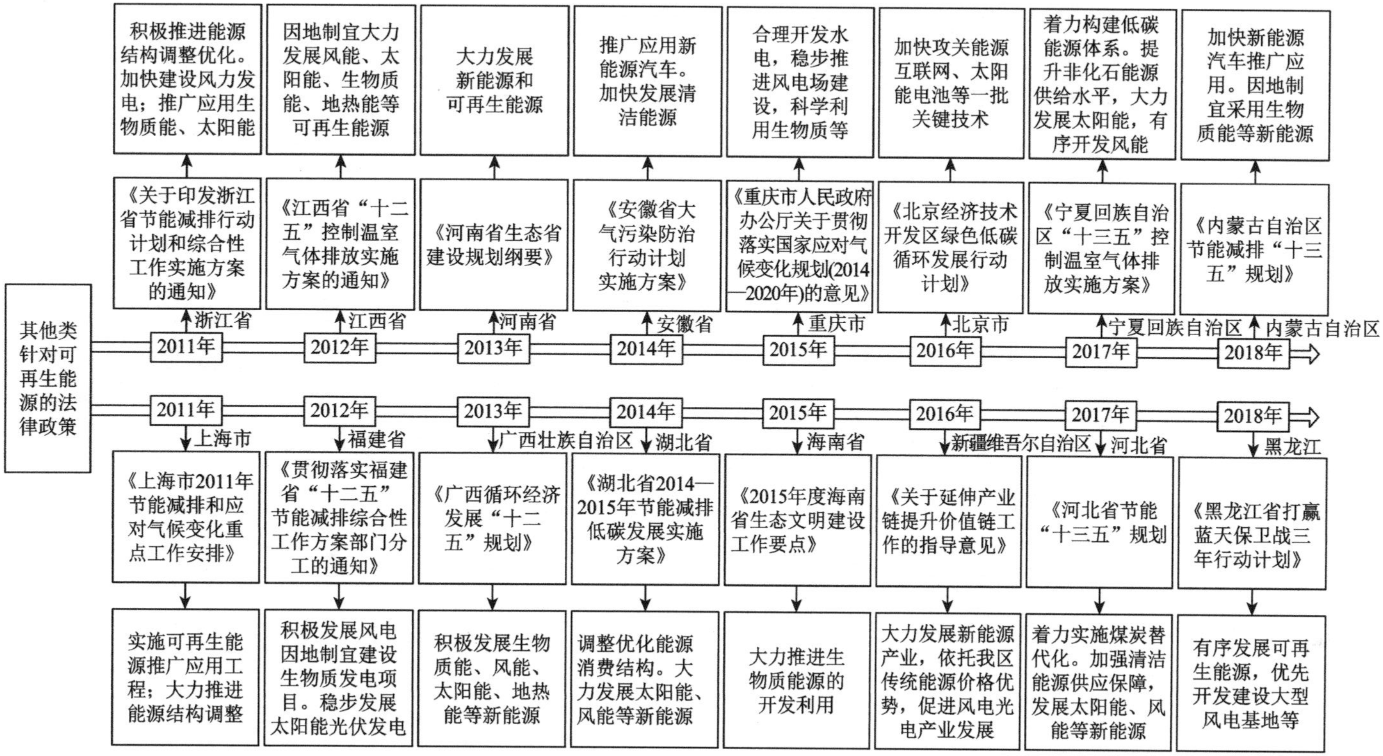

图 1-18 部分地区非主要针对可再生能源的法规政策

1.4　可再生能源的影响因素

开发利用可再生能源是实现可持续经济发展的关键，与经济、能源、环境、技术、政策等存在紧密联系。

（1）经济因素。经济因素被大多数学者认为是可再生能源开发的主要驱动力。例如，Apergis 和 Payne（2010）发现经济增长与可再生能源开发有双向因果关系。Ohler 和 Fetters（2014）也得出相似结论，但这种关系取决于能源种类。传统的经济发展模式过度耗竭化石能源导致的气候变化和环境衰退问题迫使各国加快可再生能源发展，以实现可持续经济发展。随着中国经济高速增长转为中高速增长，经济结构不断优化升级，经济进入了一个新时代，即“新常态”。这个新阶段将从要素驱动、投资驱动转向创新驱动。可再生能源将成为中国经济增长的新来源。《“十三五”国家战略性新兴产业发展规划》（2016 年）将可再生能源产业列为重点战略性新兴产业之一。可再生能源开发利用还可以带来增加教育机会和就业机会、消除性别不平等的社会效益（Olejarnik，2013）。

（2）能源因素。解决能源安全问题和推动能源结构转型是中国可再生能源发展的紧迫任务，也成为促进可再生能源发展的主要驱动力。在供给方面，由于化石能源的稀缺性和可耗竭性，可再生能源将在满足巨大的能源需求方面发挥越来越重要的作用。在需求方面，可再生能源具有可持续性和环境友好性的特点，可以解决传统化石能源使用的污染排放问题。经过近几十年发展，中国可再生能源实现规模化快速发展，对能源供应起到重要的补充作用。在这一能源转型发展时期，可再生能源应用领域和消费仍处于相对较低水平，难以对化石能源进行大范围增量替代和区域性存量替代。中国有限的传统能源储量是影响能源自给率的重要因素，而且受能源转型去产能及经济增长的影响，能源结构中占主导地位的化石能源出现区域性、结构性的短缺，特别是天然气短缺可能会成为未来影响中国能源安全的突出问题。2009 年，中国首次成为煤炭净进口国，石油进口依存度约为 53%。2013 年，中国石油进口比重为 58.9%，天然气进口比重为 27.6%。到 2020 年，中国石油需求和供给的缺口将达到约 800 万桶/天，石油进口依存度有可能超过 70%（史丹，2009）。在这种情况下，能源安全将是中国未来可持续发展的一个重要挑战，而发展可再生能源成为解决这一问题的关键途径。2010～2019 年上半年，中国以 7580 亿美元的投资额位居可再生能源投资榜首（UNEP，2019）。2016 年，中国（不含港澳台）可再生能源消费量 8610 万 t 油当量，同比增长 33.4%，占全球可再生能源消费量的 20.5%，成为全球最大可再生能源消费国（BP，2019）。到 2030 年全国电力总装机容量达到 2731GW，可再生能源装机占比增至 54%（水电15%、风电21%、太阳能15%、其他3%），而煤电比例下降到32%（IRENA，2018）。考虑到可再生能源巨大的技术和经济潜力，我们有理由期待可再生能源将成为一次能源消费中的主体能源，煤炭在能源结构中降至从属地位。

（3）环境因素。随着全球碳排放量屡创新高，气候变化日益严重，可再生能源被视为构建稳定清洁的能源系统的重要组成部分。煤炭在能源结构中的主导地位导致了大量的温室气体和其他污染物，这是造成环境困境的主要原因。在偏远和农村地区，传统上使用生物质和高碳能源满足日常生产生活的能源需求也为这些地区环境质量改善造成了障碍。与使用化石燃料相比，可再生能源消耗将产生更少的碳排放和环境污染物，有助于减缓气候变化和遏制环境污染（Prakash and Bhat，2009；Wang et al.，2014a）。中国已经实施了数十项政策和自愿减排目标来应对气候变化。中国政府制定《中国应对气候变化国家方案》（2007年），推动建设资源节约型、环境友好型社会，提高减缓与适应气候变化的能力。生态环境部发布《中国应对气候变化的政策与行动2020年度报告》（2021年），指出中国为了有效应对气候变化问题，采取了调整产业结构、优化能源结构、节能提高能效、推进碳市场建设、增加森林碳汇等一系列措施。《中美气候变化联合声明》（2014年）明确提出中国计划在2030年左右达到碳排放峰值。

（4）技术因素。技术创新对可再生能源的发展至关重要。与传统能源技术相比，成本是可再生能源市场成功的决定因素（Ding et al.，2020）。而可再生能源成本与技术创新密切相关，因此有效的技术创新可以促进可再生能源发展。技术创新有利于可再生能源发电成本的降低（Zhao et al.，2014），从而缩小可再生能源电力与常规电力的成本差距，使可再生能源得到广泛应用（Bayer et al.，2013），促进其开发利用。风电、光伏、光热成本下降主要源于技术进步带来的发电效率提高（IRENA，2018）。随着可再生能源技术的发展，可再生能源的度电成本不断下降，可再生能源电力在电力市场中的份额不断提高（Geng and Ji，2016）。目前，由于可再生能源投资成本较高，其商业化程度低于化石能源（Yang et al.，2019a）。可再生能源技术创新可以通过降低投资成本，推动企业对可再生能源的投资（Popp et al.，2011）。Popp等（2011）以可再生能源技术专利为技术创新的替代，发现虽然技术创新的影响很小，但确实可以促进对可再生能源的投资。Sohag等（2015）发现技术创新可以通过提高能源效率来帮助减少能源使用。技术创新是增加可再生能源供应以满足能源需求、优化能源结构的重要驱动力（Chen and Lei，2018）。Irandoust（2016）的研究表明，对于北欧的四个国家技术创新（以能源领域的实际研发支出表示）和可再生能源之间存在双向因果关系。Lin和Chen（2019）也表明可再生能源技术创新是发展可再生能源的关键。类似的研究结论还可以从Diederich和Althammer（2016）、刘国旺和严馨（2019）、孙一琳（2019）等得到证实。

（5）政策因素。可再生能源政策对可再生能源开发利用的重要地位逐渐成为大多数学者的共识。目前已有大量文献针对中国可再生能源的发展现状和政策进行了定性和定量的分析。张禹祺（2018）认为从中国现行的税收政策来看，并没有对可再生资源发展形成足够的支持，并提出应该针对中国现有的税制进行优化完善，不断从税收的角度来刺激可再生能源的发展。朱敏（2018）提出中国推行绿证制度，是不可避免的趋势，这不仅可以促进可再生能源高效利用，还会降低国家财政补贴压力。随着未来实施可再生能源配额制，绿证制度的地位和作用将进一步加强，对电力行业的影响也将更为广泛和深远。站在定量分析的角度，多数研究以可再生能源政策作为自变量，重点关注可再生能源政策对可再生能源的扩散、投资等的影响作用。Marques 和 Fuinhas（2012）发现可再生能源激励补贴政策（包括上网电价）是改善可再生能源使用的重要推动力。Zhao 等（2016）发现价格政策和非价格政策对风电装机容量的增长产生了积极影响，价格政策在促进风电发展方面比非价格政策发挥更大的作用，而价格政策在风资源贫乏地区效率更高，而非价格政策在风资源丰富的地区更为有效。Verdolini 等（2018）指出绿证制度对可再生能源的扩散具有积极影响，而其他政策变量，如税率和上网电价等政策对可再生能源扩散的影响都很小。Liu 等（2019）认为包括财政和金融激励措施、基于市场的政策工具对提高可再生能源装机容量具有重要意义。同时，价格政策、赠款和补贴及战略规划等十二项具体政策对可再生能源的发展有积极影响并且发现具体政策之间存在协同效应。也有人提出有些可再生能源政策会有负面效应，如 Delmas 和 Montes-Sancho（2011）评估了可再生能源配额制（renewable portfolio standard，RPS）和强制性绿色电力选择（mandatory green power option，MGPO）这两项政策对可再生能源发电投资的有效性，发现 RPS 对可再生能源发电投资有负面影响，MGPO 对可再生能源装机容量有显著消极影响。Fobissie（2019）发现在环境不确定性和税收激励政策的影响下，可再生能源投资效率会偏离其有效水平。

1.5 可再生能源的开发利用绩效

可再生能源开发利用绩效是指在特定时期内，区域自然资源的管理机构和能源企业等资源主体在可再生能源的勘探、开发和消费过程中通过法律法规的制定执行、资产和人力投资及技术创新所实现的能源、经济、技术、社会和环境协调发展程度的成效。可再生能源开发利用绩效评价是指根据一定的指标体系，按照统一标准和程序，采用定量化的方法对区域一定时间内的可再生能源开发能力和利用成效做出客观、公正和准确的综合评价。

由于研究重点不同，学者评估了各种可再生能源的绩效以提高可再生能源的利用水平，包括可持续性绩效（Hadian and Madani，2015；Shen et al.，2010）、经济绩效（Korsavi et al.，2018；Lehr et al.，2012）、技术绩效（Henninger et al.，2017；Raugei and Leccisi，2016）、环境绩效（Nguyen et al.，2013；Panwar et al.，2011）、能源绩效（Raugei and Leccisi，2016；Yu et al.，2018a）和政策绩效（Matsumoto et al.，2017；Menanteau et al.，2003）。

一些研究还使用不同的方法评估两种或两种以上的绩效，包括技术和环境或经济绩效。例如，Akinyele 和 Rayudu（2016）使用生命周期评价技术分析了尼日利亚宝池州的光伏发电系统（photovoltaic power system，PPS）的经济和环境绩效，得出光伏发电系统的生命周期成本为柴油发电厂的 48%～49.5%，而排放率仅为柴油发电厂排放率的 7.9%～8.7%。Al-Sharafi 等（2017）使用优化方法最大化光伏阵列和风力涡轮机的经济和环境综合绩效指标。他们发现，经济绩效强调降低发电成本，而没有优先考虑混合发电系统的环境影响。此外，Cristóbal（2011）、Lins 等（2012）和 Sağlam（2017）通过使用 DEA 及其改进的模型评估了各种可再生能源的投入产出相对效率。但是，这些研究并未评估可再生能源开发利用的综合绩效。

可再生能源的评估通常涉及许多方面。一些研究同时考虑经济、环境、技术和社会指标，从多准则角度研究可再生能源相关的决策。例如，Cavallaro 和 Ciraolo（2005）根据经济、技术和环境准则对在 Salina 岛上安装风力涡轮机的可行性进行了初步评估。Kaya 和 Kahraman（2010）考虑技术、经济、环境和社会相关的 11 个准则，通过集成多准则妥协解排序（višekriterijumsko kompromisno rangiranje，VIKOR）方法和层次分析（analytic hierarchy process，AHP）方法确定了 Istanbul 最佳的可再生能源替代方案。Dalton 等（2016）从经济、社会和环境绩效三个方面对海洋可再生能源技术进行了全面评估。可再生能源相关的多准则决策包括可再生能源电厂选择（Afgan and Carvalho，2002）、可再生能源政策选择（Popiolek and Thais，2016）、可再生能源优先选择排序（Ahmad and Tahar，2014；Büyüközkan and Güleryüz，2016）、可再生和不可再生发电技术排名（Maxim，2014）。然而，这些研究是基于多准则方法在技术选择、电厂选址或可再生能源政策方面的应用，很少被用于评价可再生能源开发利用的综合绩效。

1.6 可再生能源的宏观影响

1.6.1 经济发展

能源资源作为人类生存和社会经济发展的公共性资源，是区域经济发展最强大的动力引擎。长期以来，煤、石油等化石能源是推动经济发展的重要动力。然而，化石能源的稀缺性及长期依赖和使用传统化石能源引发的环境问题日益增加。可再生能源的发展不仅能够有效解决化石能源枯竭的难题，增加可再生能源在能源结构中的份额，还能对经济增长产生影响。长期来看，可再生能源的发展有助于促进产业结构的优化及区域经济的可持续发展。短期来看，可再生能源的发展存在诸多局限性，会导致“荷兰病”的产生。可再生能源消费发展对经济增长的影响尚未取得一致的结论。现有文献主要存在以下三种观点，即可再生能源发展会促进经济增长（Ajmi and Inglesi-Lotz，2020；Wang Q and Wang L，2020b）；可再生能源发展不利于经济增长（Bhattacharya et al.，2016；Maji，2015）；可再生能源发展对经济增长产生不显著的影响（Bulut and Muratoglu，2018）。总的来说，可再生能源的消费从总量、结构、效率等方面影响经济增长的方式与速度，在地区上可再生能源消费的差异也会造成区域经济差异的拉大。可再生能源的发展对经济的影响存在多种机制。

首先，可再生能源的发展具有替代效应。改革开放以来，中国油、气产量虽然有所增长，但受资源储量的制约，同经济发展需求的缺口越来越大。随着近年来可再生能源的高速发展，可再生能源开发和利用的技术逐渐成熟，可再生能源成本大幅降低，竞争性和优势不断凸显。长远来看，资源储备丰富的可再生能源具备了替代化石能源的良好潜力。积极推进可再生能源的发展不仅为减少碳排放，保护生态环境提供了有力保障，还有利于能源多元化，可增强能源安全，避免化石能源价格波动带来的经济问题（安慧昱，2019）。这些因素使得可再生能源替代化石能源的进程稳步推进。

其次，可再生能源的发展具有挤出效应。一方面，由于可再生能源开发和技术研发的初始投资成本很高，需要政府对其提供补贴、税收或贷款等方面优惠政策的支持。这将导致政府对其他方面的财政支出有挤出效应，对经济产生负向影响（Batlle，2011）。另一方面，可再生能源的高成本会以价格或税收形式部分甚至全部传递到下游企业和终端消费者。这将增加企业的生产成本及提高能源消费品的价格（Dachis and Carr，2011），从而对私人部门的投资和消费有挤出效应，对经济产生负向影响。

再次，可再生能源的发展具有规模效应（Kobos et al.，2006）。可再生能源发展规模的增大可以带来经济效益的提高。随着可再生能源产出的增加，可再生能源的长期平均生产成本会呈现下降的趋势。这主要是因为可再生能源的生产规模扩大有助于分担可再生能源开发前期较高的建设成本和技术研发成本。此外，随着可再生能源规模化开发利用，其运行和维护成本也将不断下降，从而带来边际成本的不断下降和经济效益的逐渐提高。

最后，可再生能源的发展能够推动技术进步，提高企业生产效率，降低成本，促进经济发展。可再生能源在开发利用过程中也不断推动着人类技术水平的提升（郭文凯，2020）。一方面，可再生能源的开发利用不断激励各发电企业实现资源整合和技术研发；另一方面，可再生能源电力能够促使火电企业进行技术革新提升市场竞争力，提高发电效率以降低成本，有效促进能源行业的整体发展效率。此外，可再生能源的发展也带动了与之密切相关的一批新兴产业的兴起，为能源工业的技术进步及生产规模扩大提供了充足的动力支持。

1.6.2 能源安全

发展清洁低碳的可再生能源是中国推进能源生产和消费革命的核心战略。立足于理论立场，可再生能源可能从改变能源供给总量及替代传统化石能源两方面对能源安全产生影响。

第一，可再生能源的重复可再生属性为源源不断提供社会所需能源总量提供可能。但是，可再生能源的大规模扩张可能损害传统发电厂的利益而致其退役，从而导致电力短缺，加剧能源供应风险。

相较于可耗竭的传统化石能源，可再生能源的优势在于蕴藏潜力巨大、可从自然界中循环再生，这使得其成为解决资源可耗竭性与能源需求日益增长之间矛盾的关键。可再生能源的开发利用进一步拓展了能源供给总量边际，若可再生能源得到充分的开发利用，将为社会发展提供充足的能源供应。

然而，随着可再生能源技术竞争力的提高，可再生能源份额的增加给传统发电厂及拥有这些发电厂的公用事业公司带来了巨大的经济问题。可再生能源的快速扩张（最初受到相应支持政策的鼓励）和由此带来的可再生能源投资成本的降低相辅相成（Lins et al.，2014）。近年来，世界范围内风能和太阳能的成本都大幅降低（Lai and McCulloch，2017）。而化石燃料的价格（及碳排放成本）预计在未来会上涨。同时，各国能源转型进程的推进、公共政策的支持使得可再生能源越发具有竞争力。

另外，可再生能源的间歇性及资源禀赋的空间异质性给提升可再生能源在电力系统中的渗透率增加了极高的难度和成本。Pfenninger 和 Keirstead（2015）认为减少间歇性问题需要智能的经济解决方案相互配合，如市场改革、加强需求侧管理和跨境互联、公用事业的适当商业模式、刺激技术进步的研发融资及建设充足的存储容量等。同时，确保电网稳定所需的再调度也使得维护能源供应安全更具挑战性，成本显著提升（Min et al.，2018）。

受到不确定性影响，可再生能源大规模发展面临技术和经济性的制约，在短期内，尤其是可再生能源发展初期无法提供稳定的能源供应，同时在一定程度上损害传统能源行业的利益，使得传统发电厂遭受经济损失而退役，最终导致发电能力无法满足高峰需求，带来能源短缺风险（Coester et al.，2018）。

第二，可再生能源对化石能源的替代减少对生态环境的压力，保障能源使用安全，同时也可进一步减少对进口能源的依赖，降低国外能源供给中断风险。

风、光、水、生物质等可再生能源的开发利用提高了能源使用组合的多样性，减少国家经济发展依靠单一耗竭性能源资源的风险，使得能源的使用安全得到保障。此外，可再生能源对于化石能源的替代将有效减少对进口能源的依赖，降低国外能源供给中断造成的风险。同时，从绿色和可持续发展观念来看，相比于传统化石能源的高污染、高排放特征，低碳清洁的可再生能源带来了环保、安全及可持续的三重红利，成为能源议程的重要组成部分，替代化石燃料也成为各国能源转型的基本要求。

可再生能源比例低是与中国能源安全相关的最具影响力的脆弱性（Ren and Sovacool，2014）。Hong 等（2013）将“设定一致、合理的可再生能源目标”作为适当提高中国能源安全的关键政策建议之一。Cao 和 Bluth（2013）认为，增加可再生能源的份额将有助于保障中国能源安全。2021 年 3 月国务院新闻办公室（以下简称国新办）发布会上，国家能源局新能源和可再生能源司司长李创军表示，“十四五”时期中国可再生能源发展将进入一个新阶段，到“十四五”末，预计可再生能源在一次能源消费增量中的比重将超过 50%，可再生能源发电装机占我国电力总装机容量的超过 50%，可再生能源将从能源电力消费增量的补充，变为能源电力消费增量的主体。①

1.6.3 能源强度

能源强度通常被视为单位 GDP 的能源消费量，是一个评估国家或地区能源效率的指标（Lin and Wang，2021）。降低能源强度是控制全球能源消费和减少碳排放的重要途径之一。现有研究已经从不同区域层面上广泛探讨了能源强度的影响因素，如技术进步（Peng et al.，2019；Zhu et al.，2019b）、经济发展（Chen et al.，2019b；Hu et al.，2019）、产业结构（Yu et al.，2016；Zhu et al.，2019a）、国际贸易量（Grossman and Krueger，1991；Khan et al.，2020）、城镇化（Shuddhasattwa et al.，2016）、能源价格（Antonietti and Fontini，2019）和降低排放（Guo et al.，2020）等，却鲜有系统或专门的研究揭示可再生能源发展与能源强度之间的作用机制，更缺少跨国别的证据。

一方面，可再生能源消费被认为有益于技术经济效率提高和减少碳排放，对能源强度增长起到抑制作用（Liu et al.，2020）。作为新兴的绿色产业，可再生能

① “十四五”期间可再生能源发展将进入新阶段，http://www.scio.gov.cn/xwfbh/xwbfbh/wqfbh/44687/45175/zy45179/Document/1701269/1701269.htm[2021-09-24]。

源产业提供了一种可持续经济发展模式，能够在一定程度上解决或者限制化石能源消费导致的气候变化、健康问题、能源安全威胁、经济损失等负面影响（Wang Q and Wang L，2020b）。另一方面，相较其他能源，可再生能源对生产（即经济增长）的贡献较小，不利于降低能源强度（Tugcu and Tiwari，2016）。现在可再生能源占全球最终能源消费的比例仍然很低，2018 年约占 17.9%（IRENA，2020a）。尽管这些研究提出了控制能源强度的一系列措施，但仍然缺乏对可再生能源发展作用的探讨。

可再生能源发展与能源强度的关系可能经历结构突变或转换机制，表现出非线性的含义，突然或意外的变化。当前世界各国的可再生能源发展水平严重不平衡。2018 年，可再生能源在 OECD 一次能源供应总量中的占比达到 10.5%，其中 OECD 欧洲区域为 15.2%，OECD 美洲区域为 9.1%，OECD 亚洲或大洋洲区域为 5.5%（IEA，2019）。可再生能源处于不同发展水平对 GDP 的影响可能存在差异。Wang Q 和 Wang L（2020b）发现增加可再生能源消费有助于 OECD 国家的经济增长。在长期内，提高可再生能源消费份额可以保证同等水平的能源投入创造更多的经济产出，是能源强度下降的重要原因之一（Rath et al.，2019）。相较 OECD 发达国家，大多数新兴国家的可再生能源消费量和发电量仍然较低，可再生能源需求与经济增长之间不存在因果关系（Ozcan and Ozturk，2019）。

1.6.4 碳排放

化石燃料燃烧引起的温室气体是造成气候变化的主要原因（Sarkodie and Strezov，2019；Valentine，2011）。

理论上，可再生能源作为化石能源的替代，可大幅度减少煤炭、石油和天然气燃烧时产生的 CO_2。现有研究以不同国家作为样本数据证实了这一点。例如，Shafiei 和 Salim（2014）利用基于人口、富裕度和技术的随机影响回归（stochastic impacts by regression on population，affluence and technology，STIRPAT）模型及 1980～2011 年 OECD 国家的数据得出可再生能源消费降低了 CO_2 排放。Jin 和 Kim（2018）以全球中的 30 个国家 1990～2014 年的样本数据为研究对象，发现碳排放与可再生能源存在长期协整关系，且可再生能源碳减排效果优于核能。Balsalobre-Lorente 等（2018）利用德、法、英、意大利和西班牙五个国家 1985～2016 年的面板数据得出，可再生电力消费对碳排放有显著负向作用。可再生能源消费的碳减排作用也被 Bilgili 等（2016）、de Souza 等（2018）、Dong 等（2018a）和 Acheampong 等（2019）等证实。

与之相反，也有一些研究清楚表明可再生能源消费对碳减排的作用并不明显甚至增加碳排放。例如，Jebli 等（2015）利用 1980～2010 年南非 24 个国家的面板数据得出了可再生能源消费与碳排放之间不显著的负向相关关系。Chen 和 Lei（2018）通过一个面板分位回归模型得出在高排放的国家，可再生能源由于使用占比很小从而在减排上发挥的作用十分有限。利用 1985～2007 年 19 个国家的面板数据，Apergis 等（2010）认为可再生能源对减排不显著的作用是大多数国家可再生能源发展水平还没有到达有助于减排的转折点导致的。Jebli 和 Youssef（2017）则认为可再生能源消费在长期上与碳排放正相关。其原因在于尽管可再生能源相对于化石能源更为清洁，但仍有部分可再生能源，如燃烧废料，可以产生污染。认为可再生能源消费对碳减排作用不明显和增加排放的研究还包括 Menyah 和 Wolde-Rufael（2010）、Jebli 等（2015）、Nguyen 和 Kakinaka（2019）及 Nathaniel 和 Iheonu（2019）。

上述相互矛盾的研究结论产生的原因可能是研究主要是以多个国家为数据样本，不同国家间经济发展水平、政策环境和体制背景存在较大差异（Zheng and Walsh，2019），导致发展可再生能源过程所面临的实际情况和最终产生的减排效应的不一致。虽然一些学者以单个国家，如中国（Dong et al.，2018b；Jia et al.，2018）、印度（Tiwari，2011）和巴基斯坦（Danish et al.，2017）作为整体，证实了可再生能源消费对碳减排的显著性作用。但这些研究都忽视了在同一个国家内部不同区域间经济水平、资源潜力等异质性可能带来的影响。

1.7 研究目的和内容

为了实现消除能源贫困，优化能源结构，完善具有自主知识产权的可再生能源产业体系，中国已经颁布了一揽子可再生能源发展规划和政策措施，并通过立法把可再生能源列为能源发展的优先领域。本书将就中国可再生能源发展现状和政策演变，对可再生能源的驱动因素、开发利用绩效及其对经济、能源、环境产生的影响等一系列问题展开系统地探讨。研究目的在于为读者从宏观上①认识可再生能源发展的核心驱动力与关键制约因素；②更为全面地了解中国可再生能源相关政策的历史脉络与进程、政策实施的有效性与差异性；③明晰中国可再生能源开发利用绩效水平在时空维度上的差异；④明确可再生能源的开发利用在促进经济增长、保障能源安全、提高能源效率、减缓排放等宏观经济因素的真实影响提供系统的理论机制及实证支撑，并为精确制定促进可再生能源发展的区域政策提供决策支持。

本书将从以下五个方面展开研究实现以上目的，研究内容框架如图 1-19 所示。

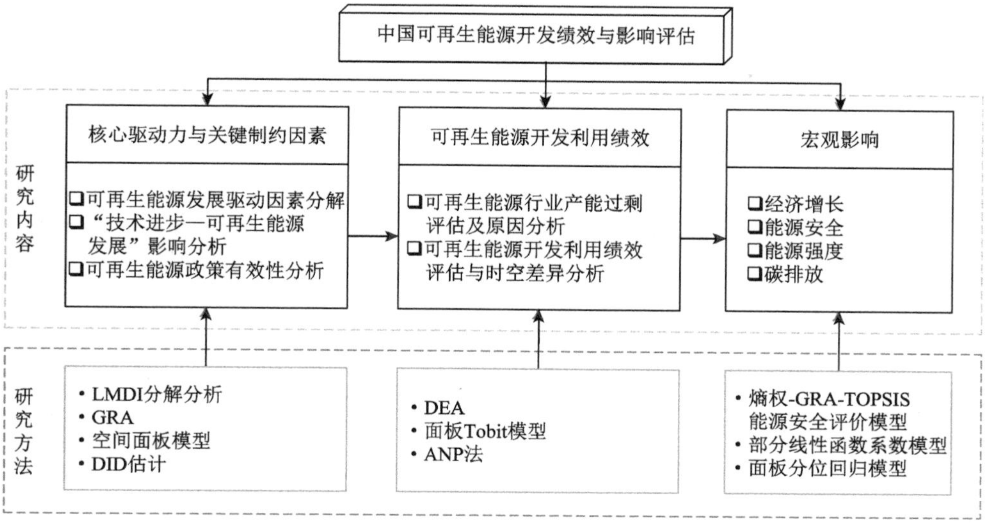

图 1-19 研究内容逻辑框架图

（1）首先，通过综合利用 LMDI 分解分析与 GRA 等方法测度不同可再生能源驱动因素（可再生能源对能源进口的替代率、能源对外依存度、能源强度、碳生产率、碳排放效应）在历史期间与三种未来不同情景下（基准情景、低碳经济发展情景和可持续发展情景）的贡献大小与具体影响，识别出可再生能源发展的核心驱动力。其次，构建可再生能源技术创新水平与可再生能源发电量的空间面板模型，以期明确技术创新对可再生能源的驱动效应。研究将特别考虑技术创新与可再生能源发电的空间溢出和空间相关性及技术的扩散与折旧作用，并通过对比分析了忽视掉这些因素将带来的估计偏误。

（2）全面梳理中央及地方政府可再生能源政策文件，厘清可再生能源政策的历史演变特征与政策类型，在此基础上，通过构建可再生能源支持政策与可再生能源发展的固定效应模型及 DID 模型评估可再生能源支持政策的具体效应，比较分析不同类型政策的效果差异，并进一步探究不同政策对可再生能源发展的影响机理。

（3）建立省域可再生能源产能过剩评价模型和成因计量模型，确定可再生能源相关产业产能过剩形成，即制约可再生能源健康有序发展的关键因素。具体而言，首先运用 DEA 方法和上市公司数据定量测度非水可再生能源（风、光、生物质）行业的产能过剩程度，然后利用 bootstrap 面板 Tobit 回归模型，从企业盈利能力水平、政府补贴和国内外市场结构三个角度分析产能过剩的形成机理，识别不同产业产能过剩的关键决定因素。

（4）构建可再生能源开发利用绩效 ANP 综合评价模型，揭示中国可再生能源开发利用绩效水平在时间和空间上的变化及差异。研究选取能源、经济、技术、环境和社会五个维度上与可再生能源开发利用相关的 22 个指标，对中国 30 个省区市的可再生能源展开绩效评价。

（5）分别基于 FMOLS、GMM、部分线性函数系数回归、非可加性固定效应面板分位回归构建可再生能源发展与经济增长、能源安全、能源强度、碳强度的关系模型，通过计量经济学工具实证分析历史期间中国可再生能源的发展对于这些宏观因素的具体影响与内在机理。

第2章　可再生能源发展驱动因素研究

2.1　可再生能源发展驱动因素分解框架

尽管学术界已经广泛开展了碳排放（Kwon et al.，2017；Moutinho et al.，2018）、能源消费及能源效率（Chen et al.，2019a；Chen and Lin，2020；Jia et al.，2018）的影响因素的指数分解研究，但专门针对可再生能源发展驱动因素的研究较少。基于分解分析和计量经济学的方法都能应用于可再生能源发展驱动因素分析。与分解分析方法相比，计量经济学模型估计与可再生能源相关驱动因素的弹性系数，但是不能分解每个驱动因素对可再生能源发展的贡献（Zheng et al.，2019）。目前，主要的分解分析方法有10多种，包括结构分解分析（structural decomposition analysis，SDA）、适应性加权迪氏（adaptive weighting Divisia，AWD）法、拉氏指数（Laspeyres index）、迪氏指数（Divisia index）、帕氏指数（Paasche index）、费雪指数（Fisher index）和马氏指数（Marshall-edgeworth index）等。其中迪氏指数是应用最广泛的一种分解方法。迪氏指数是以变量的某项指标在当年总值中的比重为权重，对变量在一定时期的对数增长率的加权加总，分为LMDI和算数平均迪氏分解指数（arithmetic mean Divisia index，AMDI）法。AMDI的分解结果有残余项积累，而且无法处理零值数据。LMDI属于完全分解方法，而且能够解决数据出现零值的问题，因此应用更加广泛。LMDI分解方法分为LMDI Ⅰ型方法和LMDI Ⅱ型方法。LMDI Ⅰ型方法利用Kaya恒等式的各分解项的对数平均值与基期和 t 期两期的被分解指标值的对数平均值的比值作为权重系数；LMDI Ⅱ方法先计算Kaya恒等式的各分解项在基期和 t 期与被分解项的比值，然后在此基础上利用对数平均函数将各分解项比值的对数平均值与对数平均值之和的比值作为权重系数。随着分解的层次增加，LMDI Ⅰ型方法比LMDI Ⅱ型方法更能保证分解的各个层次间的结果的一致性（Ang and Liu，2001）。

本章采用LMDI Ⅰ型模型将可再生能源发展的驱动因素分解为可再生能源对能源进口的替代率、能源对外依存度、能源强度、碳生产率和碳排放效应，并且测算各驱动因素对可再生能源发展过去的贡献，具体研究框架如图2-1所示。

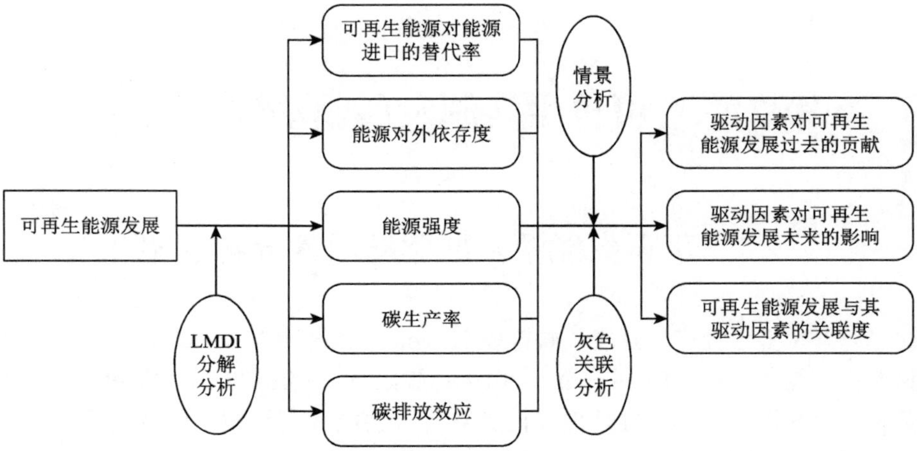

图 2-1　研究框架

2.2　可再生能源发展 LMDI 分解与灰色关联方法

2.2.1　LMDI 因素分解模型

本节采用 LMDI Ⅰ 型加法分解法对可再生能源发展分解如下：

$$\mathrm{RE}^t=\frac{\mathrm{RE}}{\mathrm{EIM}}\times\frac{\mathrm{EIM}}{E}\times\frac{E}{\mathrm{GDP}}\times\frac{\mathrm{GDP}}{C}\times C=\mathrm{SR}\times\mathrm{ES}\times\mathrm{EI}\times\mathrm{CP}\times\mathrm{CE} \qquad (2\text{-}1)$$

其中，RE 是可再生能源发电量，用于代表可再生能源的发展；EIM、E 和 C 分别是能源进口量、能源消费总量和 CO_2 排放；GDP 是国内生产总值，并折算为 2010 年不变价。因此，基于式（2-1），t 年的 RE 可以由 5 个因素代表，如下所示。

（1）$\mathrm{SR}=\frac{\mathrm{RE}}{\mathrm{EIM}}$ 是单位能源进口量的可再生能源发电量，意味着可再生能源对能源进口的替代率。

（2）$\mathrm{ES}=\frac{\mathrm{EIM}}{E}$ 是能源对外依存度，并且用能源进口占能源消费总量的比重衡量，表明国家满足经济发展的能源消费需求对国际能源供给的依赖程度。

（3）$\mathrm{EI}=\frac{E}{\mathrm{GDP}}$ 是单位 GDP 的能源消费量，代表能源强度，用于测量能源效率。

（4）$\mathrm{CP}=\frac{\mathrm{GDP}}{C}$ 是单位 CO_2 的 GDP 产出水平，称为碳生产率。它是一个低碳经济的重要指标，是衡量一个国家和地区发展质量、环境执法水平和环境保护意识的主要指标之一。

（5）$\mathrm{CE}=C$ 是碳排放的影响。

因此，从 $t-1$ 年至 t 年的国家可再生能源的变化（$\Delta\mathrm{RE}^t$）计算如下：

$$\begin{aligned}\Delta\mathrm{RE}^t &= \mathrm{RE}^t-\mathrm{RE}^{t-1}=\Delta\mathrm{SR}+\Delta\mathrm{ES}+\Delta\mathrm{EI}+\Delta\mathrm{CP}+\Delta\mathrm{CE}\\ &= L(w^t,w^{t-1})\ln(\mathrm{SR}^t/\mathrm{SR}^{t-1})+L(w^t,w^{t-1})\ln(\mathrm{ES}^t/\mathrm{ES}^{t-1})\\ &\quad +L(w^t,w^{t-1})\ln(\mathrm{EI}^t/\mathrm{EI}^{t-1})+L(w^t,w^{t-1})\ln(\mathrm{CP}^t/\mathrm{CP}^{t-1})\\ &\quad +L(w^t,w^{t-1})\ln(\mathrm{CE}^t/\mathrm{CE}^{t-1})\end{aligned} \tag{2-2}$$

其中，$L(w^t,w^{t-1})=(\mathrm{RE}^t-\mathrm{RE}^{t-1})/(\ln(\mathrm{RE}^t)-\ln(\mathrm{RE}^{t-1}))$。

$L(w^t,w^{t-1})$ 是对数平均权重；可再生能源变化被分解为五种效应值之和，即 $\Delta\mathrm{SR}$、$\Delta\mathrm{ES}$、$\Delta\mathrm{EI}$、$\Delta\mathrm{CP}$、$\Delta\mathrm{CE}$，且分别反映可再生能源对能源进口的替代率变化、能源对外依存度变化、能源强度变化、碳生产率变化和碳排放变化的影响。若效应值为正，称之为增量效应；反之，称之为减量效应。

2.2.2　驱动因素的 GRA

为了验证 LMDI 分解结果的稳健性，以得到可靠的结论，Julong（1989）提出的 GRA 可用于计算可再生能源发展与其驱动因素之间的灰色关联度。GRA 是一种基于变量的时间序列的曲线几何图形的相似性来分析各序列之间关系的客观、定量的方法。几何图案越相似，两个序列的关系就越密切，反之亦然。通过计算多个因素与同一参考序列之间的灰色关联度来确定主导因素。该方法能够处理样本数量少和样本不服从特定典型的概率分布的情况。该方法在经济管理、环境综合治理、决策等领域得到了广泛的应用，而且已经拓展到工业、农业、能源、地质等众多学科范围。灰色综合关联度被用于进一步解释可再生能源发展与其驱动因素之间的关系。我们首先测算了本期可再生能源发电量相对上期的增量与分解的驱动因素的综合关联度，确认了对促进可再生能源发展具备较大改进潜力和重要贡献的驱动因素。然后，我们基于可再生能源发展与其驱动因素的综合关联度找出与可再生能源发展关系最紧密的因素。

以可再生能源发展和碳排放数据序列为例，介绍 GRA 的过程。假设可再生能源发展数据序列（X_i）和碳排放数据序列（X_j）可以描述为 $X_i=(x_i(1),x_i(2),\cdots,x_i(n))$，$X_j=(x_j(1),x_j(2),\cdots,x_j(n))$，其中，$n$ 是时间期间，ε_{ij} 是序列 X_i 和 X_j 的灰色绝对关联度，高灰色绝对关联度，意味着可再生能源发展和其驱动因素的关系越接近；r_{ij} 是灰色相对关联度，可以表征序列 X_i 和 X_j 相对于始点的变化速率的接近程度。令

$$\rho_{ij}=\theta\varepsilon_{ij}+(1-\theta)r_{ij} \tag{2-3}$$

其中，$\theta(\theta\in[0,1])$ 取值 0.5。

ρ_{ij} 是灰色综合关联度，既能体现序列 X_i 和 X_j 的相似程度，又能反映序列 X_i 和 X_j 相对于始点的变化率的接近程度，能够相对全面地表征序列之间的紧密联系。

可再生能源发展和其驱动因素之间的灰色关联度采用灰色理论建模软件 GTMS 7.0.1 计算得到。两者之间的 GRA 可以验证 LMDI 分解结果的稳健性，以得到可靠的结论。

2.3　驱动因素分解及其关联分析

2.3.1　数据来源

可再生能源发电是由发电总量减去火力发电和核能发电量得到的。火力发电和核能发电数据均来源于《中国电力年鉴》（2000～2019 年）；能源进口、能源消费总量和 GDP 数据来自《中国统计年鉴》（2000～2019 年）；碳排放数据来源于美国能源信息署（Energy Information Administration，EIA）数据库。各变量的数据来源具体见表 2-1。

表 2-1　变量的定义

变量	定义	资料来源
RE	可再生能源发电量	《中国电力年鉴》（2000～2019 年）
EIM	能源进口量	《中国统计年鉴》（2000～2019 年）
E	能源消费总量	《中国统计年鉴》（2000～2019 年）
GDP	国内生产总值	《中国统计年鉴》（2000～2019 年），并且 GDP 折算为 2010 年不变价
C	CO_2 排放	EIA 数据库
SR	可再生能源对能源进口的替代率	《中国电力年鉴》(2000～2019 年)和《中国统计年鉴》(2000～2019 年)
ES	能源对外依存度	《中国统计年鉴》（2000～2019 年）
EI	能源强度	《中国统计年鉴》（2000～2019 年），并且 GDP 折算为 2010 年不变价
CP	碳生产率	EIA 数据库；《中国统计年鉴》（2000～2019 年），并且 GDP 折算为 2010 年不变价
CE	碳排放效应	EIA 数据库

2.3.2　驱动因素分解结果

研究根据式（2-1）和式（2-2）计算的驱动因素分解结果如图 2-2 所示。基于国民经济和社会发展五年规划，我们将考察期间划分为 4 个时间段，即 2001～2005 年（“十五”时期）、2006～2010 年（“十一五”时期）、2011～2015 年（“十二五”时期）、2016～2018 年（“十三五”时期）。

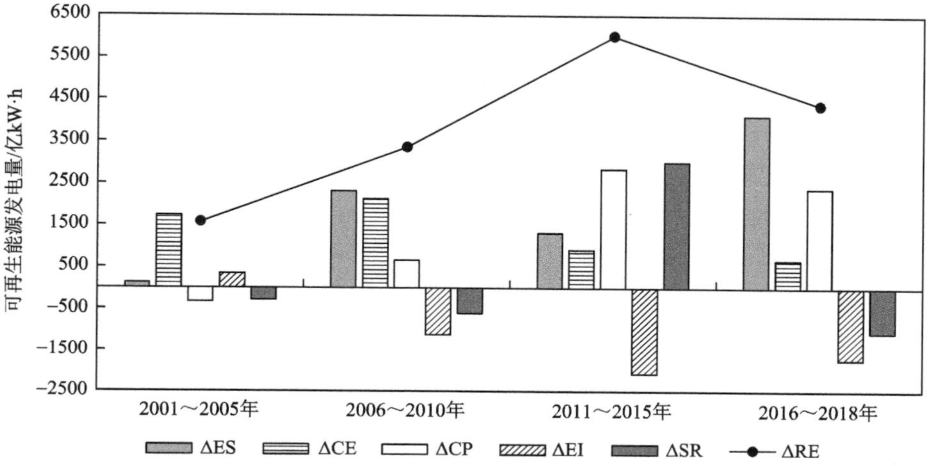

图 2-2　可再生能源发展演变的分阶段因素分解结果

从图 2-2 可以看出，可再生能源发展呈增长趋势，但在“十三五”时期出现下降。基于数据的可得性，本节中的“十三五”时期仅考察了 2016～2018 年的可再生能源发电量的变动，没有将 2019 年和 2020 年的增量包括在内。在正向驱动效应中，能源对外依存度和碳排放效应是可再生能源发展的决定性效应，且一直表现出增量效应。“十五”时期的碳排放效应对可再生能源发展贡献最大，为 1727.51 亿 kW·h，而在“十一五”时期和“十三五”时期，能源对外依存度是贡献最大的因素，导致可再生能源发电量分别增加 2304.20 亿 kW·h 和 4114.37 亿 kW·h。日益严重的能源对外依存度风险和气候变暖威胁是中国可再生能源发展的重要动力。随着能源消费需求的满足更加依赖能源进口，以及碳排放量持续上升，国家会通过加大可再生能源开发利用降低能源对外依存度和高碳能源消费比例。

除了“十五”时期外，能源强度的减量效应先增强后减弱。“十一五”、“十二五”和“十三五”时期能源强度均是抑制可再生能源发展的首要因素，分别导致了可再生能源发电量下降 1124.49 亿 kW·h、2071.53 亿 kW·h 和 1738.75 亿 kW·h。能源强度从 2006 年的 1.05t 标准煤/万元降至 2018 年的 0.64t 标准煤/万元，年均降速 4.04%。单位 GDP 的能耗量下降不仅表明能源利用效率的提高和环境质量改善，而且也反映了经济对能源的依赖程度下降。国家对支付更高成本利用可再生能源的意愿降低。“十五”时期的能源强度上升导致可再生能源发电量增加 344.37 亿 kW·h。

碳生产率在“十五”时期表现出减量效应，导致可再生能源发电量下降335.39 亿 kW·h，而在其他 3 个时期均正向，促进了可再生能源发展。在 2000～2001 年，碳生产率从 0.435 亿元/万 t 增至 0.454 亿元/万 t，然而在 2002～2005 年，碳生产率从 0.464 亿元/万 t 迅速下降至 0.394 亿元/万 t。这意味着在经济增长和人类福利改善的同时，化石能源消耗和 CO_2 排放均出现下降。碳生产率下降带来的政治和环境压力减弱，对可再生能源发展产生减量效应。随后，碳生产率的减量效应转变为增量效应，其导致可再生能源发电增量从“十一五”时期的 655.42 亿 kW·h 增至“十三五”时期的 2388.50 亿 kW·h。2006～2018 年碳生产率从 0.40 亿元/万 t 增至的 0.68 亿元/万 t，年均增速 4.52%。

可再生能源对能源进口的替代率导致“十五”、“十一五”和“十三五”时期的可再生能源发电量分别下降 285.21 亿 kW·h、599.52 亿 kW·h 和 1065.89 亿 kW·h，而“十二五”时期的可再生能源发电量增加 3010.63 亿 kW·h。可再生能源发电量占能源进口的比例从 2011 年的 0.12 亿 kW·h/万 t 标准煤增至 2015 年的 0.17 亿 kW·h/万 t 标准煤，增长了 41.67%。可再生能源对能源进口替代率下降会加剧对外依存度风险，政府将通过加强可再生能源利用保障能源供应，避免经济和环境质量陷入衰退。同样地，可再生能源对能源进口替代率上升会提高对外依存度，导致政府会加大利用成本更低的化石能源。

2.3.3 驱动因素的关联分析

基于 2.2 节的方法，2001～2018 年可再生能源发展与其驱动因素的灰色综合关联度如表 2-2 所示。可再生能源发电增量是指与上一期可再生能源发电量相比，本期可再生能源发电量增加的量，有助于反映可再生能源发电量在本期的变动。相较于可再生能源发电增量，可再生能源发电量与 5 个驱动因素的关系更加紧密。

表 2-2 可再生能源发展和其驱动因素之间的关联度

变量	可再生能源发电量（RE）			可再生能源发电增量（ΔRE）		
	绝对关联度（ε_{ij}）	相对关联度（r_{ij}）	综合关联度（ρ_{ij}）	绝对关联度（ε_{ij}）	相对关联度（r_{ij}）	综合关联度（ρ_{ij}）
SR	0.5000	0.5645	0.5322	0.5001	0.5357	0.5179
ES	0.5000	0.6742	0.5871	0.5001	0.5964	0.5482
EI	0.5000	0.5245	0.5123	0.5001	0.5136	0.5068
CP	0.5003	0.5254	0.5129	0.5026	0.5141	0.5083
CE	0.9225	0.8092	0.8658	0.5739	0.6712	0.6226

可再生能源发电增量的灰色综合关联度能够确定与每年可再生能源发电增加的发电量关系最紧密的驱动因素。结果显示能源对外依存度和碳排放效应的灰色

综合关联度分别为 0.5482 和 0.6226，均高于 0.5408 的平均水平，这意味着能源对外依存度和碳排放效应是促进可再生能源发电增长的关键驱动因素。可再生能源对能源进口的替代率、能源强度和碳生产率效应拥有更大的潜力改善可再生能源激励政策。这与 2.3.1 节的分解结果结论一致。

可再生能源发电量的灰色综合关联度表示样本中所有年份的可再生能源发电量与各驱动因素关系的紧密程度。碳排放效应的灰色综合关联度为 0.8658，而其他驱动因素均低于 0.6021 的平均水平。这说明在长期内，可再生能源发电量只与碳排放效应关系紧密。这是因为可再生能源最主要的特征是清洁、无污染，属于环境友好型能源。

2.4　中国可再生能源未来发展与因素贡献

2.4.1　可再生能源发展未来情景设置

为了分析和测算中国未来可再生能源发展趋势，研究采用国际上通用的情景分析方法，基于 2000～2018 年各驱动效应的演化趋势和国家政策，构建了三种情景：基准情景、低碳经济发展情景和可持续发展情景。基本指标设定见表 2-3。

表 2-3　三种情景下基本指标的设定

变量	基准情景			低碳经济发展情景			可持续发展情景		
	2015 年	2025 年	2030 年	2015 年	2025 年	2030 年	2015 年	2025 年	2030 年
EC/亿 t 标准煤	43.41	83.76	114.24	43.41	55.00	60.00	43.41	83.76	114.24
GDP/万亿元	60.38	151.17	237.98	60.38	101.93	138.02	60.38	151.17	237.98
RE/万亿 kW·h	1.34	4.34	7.94	1.34	3.29	4.89	1.34	4.31	5.85
CI/(万 t/亿元)	1.72	1.22	1.06	1.72	1.07	0.89	1.72	1.07	1.02
EIM/亿 t 标准煤	7.77	28.57	51.83	7.77	10.45	12.60	7.77	15.91	23.99

（1）基准情景。基准情景是根据过去可再生能源发展趋势特征，假定当前的经济、能源和环境条件，以及技术水平保持不变，不实行新的节能减排政策，通过可再生能源发展的惯性趋势外推而得到的可能情景。在设定基准情景的情况下，中国将保持过去中高速的经济增长、能源消费需求扩大，能源结构向可再生能源缓慢调整，能源强度稳步下降，能源进口量继续提高的趋势。经济、技术、能源、生产等的发展过程适用于指数曲线增长规律（许秀德，1987）。为了尽可能地反映可再生能源发展及其驱动因素的惯性演变趋势和可能的变化，我们采用指数曲线法预测其未来状况。

（2）低碳经济发展情景。在低碳经济发展情景下，政府会制定更高水平的碳强度、能源消费、GDP 增长控制目标。十九大报告提出，“综合分析国际国内形势和我国发展条件，从二〇二〇年到本世纪中叶可以分为两个阶段来安排”“第一个阶段，从二〇二〇年到二〇三五年，在全面建成小康社会的基础上，再奋斗十五年，基本实现社会主义现代化”“第二个阶段，从二〇三五年到本世纪中叶，在基本实现现代化的基础上，再奋斗十五年，把我国建成富强民主文明和谐美丽的社会主义现代化强国”①。在第一阶段，中国不仅要实现国家自主决定贡献（National Autonomous Contribution，NDC）目标和减排承诺，而且必须推动经济高质量发展，促进经济、能源、环境和应对气候变化的协同治理。低碳经济发展模式具有低能耗、低排放、低污染的特征，一直是中国促进高质量、可持续发展的重要战略。

第 30 次“基础四国”气候变化部长级会议和《能源生产和消费革命战略（2016—2030）》指出中国 2020 年碳强度较 2005 年降低约 48.4%，2025 年碳强度较 2021 年降低约 18%，到 2030 年碳强度比 2005 年下降 60%～65%。相较 2005 年，2030 年低碳经济发展情景的碳强度下降幅度将最大，为 65%。中国在 2005 年碳强度是 2.54 万 t/亿元，因此 2025 年和 2030 年的碳强度分别为 1.31 万 t/亿元和 0.89 万 t/亿元。根据《中国能源革命进展报告（2020）》和《“十四五”规划纲要》，2025 年能源消费总量超过 55 亿 t 标准煤，能源强度下降 13.5%。中国 2020 年的 GDP（2010 年不变价）、能源消费总量和能源强度分别为 79.83 万亿元、49.8 亿 t 标准煤和 0.62t/万元，则可以得到 2025 年 GDP（2010 年不变价）和能源强度分别为 101.93 万亿元和 0.54t/万元。《能源生产和消费革命战略（2016—2030）》提出能源消费总量控制在 60 亿 t 标准煤以内，《“十四五”大战略与 2035 远景》指出我国可以提出新的“经济增长倍增”规划和目标，即用 15 年时间（即 2020～2035 年）实现经济总量和人均水平翻一番。也就是说，2020～2035 年 GDP 的年均增速为 6.25%。因此，2030 年 GDP（2010 年不变价）和能源强度将为 138.02 亿元和 0.43t/万元。根据《BP2035 世界能源展望》，中国的能源进口依存度从 2015 年的 15%上升至 2035 年的 23%，年均增速 2.16%。本章可以据此算出 2025 年和 2030 年的能源进口量分别为 10.45 亿 t 标准煤和 12.60 亿 t 标准煤。2020 年全国可再生能源发电量达 22 148 亿 kW·h，占全社会用电量的比重为 29.5%，2030 年将增至 40%（IRENA，2014），比重年均增长 3.09%，因此 2025 年可再生能源发电量占比 34.27%。“十四五”能源规划指出全社会用电量年均增速 4%～6%。低碳经济发展情景的全社会用电量增速设定为 5%，则可以得到 2025 年和 2030 年的可再生能源发电量分别为 32 854.14 亿 kW·h 和 48 938.51 亿 kW·h。

① 习近平：决胜全面建成小康社会 夺取新时代中国特色社会主义伟大胜利——在中国共产党第十九次全国代表大会上的报告，http://www.gov.cn/zhuanti/2017-10/27/content_5234876.htm[2021-09-24]。

（3）可持续发展情景。可持续发展情景设定了更加积极的可再生能源发电目标。根据 Ameyaw 等（2021）的预测，我们将 2025 年和 2030 年可再生能源发电量占比分别设定为 44.958%和 47.854%。假设低碳经济发展情景的全社会发电量增速与可持续发展情景的全社会发电量增速相同，2025 年和 2030 年的可再生能源发电量分别增至 43 097.42 亿 kW·h 和 58 547.59 亿 kW·h。由于已经设置了更高的可再生能源发展目标，表现了环境友好的清洁能源系统，因此可持续发展情景的能源消费总量和 GDP 变化情况与基准情景一致。按照《BP2035 世界能源展望》计算的 2015～2035 年中国能源进口依存度的年均增速 0.4%，可以得到 2025 年和 2030 年能源进口量分别为 15.91 亿 t 标准煤和 23.99 亿 t 标准煤。可持续发展情景会降低碳排放，并且其碳强度控制目标与低碳经济发展情景相同。

2.4.2　未来演变路径与因素贡献分解

1. 演变路径分析

为了预测将来五种驱动因素对可再生能源发展的贡献，我们在本节设置了三种情景。表 2-4 展示了可再生能源发展潜在演变路径。基准情景下可再生能源发电量从 2015 年的 1.34 亿 kW·h 增加到 2030 年的 7.94 亿 kW·h，年均增速 12.59%。同时，2030 年能源对外依存度达到 0.45，远高于低碳经济发展情景和可持续发展情景的 0.21；碳排放量排名最高，为 253.32 亿 t。这意味着如果保持过去的可再生能源政策和发展趋势，而不对能源消费和碳排放施加限制，对外依存度和碳排放将会持续大幅度增加。在这种情况下，可再生能源发展不能有效缓解对外依存度风险和气候变暖威胁。从长期看，这种以牺牲自然资源和环境为代价的发展模式难以持续。政府应该在现有可再生能源政策的基础上颁布更多的节能减排政策，充分发挥可再生能源推动清洁能源转型的作用。

表 2-4　三种发展情景下的可再生能源发展及其驱动因素预测

变量	基准情景			低碳经济发展情景			可持续发展情景		
	2015 年	2025 年	2030 年	2015 年	2025 年	2030 年	2015 年	2025 年	2030 年
RE/万亿 kW·h	1.34	4.34	7.94	1.34	3.29	4.89	1.34	4.31	5.85
SR/(万 kW·h/t 标准煤)	0.17	0.15	0.15	0.17	0.31	0.39	0.17	0.27	0.24
ES	0.18	0.34	0.45	0.18	0.19	0.21	0.18	0.19	0.21
EI/(t 标准煤/万元)	0.72	0.55	0.48	0.72	0.54	0.43	0.72	0.55	0.48
CP/(万元/t)	58.03	82.23	93.94	58.03	93.04	112.47	58.03	93.04	112.47
CE/亿 t	104.05	183.85	253.32	104.05	109.55	122.71	104.05	162.49	241.81

在低碳经济发展情景下，可再生能源发展速度明显放缓。2015～2030 年，可再生能源发电量从 1.34 亿 kW·h 增至 4.89 亿 kW·h，年均增长 9.01%。相较于其他情景，2030 年可再生能源对能源进口的替代率最高，为 0.39，并且能源强度和碳排放效应最低，分别为 0.43t 标准煤/万元和 122.71 亿 t。这表明单纯追求碳排放和能源消费削减将对实现国家制订的清洁能源转型规划和可再生能源发展目标产生消极影响。

在可持续发展情景下，可再生能源发展能够超额实现国家可再生能源发展目标，还能推动较快经济增长。与低碳经济发展情景相比，2030 年可持续发展情景的可再生能源发电量更高，达到 5.85 亿 kW·h，而且碳生产率和对外依存度水平相同。可再生能源对能源进口的替代率为 0.24，高于基准情景的 0.15，而且碳排放量为 241.81 亿 t，低于基准情景的 253.32 亿 t。这说明在实施节能减排政策基础上加强可再生能源的开发利用是实现经济、能源和环境系统协调发展的必要途径。

2. 中国未来可再生能源发展的因素贡献分解

我们进一步采用 LMDI 分解方法对 2030 年三种情景下可再生能源发展进行因素分解和比较分析。从图 2-3 可以看出，除了可再生能源对能源进口的替代率外，其他驱动因素在三种情景下对可再生能源发展的影响方向是一致的，但是影响程度存在差异。碳排放效应、碳生产率和能源对外依存度对可再生能源发展表现出增量效应，而能源强度对可再生能源发展起到减量效应作用。可再生能源对能源进口的替代率对可再生能源发展在基准情景下产生减量效应，而在其他情景表现出增量效应。从不同情景比较来看，碳排放效应在基准情景和可持续发展情景下

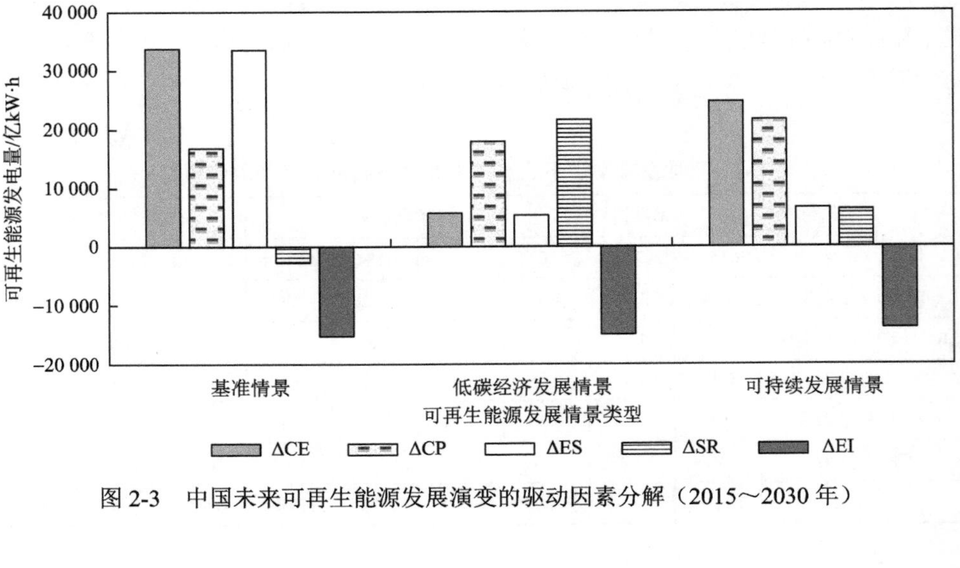

图 2-3　中国未来可再生能源发展演变的驱动因素分解（2015～2030 年）

对可再生能源发电的增量效应最大，分别为 33 643.44 亿 kW·h 和 24 639.25 亿 kW·h，而在低碳经济发展情景下，碳排放效应仅使可再生能源发电量增加 5695.31 亿 kW·h。可再生能源对能源进口的替代率是低碳经济发展情景下首要的增量效应，能够导致可再生能源发电量增加 21 582.47 亿 kW·h。在基准情景下，可再生能源对能源进口的替代率导致可再生能源发电量下降 2734.71 亿 kW·h，而在可持续发展情景下，可再生能源对能源进口的替代率促进可再生能源发电量增加 6254.67 亿 kW·h。在三种情景下，能源强度均是首要的减量效应，分别导致可再生能源发电量减少 15 202.49 亿 kW·h、14 945.53 亿 kW·h 和 13 851.99 亿 kW·h。

2.5 本章小结

本章通过 LMDI 分解分析确定了可再生能源发展的历史演化路径及核心驱动因素，进一步结合情景分析预测探究了可再生能源发展与其驱动因素之间的具体联系。本章研究主要发现有以下几点。

（1）能源对外依存度和碳排放效应是促进可再生能源发电增长的决定性因素。2001～2018 年，碳排放量、能源进口占能源消费量的比例分别提高了 198.0%和 171.1%，这导致可再生能源发电量分别增加 5437 亿 kW·h 和 7850 亿 kW·h，占 2001～2018 年可再生能源发电量增量总量的 35.5%和 51.3%。

（2）能源强度是抑制可再生能源发展的首要因素。能源强度在“十一五”、“十二五”和“十三五”时期分别下降 16.9%、16.1%和 6.3%，对可再生能源发电量变化贡献分别为–33.5%、–34.5%和–39.8%。

（3）可再生能源对能源进口的替代率、能源强度和碳生产率效应拥有更大的潜力改善可再生能源激励政策。在长期内，可再生能源发电量仅与碳排放效应关系紧密。

第3章　技术进步与可再生能源发展

3.1　中国可再生能源技术创新水平

本章从专利视角分析中国可再生能源技术创新水平。专利是评价技术创新的重要标准，主要具有三个优点：①每项专利有世界知识产权组织和美国专利商标局提供的国际专利分类代码。国家专利局及 Derwent Innovation（德温特创新）平台的专利研究和分析平台（Patent Research and Analysis Platform，PRAP）统计了 1985 年以来的专利信息，数据来源充足可靠；②专利具有时效性，可以在一定程度上表征技术的更新；③专利的涵盖面广，绝大多数技术均先有专利再投入使用（王兰体等，2015）。

1985～2019 年中国可再生能源专利数的曲线呈指数增长趋势（图 3-1）。专利数量从 1985 年的 21 件增加到 2019 年的 10 484 件，增长了约 498 倍，年均增长率为 20.0%，最大增长率出现在 2004～2005 年，达 81.1%；此外可再生能源技术创新曲线呈现明显的阶段性，1985～2000 年技术无实质性的突破，为起步阶段，专利数年均增长率为 8.0%；2000～2006 年有抬头趋势，为缓慢增长阶段；2006～2019 年迅速发展，为快速增长阶段。然而，2019 年专利数量相比上一年不增反减，减幅为 12%。

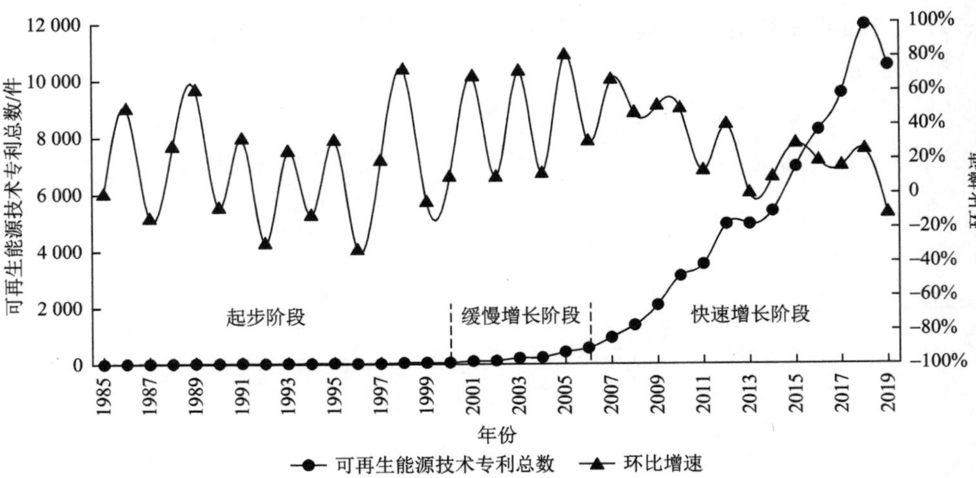

图 3-1　中国可再生能源专利数及增长率

中国31个省区市的可再生能源技术创新水平差异显著。如图3-2所示，在31个省区市的可再生能源技术专利数量中，江苏最多，其次是广东、浙江和北京。江苏是中国光伏产业完备程度最高、企业数量最多的省份。目前江苏已经形成了从硅料提取、硅锭制备、电池生产到系统应用于一体的完整产业链，集中了全国一半以上的重点光伏制造企业。类似地，广东光伏产业起步较早，产业聚集效应明显，产业链相对完整，在光伏产业基地和产业园方面优势明显。总体而言，中国可再生能源技术创新主要集中于经济发达的东南沿海地区，以及科技创新优势较强的北京和上海。因此，可再生能源技术创新水平的分布具有地域性，与各地区的经济发展水平、资源分布状况及科研实力密不可分。

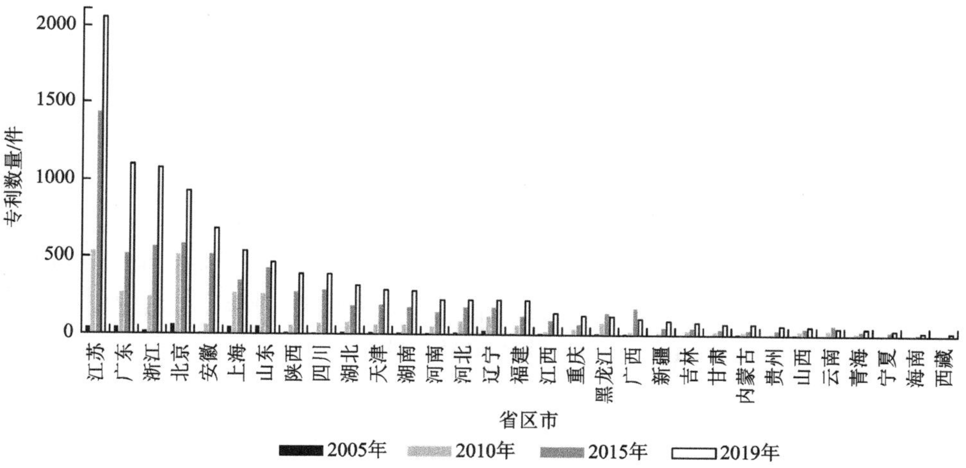

图3-2　中国31个省区市可再生能源专利数

3.2　技术进步对可再生能源发展影响模型设计

3.2.1　可再生能源发展的影响因素选择

本节涉及的可再生能源发电的解释变量分为四类：技术因素、社会经济因素、环境因素和发电因素。各变量及提出的相关假设如下。

1. 技术因素假设

作为内部驱动因素，可再生能源技术创新对于可再生能源的发展至关重要，也是能源经济更加清洁的基础（Sagar and van der Zwaan，2006）。可再生能源面临的重大挑战之一就是以具有竞争力的价格与化石能源共同推向市场。技术的进步可以提高能源效率（Reddy，1991；Sohag et al.，2015），降低可再生能源的成本，以减小可再生能源和化石能源之间的成本差异（van der Zwaan et al.，2002）。可再生能源的生产成为对投资者来说有潜在吸引力的选择，从而导致可再生能源的快速推广，以满足能源需求并改善能源结构（Chen and Lei，2018）。此外，对科学技术的财政支持是将经济增长模式从不可再生能源转换为可再生能源的一种可行选择（Chen and Lei，2018）。对科学技术的财政支出是促进技术创新的重要资金，比企业的研发投资范围更广，包括基础研究、应用研究、科学技术服务和交流。上述研究可推出两个假设，如下所示。

H_1：可再生能源技术创新对可再生能源发电具有正向影响。

H_2：科学技术的财政支出对可再生能源发电具有正向影响。

2. 社会经济因素假设

社会经济因素可部分解释能源选择，更高的财富水平可以提高一个国家可再生能源开发能力（Domhnaill and Ryan，2020）。在上述理论中，人均 GDP 被列为宏观经济控制变量。从理论上讲，较高的财富水平（人均 GDP）意味着扩大范围来满足这些可再生能源技术的较高初始成本，这已在 Lin 等（2016）、Salim 和 Rafiq（2012）的研究中得到了证明。同时，快速的城市化进程是中国经济和社会的基本特征之一。城市化率是衡量一个地区发展的重要指标，并已被现有研究频繁采纳（Al-Mulali et al.，2015；Danish and Khan，2020；Lin and Zhu，2019；Sarkodie and Adams，2018）。此外，可再生能源的发展可能会受到能源价格波动的影响（Atalla et al.，2017）。由于相对较低的可再生能源价格，可再生能源企业将削减对可再生能源技术的研发投资，从而使其无法获得可观的利润。根据现有研究，可提出以下三个假设。

H_3：可再生能源发电量与人均 GDP 呈正相关。

H_4：可再生能源发电量与能源价格呈正相关。

H_5：可再生能源发电量与城市化率呈正相关。

3. 环境因素假设

环境问题和可持续性带来的政治压力促进了可再生能源的利用（Marques and Fuinhas，2011）。从理论上讲，环境标准、温室气体排放和气候变化推动了可再生能源的发展并影响了可再生能源的生产。具体而言，环境退化的加剧（如大规模的人均 CO_2）使社会对环境和可持续性的意识加强，这将推动政治向鼓励使用可再生能源倾斜。相反，如果社会脱离了环境问题和可持续性，它将倾向于使用化石能源，从而不利于可再生能源发展。尤其是对于更高水平的碳排放，环境因素将鼓励使用零排放的可再生能源（Omri et al.，2015；Omri and Nguyen，2014）。

但是，在以往的研究中也发现了该相关变量的负面影响：人均 CO_2 排放量的增加限制了可再生能源的能源生产（Przychodzen W and Przychodzen J，2020）。为了检验 CO_2 排放对可再生能源生产的影响，本章提出了第六个假设，如下所示。

H_6：人均 CO_2 排放量对可再生能源发电产生正向影响。

4. 发电因素假设

化石能源是可再生能源发展的主要障碍之一（Sovacool，2009）。中国有 78% 的电力来自化石能源发电，即火力发电（2005～2018 年的平均值）（《中国电力年鉴》编辑委员会，2018）。这个数字在 2017 年仍然高达 69%（《中国电力年鉴》编辑委员会，2018）。火力发电在发电结构中的份额代表了化石能源在电力市场中的相对重要性。例如，过度依赖化石燃料，持续使用煤炭，尤其是在中国，严重制约了可再生能源发展（Kariuki，2018）。与其他能源相比，化石能源的净能源收益更高。煤炭占全球能源供应的 1/3，约占发电量的 40%（IEA，2018），这意味着将难以替代。由于现有的化石燃料能源基础设施的广泛应用，对可再生能源发展产生了负面影响（Marques and Fuinhas，2011）。如果不加以环境限制，化石燃料是彼此更好的替代品，而非可再生能源（van Ruijven and van Vuuren，2009）。但是，中国或其他《京都议定书》国家的政策目标集中于在发电结构中实现一定比例的可再生能源（Silva et al.，2018；Papież et al.，2018）。预计可再生电力将逐步更多地取代发电组合中的火力发电。由以上发现提出第七个假设。

H_7：火电在发电结构中的份额对可再生能源发电产生负面影响。

基于以上分析，提出理论模型如图 3-3 所示。本章研究提出的理论模型包括四类影响因素：具体而言，可再生能源技术创新和科学技术财政支出属于技术因

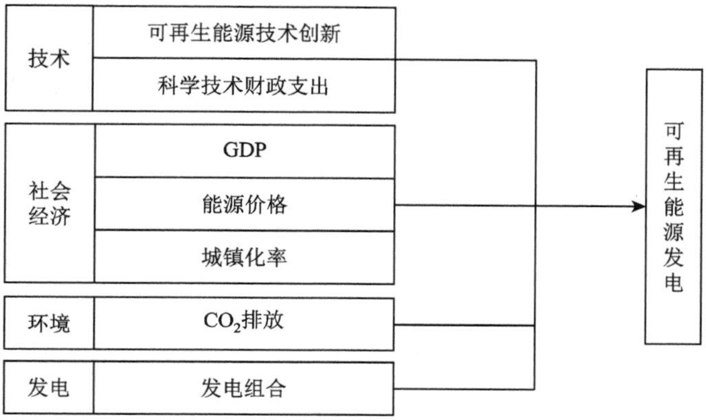

图 3-3　概念模型

素；GDP、能源价格和城镇化率属于社会经济因素；CO_2 排放属于环境因素；发电组合属于发电因素。属于技术因素的可再生能源技术创新被认为是可再生能源开发内部驱动力的核心，其他因素属于外部驱动因素（Geng and Ji，2016）。

3.2.2 空间面板模型构建

1. 通用模型

在分析空间效应之前，有必要检查空间效应是否存在。为了解决这个问题，我们将无空间效应的模型与包括空间效应的模型进行了比较。首先，我们应用非空间面板数据模型来分析可再生能源技术创新对可再生能源发电的影响，如式（3-1）所示：

$$\begin{aligned}\ln \mathrm{RPG}_{it} &= \varphi + \beta_1 \ln \mathrm{RETI}_{it} + \beta_2 \ln \mathrm{PGDP}_{it} + \beta_3 \ln \mathrm{EP}_{it} + \beta_4 \ln \mathrm{UR}_{it} + \beta_5 \ln \mathrm{FSE}_{it} \\ &\quad + \beta_6 \ln \mathrm{CO_2P}_{it} + \beta_7 \ln \mathrm{TPS}_{it} + c_i(\text{optional}) + \alpha_t(\text{optional}) + \varepsilon_{it}\end{aligned} \tag{3-1}$$

其中，i 是 30 个省；t 是 2005～2018 年；回归中使用变量的对数代替变量间的弹性，减轻变量异方差对回归结果的影响；对于第 i 个省 t 年，RPG_{it}、RETI_{it}、PGDP_{it}、EP_{it}、UR_{it}、FSE_{it}、$\mathrm{CO_2P}_{it}$ 和 TPS_{it} 分别是可再生能源发电量、可再生能源技术创新、人均 GDP、能源价格、城市化率、科学技术的财政支出、人均 CO_2 排放量和发电组合中的火力发电份额；c_i 和 α_t 是可选的，它们分别是空间固定效果和时间周期固定效果；φ 和 ε_{it} 分别是常数项和随机误差项；β_k（$k=1,2,\cdots,7$）是待估计参数。

2. 空间面板模型

中国各省政治、经济、社会和文化因素之间有着密切的联系，在确定面板时必须考虑该种联系，以避免因各省之间的依存关系而可能造成的扭曲影响。因此，简单的面板模型可能不合适。

考虑到空间相互作用的证据，本章尝试在空间面板框架中对可再生能源发电进行建模。空间面板数据模型可以由式（3-2）和式（3-3）表示：

$$\begin{aligned}\ln \mathrm{RPG}_{it} &= \varphi + \beta_1 \ln \mathrm{RETI}_{it} + \beta_2 \ln \mathrm{PGDP}_{it} + \beta_3 \ln \mathrm{EP}_{it} + \beta_4 \ln \mathrm{UR}_{it} + \beta_5 \ln \mathrm{FSE}_{it} \\ &\quad + \beta_6 \ln \mathrm{CO_2P}_{it} + \beta_7 \ln \mathrm{TPS}_{it} + \rho \sum_{j=1}^{N} W_{ij} \ln \mathrm{RPG}_{jt} + \delta_1 \sum_{j=1}^{N} W_{ij} \ln \mathrm{RETI}_{jt} \\ &\quad + \delta_2 \sum_{j=1}^{N} W_{ij} \ln \mathrm{PGDP}_{jt} + \delta_3 \sum_{j=1}^{N} W_{ij} \ln \mathrm{EP}_{jt} + \delta_4 \sum_{j=1}^{N} W_{ij} \ln \mathrm{UR}_{jt} + \delta_5 \sum_{j=1}^{N} W_{ij} \ln \mathrm{FSE}_{jt} \\ &\quad + \delta_6 \sum_{j=1}^{N} W_{ij} \ln \mathrm{CO_2P}_{jt} + \delta_7 \sum_{j=1}^{N} W_{ij} \ln \mathrm{TPS}_{jt} + c_i(\text{optional}) + \alpha_t(\text{optional}) + u_{it}\end{aligned} \tag{3-2}$$

其中，

$$u_{it} = \lambda \sum_{j=1}^{N} W_{ij} u_{it} + \varepsilon_{it} \tag{3-3}$$

ρ 是这些内生性相互作用效应的响应参数；W_{ij} 是空间权重矩阵，表示省份 i 和省份 j 之间的空间相关性；δ_k（$k=1,2,\cdots,7$）是待估计参数。对于省份 i 的误差项 u_{it}，基于空间权重 W_{ij} 和分量，取决于相邻省份 j 的误差项 ε_{it}。

3. 空间权重矩阵

空间权重矩阵在确定模型规格时起着至关重要的作用。以往有关可再生能源发展的大多数研究都使用相邻权重矩阵来检验变量的空间相关性。在本节中，Moran's I（莫兰指数）检验考虑了四个空间权重矩阵，即相邻权重矩阵（$W^{0\text{-}1}$）、地理空间权重矩阵（W^{g}）、经济距离权重矩阵（W^{e}）及地理空间和经济距离权重矩阵（W^{ge}）。

相邻权重矩阵由于简单而被广泛用于现有研究中。但该矩阵的局限性在于假定所有邻近省份具有同等影响力，而忽略邻近省份以外的其他空间相关性。矩阵设置如下：

$$W_{ij}^{0\text{-}1} = \begin{cases} 1, & \text{如果}i\text{省和}j\text{省相邻} \\ 0, & \text{其他} \end{cases} \tag{3-4}$$

地理空间距离权重矩阵反映了各省之间的地理空间距离，可通过式（3-5）获得

$$W_{ij}^{g} = \begin{cases} 1/d_{ij}, & i \neq j \\ 0, & i = j \end{cases} \tag{3-5}$$

其中，d_{ij} 是 i 省和 j 省之间的地理空间距离。

各省之间的关系不能仅相邻或与距离成反比。各省的经济高速发展也对中国区域间的空间邻接关系产生了重大影响，决定了空间联系的水平。因此，有必要进一步研究经济矩阵来描述各省之间的复杂关系。经济距离权重矩阵是根据 GDP 计算的。可通过式（3-6）获得

$$W_{ij}^{e} = \begin{cases} 1/|\overline{Y_i} - \overline{Y_j}|, & i \neq j \\ 0, & i = j \end{cases} \tag{3-6}$$

其中，Y_i 是 2005～2018 年 i 省的人均 GDP。

地理空间和经济距离权重矩阵可基于 GDP 和省 i 与省 j 之间的地理空间距离，根据式（3-7）来计算：

$$W_{ij}^{ge} = \begin{cases} 1/(d_{ij}|\overline{Y_i} - \overline{Y_j}|), & i \neq j \\ 0, & i = j \end{cases} \tag{3-7}$$

空间权重矩阵为矩阵行的标准化。

4. 空间相关性

为了验证所选样本的空间相关性，需要进行全局 Moran's I 检验。全局 Moran's I 检验可以由式（3-8）定义：

$$I_g = \frac{N\sum_{i=1}^{N}\sum_{j=1}^{N}W_{ij}(X_i - \bar{X})(X_j - \bar{X})}{\sum_{i=1}^{N}\sum_{j=1}^{N}W_{ij}}\sum_{i=1}^{N}(X_i - \bar{X})^2 \tag{3-8}$$

其中，X_i 代表利益变量；$\bar{X}$ 代表 X 的平均值。

为了检测局部空间自相关（local indicators of spatial association，LISA）性，这项研究应用了局部 Moran's I 检验，可以通过式（3-9）进行计算：

$$I_l = \frac{N(X_i - \bar{X})}{\sum_{i=1}^{N}(X_i - \bar{X})^2}\sum_{j\neq i}^{N}W_{ij}(X_j - \bar{X}) \tag{3-9}$$

通过局部 Moran's I 检验可以获得四种类型的群集，即 H-H 群集、L-L 群集、H-L 群集和 L-H 群集。具体而言，H-H 群集代表高值的区域群集；而 L-L 群集代表低值的区域群集；H-L 集群代表被低指标省环绕的高指标省集群；L-H 集群代表由高指标省包围的低指标省的区域集群（Aldstadt and Getis，2006）（本节的指标为可再生能源发电量和可再生能源技术创新水平）。

识别空间聚类有三个优点，空间集群的识别具有三个优势：它有助于定位相似和不相似的邻域及其对可再生能源发电量和可再生能源技术创新的影响水平；它可以识别空间相似性或差异性的物理、社会、经济和制度因素；它有助于设计有效的、有空间针对性的干预措施或政策，这些措施或政策将促进地方更高水平的可再生能源技术创新和可再生能源发展。

3.2.3 数据管理

1. 因变量

可再生能源发电量是评估可再生能源发展的重要方式，它是衡量可再生能源生产总量的方法（Bird et al.，2005）。我们使用可再生能源发电量衡量可再生能源发展。研究中考虑的可再生能源包括风能、太阳能、生物质能、地热能和海洋能，但是水能除外。未考虑水电是因为水电技术相对成熟，其发展已接近最大资源极限。

2. 核心解释变量

在可再生能源技术创新中，专利数量被广泛认为是现有经验研究中技术创新的代表（Sohag et al.，2015）。但是，技术随着时间而衰退，而新技术需要时间在整个社会传播。考虑衰退率和扩散率对于可再生能源技术的创新来说是非常必要的（Zheng et al.，2021）。因此，本节应用了 Popp 等（2013）提出的计算方法，该方法涉及专利的衰退率和扩散率。公式如下：

$$\mathrm{RETI}_{it}=\sum_{h=0}^{t}\mathrm{RPT}_{ih}\exp[-\beta_1(t-h)]\{1-\exp[-\beta_2(t-h+1)]\} \quad (3\text{-}10)$$

其中，RPT_{ih} 是 i 地区在 h 年的可再生能源专利数量；β_1 和 β_2 分别是衰退率和扩散率，分别等于 0.1 和 0.25，这意味着一项专利在授予专利后约 4 年内对存量具有最大影响（Popp et al.，2013）。可再生能源专利申请数据是从 Derwent Innovation 专利研究和分析平台获得。Derwent Innovation 是市场领先的专利研究和分析平台，提供全球可信赖的专利数据。我们根据世界知识产权组织和美国专利商标局提供的国际专利分类代码检索专利数据（检索策略如表 3-1 所示）。

表 3-1　可再生能源专利检索策略

能源	检索式
太阳能	IC =（E04D 13/18 OR F24J 2/* OR F03G 6/* OR H01L 27/142 OR H01L 31/04* OR H01L 31/05* OR H01L 31/06* OR H01L 31/07* OR H01L 51/42 OR H01L 51/44 OR H01L 51/46 OR H01L 51/48 OR H02S*）
风能	IC =（F03D*）
生物质能	IC =（C02F 11/04 OR C10J 3/02 OR C10J 3/46 OR C10L 5/4* OR F02B 43/08 OR F23G 5/46 OR F23G 7/10 OR（（C10L 1/* OR C10L 3/* OR C10L 5/*）AND（B09B 3/* OR F23G 5/* OR F23G 7/*））OR（（F01K 27/* OR F02G 5/* OR F25B 27/02）AND（F23G 5/* OR F23G 7/*）））
地热能	IC =（F24J 3/* OR F03G 4/*）
海洋能	IC =（E02B 9/08 OR F03B 13/1* OR F03B 13/2*）

注：可再生能源专利申请数据来自 Derwent Innovation 专利研究和分析平台。检索策略是根据世界知识产权组织和美国专利商标局提供的国际专利分类代码制定的

*代表逻辑“与”，用来表示其所连接的两个检索项的交叉部分，也即交集部分

3. 控制变量

本节中的控制变量定义如表 3-2 所示。

表 3-2　变量定义

变量	定义	数据来源
RPG	可再生能源发电量	《中国电力年鉴》（《中国电力年鉴》编辑委员会，2018）
RETI	可再生能源技术创新	Popp（2002）方法计算
PGDP	实际人均国内生产总值	《中国统计年鉴》（2010 年不变价格）
EP	能源价格	参照 Lin 和 Zhu（2019）研究，我们将化石燃料价格指数（《中国统计年鉴》）代表能源价格

续表

变量	定义	数据来源
UR	城镇化率	《中国统计年鉴》
FSE	科技财政支出	《中国统计年鉴》
CO_2P	人均 CO_2 排放	Shan 等（2020）和 Shan 等（2018）研究
TPS	火电占发电组合份额	《中国电力年鉴》中煤炭、石油和天然气生产的热能份额

本章使用了 2005～2018 年中国 30 个省区市级面板数据，由于数据限制，不考虑香港、澳门、台湾和西藏。表 3-3 中列出了所有变量的描述性统计。

表 3-3 变量的描述性统计

变量	单位	观测值	平均值	标准差	最小值	最大值
RPG	亿 kW·h	390	50.2	96.6	0.0	775.0
RETI	—	390	273.0	528.2	0.6	4 948.6
PGDP	元/人	390	39 442.5	23 174.7	6 812.6	124 156.7
EP	—	390	100.4	14.9	60.3	127.5
UR	—	390	53.5%	13.9%	26.9%	89.6%
FSE	亿元	390	71.6	94.0	2.9	827.8
CO_2P	t/人	390	8.0	6.3	1.0	42.6
TPS	—	390	76.2%	23.2%	8.1%	100.0%

3.3 技术创新和可再生能源发展实证结果分析

3.3.1 空间自相关分析

为探索 RETI 和 RPG 潜在的空间自相关，本节进行 Moran’s I 检验。如表 3-4 所示，不同的空间权重对应的全局 Moran’s I 值存在差异。除权重 W^e 在 2012 年、2013 年、2014 年、2015 年、2017 年的结果外，其他所有空间权重矩阵下 RETI 的全局 Moran’s I 值均显著为正，表明中国省级 RETI 在样本期内（2005～2018 年）具有显著的空间自相关。对于 RPG，在大多数采样期间（14 年期间有 13 年显著为正），W^g 值均显著为正，表明：在研究期间内，中国的 RPG 存在显著的地理空间依赖性。地理空间权重矩阵下的变量 RETI 和 RPG 的全局 Moran’s I 数值最高（W^g），其次是空间权重矩阵 W^{ge}、$W^{0\text{-}1}$、W^e 的结果。因此，W^g 将用于构建空间面板计量模型，并选择 W^{ge} 进行稳健性检验。

表 3-4　RETI 和 RPG 的全局 Moran's I 值（2005～2018 年）

变量	莫兰	年份													
		2005	2006	2007	2008	2009	2010	2011	2012	2013	2014	2015	2016	2017	2018
RETI	$M^{0\text{-}1}$	0.250^{**}（2.322）	0.253^{**}（2.345）	0.258^{**}（2.384）	0.250^{**}（2.318）	0.238^{**}（2.224）	0.237^{**}（2.212）	0.236^{**}（2.207）	0.244^{**}（2.272）	0.243^{**}（2.262）	0.230^{**}（2.156）	0.225^{**}（2.120）	0.224^{**}（2.110）	0.226^{**}（2.125）	0.234^{**}（2.188）
	M^{g}	0.098^{***}（3.781）	0.100^{**}（3.827）	0.105^{**}（3.957）	0.106^{**}（4.003）	0.105^{**}（3.965）	0.101^{**}（3.870）	0.100^{**}（3.834）	0.101^{**}（3.844）	0.098^{**}（3.764）	0.090^{**}（3.557）	0.088^{**}（3.494）	0.088^{**}（3.475）	0.088^{**}（3.480）	0.091^{***}（3.584）
	M^{e}	0.257^{**}（2.396）	0.303^{**}（3.147）	0.305^{**}（2.964）	0.242^{**}（2.953）	0.317^{**}（3.421）	0.257^{*}（2.725）	0.197^{**}（2.065）	0.177（1.568）	0.149（1.494）	0.142（1.547）	0.147（1.580）	0.162^{**}（1.975）	0.113（1.495）	0.173^{*}（1.685）
	M^{ge}	0.289^{**}（2.663）	0.331^{**}（3.365）	0.346^{**}（3.225）	0.297^{**}（3.227）	0.338^{**}（3.335）	0.302^{**}（2.889）	0.243^{**}（2.383）	0.243^{*}（1.969）	0.218^{*}（2.005）	0.208^{*}（2.001）	0.213^{*}（1.999）	0.218^{**}（2.515）	0.172^{*}（2.024）	0.237^{**}（2.230）
RPG	$M^{0\text{-}1}$	0.144（1.455）	0.275^{**}（2.527）	0.304^{**}（2.759）	0.370^{**}（3.300）	0.409^{**}（3.619）	0.447^{**}（3.931）	0.347^{**}（3.113）	0.386^{**}（3.428）	0.233^{**}（2.180）	0.324^{**}（2.922）	0.297（2.700）	0.232^{**}（2.173）	0.240^{**}（2.237）	0.246^{**}（2.285）
	M^{g}	0.036^{*}（1.994）	0.039^{**}（2.084）	0.026^{*}（1.728）	0.041^{**}（2.148）	0.056^{**}（2.569）	0.074^{**}（3.082）	0.030^{*}（1.823）	0.075^{**}（3.112）	0.044^{**}（2.247）	0.061（2.718）	0.049^{**}（2.376）	0.027^{*}（1.760）	0.027^{*}（1.749）	0.025^{*}（1.705）
	M^{e}	0.085（0.981）	0.314^{**}（3.245）	0.268^{**}（2.637）	0.254^{**}（3.087）	0.240^{**}（2.672）	0.115（1.401）	0.079（1.017）	0.162（1.452）	0.138（1.399）	0.102（1.197）	0.149（1.599）	0.059（0.944）	0.100（1.366）	0.090（1.011）
	M^{ge}	0.073（0.888）	0.351^{**}（3.547）	0.281^{**}（2.670）	0.290^{**}（3.166）	0.310^{**}（3.088）	0.220^{**}（2.183）	0.145（1.541）	0.256^{**}（2.061）	0.185^{*}（1.741）	0.185^{**}（1.809）	0.245^{**}（2.258）	0.164^{*}（1.974）	0.205^{**}（2.342）	0.184^{*}（1.796）

*表示 $p<0.1$，**表示 $p<0.05$；***表示 $p<0.01$

RETI 和 RPG 空间聚集的 LISA 表，如表 3-5 所示，属于 RETI 的 H-H 集群的省主要位于中国经济最发达的东部地区。而 L-L 集群的所有省份都集中在中国西部，其经济远落后于中部和东部。具体而言，从 RETI 来看，在 2005 年，北京（$p<0.01$）、天津（$p<0.01$）、河北（$p<0.1$）、山东（$p<0.01$）、河南（$p<0.01$）、上海（$p<0.01$）、江苏（$p<0.01$）、浙江（$p<0.01$）、安徽（$p<0.01$）、辽宁（$p<0.01$）、江西（$p<0.01$）属于 H-H 集群；新疆（$p<0.05$）、青海（$p<0.01$）、甘肃（$p<0.01$）、宁夏（$p<0.01$）和重庆（$p<0.05$）属于 L-L 集群；吉林（$p<0.1$）、山西（$p<0.05$）、云南（$p<0.01$）属于 L-H 集群。2018 年，湖北（$p<0.05$）加入了 H-H 集群；重庆退出了 L-L 集群；云南（$p<0.01$）离开 L-H 集群并加入 L-L 集群；四川（$p<0.05$）和广东（$p<0.01$）加入了 H-L 集群；海南（$p<0.01$）加入了 L-H 集群；江西（$p<0.01$）离开 H-H 集群并加入 L-H 集群。

表 3-5　RETI 和 RPG 的 LISA 表（基于地理权重矩阵）

省区市	RETI（2005 年）	RETI（2018 年）	RPG（2005 年）	RPG（2018 年）
安徽省	H-H	H-H	L-L	/
北京市	H-H	H-H	/	/
福建省	/	/	/	/
甘肃省	L-L	L-L	H-L	H-H
广东省	/	H-L	L-L	/
广西壮族自治区	/	/	L-L	L-L
贵州省	/	/	L-L	L-L
海南省	/	L-H	L-L	L-L
河北省	H-H	H-H	H-L	/
河南省	H-H	H-H	L-L	/
黑龙江省	/	/	H-H	/
湖北省	/	H-H	L-L	/
湖南省	/	/	L-L	L-L
吉林省	L-H	L-H	H-H	/
江苏省	H-H	H-H	L-L	/
江西省	H-H	L-H	L-L	/
辽宁省	H-H	H-H	H-H	/
内蒙古自治区	/	/	/	/
宁夏回族自治区	L-L	L-L	H-L	H-H
青海省	L-L	L-L	L-H	H-H

续表

省区市	RETI（2005 年）	RETI（2018 年）	RPG（2005 年）	RPG（2018 年）
山东省	H-H	H-H	/	/
山西省	L-H	L-H	/	H-H
陕西省	/	/	L-L	/
上海市	H-H	H-H	/	/
四川省	/	H-L	L-L	L-L
天津市	H-H	H-H	/	L-L
新疆维吾尔自治区	L-L	L-L	H-L	H-H
云南省	L-H	L-L	L-L	H-L
浙江省	H-H	H-H	H-L	/
重庆市	L-L	/	L-L	/

注：“/”为结果不显著项

表 3-5 表明，RPG 属于 L-L 集群的省区市主要集中在可再生能源潜力相对较弱的华南地区，而属于 H-H 集群的大多数省区市则位于可再生能源潜力丰富的中国北部。2005 年，黑龙江（$p<0.01$）、吉林（$p<0.01$）、辽宁（$p<0.01$）属于 H-H 集群；河南（$p<0.05$）、湖北（$p<0.01$）、湖南（$p<0.01$）、江西（$p<0.01$）、广东（$p<0.01$）、广西（$p<0.01$）、贵州（$p<0.01$）、重庆（$p<0.01$）、四川（$p<0.01$）、云南（$p<0.01$）、陕西（$p<0.05$）、江苏（$p<0.01$）、安徽（$p<0.01$）和海南（$p<0.01$）属于 L-L 集群。2018 年，只有六个省区市属于 L-L 集群，分别是四川（$p<0.05$）、贵州（$p<0.1$）、天津（$p<0.01$）、广西（$p<0.01$）、湖南（$p<0.1$）和海南（$p<0.01$）；甘肃（$p<0.01$）、青海（$p<0.01$）、宁夏（$p<0.01$）、新疆（$p<0.05$）、山西（$p<0.01$）属于 H-H 集群。

中国的省级 RETI 和 RPG 表现出显著的空间聚集，表明在研究省级 RETI 对 RPG 的作用时，不能忽略其空间位置。具体来说，高 RETI 水平的省份主要集中在中国东部；RPG 数值较大的省份主要集中在可再生能源发电量潜力丰富的华北地区。因此，在下一部分中，我们将应用空间面板计量经济学模型讨论结果，并与非空间面板数据模型进行对比分析。

3.3.2　面板单位根和协整检验

在执行面板单位根检验之前，使用截面相关（cross-sectional dependence，CD）检验来测试每个变量的截面相关性。如表 3-6 所示，CD 检验拒绝所有变量在 1%显著性水平下的原假设，意味着在面板单位根检验时应注意横截面的相关性。因此，允许截面相关的截面扩展 IPS（cross-sectionally augmented Im，Pesaran and Shin，CIPS）检验（Pesaran，2007）比一般面板单位根检验方法更合适。

表 3-6　截面相关检验、面板单位根检验与面板协整检验

检验	变量	lnRPG	LnRETI	lnPGDP	lnEP	lnUR	LnFSE	$LnCO_2P$	lnTPS
CD 检验	统计量	69.39***	77.35***	77.05***	74.96***	69.27***	69.02***	48.51***	36.04***
CIPS 检验	水平	−1.462	−1.616**	−0.478	−2.229***	−1.406	−0.929	−1.646**	−1.399
	一阶差分	−2.672***	−1.982***	−1.680**	−2.148***	−2.604***	−2.803***	−3.134***	−3.239***
Pedroni 检验	组内统计量				组间统计量				
	Panel v 统计量		−7.864***		Group rho 统计量		8.506***		
	Panel rho 统计量		17.199***		Group PP 统计量		−15.535***		
	Panel PP 统计量		1.763**		Group ADF 统计量		−10.038***		
	Panel ADF 统计量		2.428***						
Westerlund检验	Variance ratio		8.719***						

注：CD 检验的原假设为存在截面相关；CIPS 检验的原假设为所有序列有单位根；面板协整检验原假设为不存在协整关系常数项和时间趋势项不包括在内

表示 $p<0.05$，*表示 $p<0.01$

为检验变量的平稳性，我们进行了 CIPS 面板单位根检验（请参见表 3-6）。结果表明，所有变量一阶差分后在 1%显著性水平趋于平稳，这意味着该模型的变量为一阶平稳。

基于以上结果，我们进行了由 Pedroni（2004）、Westerlund（2005）提出的面板协整检验。表 3-6 为面板协整检验的结果。所有统计数据均拒绝在 1%或 5%显著性水平下不存在协整的原假设。因此变量之间存在协整关系。

3.3.3　回归结果分析

1. 非空间面板计量模型

为确定最佳拟合模型，我们建立无空间交互作用的面板数据模型。表 3-6 为应用非空间面板数据模型时的估计结果。进行似然比（likelihood ratio，LR）检验以研究是否应考虑空间或时间固定效应（fixed effect，FE）。结果［433.050，具有 30 个自由度（degree of freedom，df），$p<0.01$］表明，必须拒绝空间固定效应无意义的（原）假设。同样，必须根据结果（75.947，14 df，$p<0.01$）否定时间固定效应为非显著的假设。LR 检验结果证明了使用双向固定效应的非空间面板数据模型的必要性（Baltagi，2008）。因此，具有双向固定效应的面板数据模型最适合。

不同固定效应下的 RETI 系数均为正，表明省级 RETI 有助于提高 RPG（H_1 得以验证）。此外，当使用LM检验和稳健的LM检验（Anselin，1988）（表3-7）时，无论包含空间或时间固定效应，无空间滞后因变量的假设和无空间自相关误差项的假设在1%的显著性水平上都被拒绝，因此非空间模型应被拒绝。

表3-7　不考虑空间效应的面板数据模型OLS的估计结果

变量	混合OLS回归	个体固定效应	时间固定效应	双向固定效应
lnRETI	0.989*** (9.416)	0.637*** (6.731)	0.486*** (4.663)	0.286** (2.414)
lnPGDP	1.183*** (3.043)	0.161 (0.411)	−0.064 (−0.184)	−1.504*** (−3.209)
lnEP	−0.571 (−1.173)	−0.574* (−1.662)	2.996*** (2.863)	3.408*** (4.479)
lnUR	−2.856*** (−4.415)	4.387*** (5.386)	−1.335** (−2.347)	3.731*** (4.764)
lnFSE	−0.766*** (−5.926)	0.398** (2.604)	−0.280** (−2.267)	0.383** (2.552)
lnCO_2P	1.486*** (11.579)	0.066 (0.383)	1.490*** (13.245)	0.391** (2.334)
lnTPS	−0.557*** (−3.926)	−0.658*** (−3.120)	−0.123 (−0.984)	−0.275 (−1.373)
截距项	2.028 (0.739)			
σ^2	1.266	0.386	0.904	0.322
R^2	0.655	0.852	0.382	0.198
$\log L$	−641.455	−392.573	−571.124	−354.600
LM空间滞后	112.089***	53.068***	26.550***	18.079***
稳健LM空间滞后	33.070***	24.469***	5.478**	9.385***
LM空间误差	79.268***	31.706***	21.074***	11.992***
稳健LM空间误差	0.249	3.107*	0.002	3.298*

注：括号内为t统计量，普通最小二乘法（ordinary least squares，OLS）
*表示$p<0.1$，**表示$p<0.05$，***表示$p<0.01$

2. 空间面板计量模型

非空间模型被拒绝，因此需要确定哪种空间计量经济学模型最适合描述数据，因此进行Wald检验和LR判断以检验空间杜宾模型（spatial durbin model，SDM）是否可以简化为空间滞后模型（spatial lag model，SLM）或空间误差模型（spatial error model，SEM）。表3-8中结果表明，对于所有模型，Wald检验和LR检验这两个原假设均被以1%的显著性水平拒绝。因此，必须拒绝SLM和SEM，选择

SDM。此外，研究还进行了 Hausman 检验，以检验固定效应模型和随机效应模型。结果（29.938，15df，$p<0.05$）表明必须拒绝随机效应模型。因此，我们确定使用固定效应 SDM，结果如表 3-9 与表 3-10 所示。

表 3-8 模型诊断检验

变量	个体固定效应	时间固定效应	双向固定效应	个体随机时间固定
Wald 检验空间滞后	49.738***	68.967***	39.274***	27.188***
LR 检验空间滞后	45.544***	67.296***	42.532***	26.023***
Wald 检验空间误差	40.736***	69.644***	39.530***	27.437***
LR 检验空间误差	57.689***	66.941***	42.652***	26.232***
Hausman 检验				29.938**

注：检验都遵循具有 K 自由度的卡方分布

表示 $p<0.05$，*表示 $p<0.01$

表 3-9 具有固定效应的 SDM 估计结果

变量	个体固定效应	时间固定效应	双向固定效应
lnRETI	0.414*** （3.301）	0.064 （0.517）	0.442*** （3.379）
lnPGDP	−1.893*** （−3.301）	−0.316 （−0.911）	−2.177*** （−4.111）
lnEP	3.501*** （4.111）	4.016*** （3.517）	2.982*** （3.216）
lnUR	4.988*** （5.587）	−1.019* （−1.834）	4.914*** （5.443）
lnFSE	0.275* （1.815）	0.094 （0.701）	0.436*** （2.689）
$\ln CO_2P$	0.502*** （2.899）	1.320*** （11.036）	0.558*** （3.231）
lnTPS	−0.471** （−2.250）	0.155 （1.109）	−0.459** （−2.150）
W×lnRETI	2.467*** （3.761）	−4.051*** （−4.056）	3.533*** （3.380）
W×lnPGDP	−4.842** （−2.097）	−8.326*** （−3.438）	−7.161** （−2.117）
W×lnEP	−3.887*** （−3.626）	7.421 （1.274）	13.224*** （2.690）
W×lnUR	−5.682 （−1.316）	18.999*** （5.469）	−11.413** （−2.236）
W×lnFSE	0.525 （1.190）	3.283*** （3.326）	1.856 （1.618）

续表

变量	个体固定效应	时间固定效应	双向固定效应
W×$\ln CO_2P$	−0.981* (−1.886)	1.680* (1.797)	1.667 (1.324)
W×lnTPS	−0.076 (−0.071)	3.517*** (3.204)	1.629 (0.956)
W×lnRPG	0.166 (1.301)	−0.158 (−0.984)	0.077 (0.552)
σ^2	0.333	0.782	0.320
Corrected R^2	0.914	0.790	0.920
LR	−350.349	−537.575	−333.232

注：括号内为 t 统计量

*表示 $p<0.1$，**表示 $p<0.05$，***表示 $p<0.01$

表 3-10　空间溢出效应结果（具有个体固定效应的 SDM）

解释变量	直接效应	间接效应	总效应
lnRETI	0.449*** (3.509)	3.046*** (3.417)	3.496*** (3.736)
lnPGDP	−1.940*** (−3.781)	−6.172** (−2.064)	−8.111** (−2.546)
lnEP	3.434*** (4.149)	−3.900*** (−3.348)	−0.467 (−0.563)
lnUR	4.964*** (5.403)	−6.274 (−1.283)	−1.311 (−0.279)
lnFSE	0.270* (1.764)	0.714 (1.404)	0.985* (1.937)
$\ln CO_2P$	0.511*** (3.000)	−1.095* (−1.807)	−0.584 (−0.974)
lnTPS	−0.467** (−2.219)	−0.201 (−0.156)	−0.668 (−0.511)

注：括号内为 t 统计量

*表示 $p<0.1$，**表示 $p<0.05$，***表示 $p<0.01$

从具有固定效应的 SDM 的结果中可以看出（表 3-10），技术创新对 RPG 在 1%的显著性水平上表现出正向且非常显著的直接效应（H_1 得到验证）。技术创新变量的直接效应等于 0.449，这意味着 RETI 1%的增长将使可再生能源发电量平均增长 0.449%。这也意味着在具有双向固定效应的非空间模型中，技术创新弹性 0.286（表 3-7）被低估了 35.4%。系数差异主要是由于忽略了空间溢出效应。由于技术创新的直接效应为 0.449，系数估计值为 0.414，因此其反馈效应等于直接效应的 7.8%。技术创新的反馈效应（图 3-4）对可再生能源发电量的影响，是通过相邻省份再流回各省份而产生的结果。

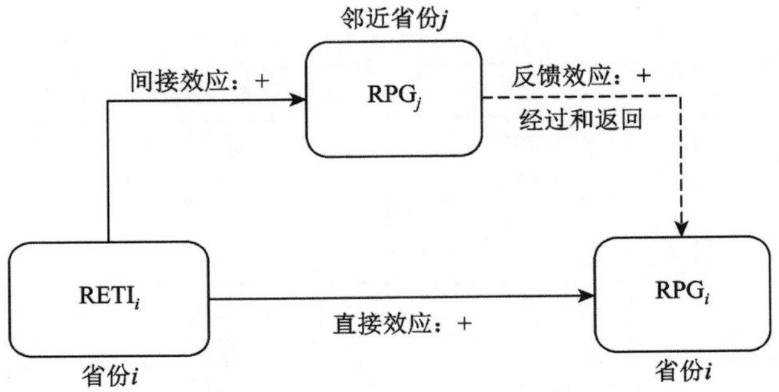

图 3-4　RETI 对 RPG 的影响路径分析

技术创新对 RPG 存在显著正向的间接效应（$p<0.01$）。这意味着，如果某个省的可再生能源技术创新水平提高，那么可再生能源发电量不仅会在该省内增加，还会在其邻近省份增加（图 3-4），即中国存在可再生能源技术创新溢出效应。技术创新的间接效应大约是直接效应的 7 倍，这意味着在技术创新发生变化的情况下，邻近省份的可再生能源发电量的变化与省内可再生能源发电量变化的比率约为 7∶1。原因在于：属于 RETI H-H 集群的省份在可再生能源资源方面是发达地区，可再生能源资源潜力较低。由于可再生能源潜力较小，可再生能源技术创新 H-H 集群省份的可再生能源发电增长空间有限。因此，与直接效应相比，RETI 对 RPG 的间接效应（溢出效应）相对较大。与现有实证研究的结果相比，可再生能源技术创新对可再生能源发电的直接、间接和反馈效应的结果是一个新发现（图 3-4）。

从表 3-9 中的空间杜宾双向固定效应模型结果可知，lnFSE 的系数显著为正，说明科学技术财政支出对可再生能源发电有显著正向影响。具体而言，科学技术的财政支出提高 1%将导致可再生能源发电增长 0.436%，这一结论验证了 H_2。lnPGDP 的系数为−2.177，且在 1%的水平上显著，意味着人均 GDP 与可再生能源发电量呈负相关关系，H_3 尚未得证。一些研究证明人均 GDP 显著促进了可再生能源发电量增长。可能的原因是我国的可再生能源在能源结构中占比仍然较低，经济增长主要依赖于煤炭、石油和天然气等传统能源。截至 2018 年，煤炭、石油和天然气在能源消费结构中的占比超过 85.0%。因此，经济增长将消费更多的传统能源，抑制了可再生能源发电量的增长。此外，lnEP、lnUR、lnCO_2P 的系数都显著为正，这意味着能源价格、城镇化率和 CO_2 排放对可再生能源发电量都有显著正向影响，H_4～H_6 得以证实。lnTPS 的系数为−0.459，且在 5%的水平上显著，说明火电份额对可再生能源发电量有显著负向影响，即更高的火电份额增加会导致更低的可再生能源发电量。这意味着火电份额增加 1%，可再生能源发电量将会减少 0.459%，H_7 得到验证。

3. 稳健性检验

通过比较选定的具有固定效应的 SDM 和非空间面板模型进行了部分稳健性检验。替代模型获得了等效的系数估计结果（表 3-7 的第 5 列和表 3-9 的第 2 列），在一定程度上证实了我们方法的稳健性。但是，空间权重矩阵的选择，RETI 指标的变量选择及衰退率和扩散率的值可能会影响空间计量经济学模型的估计结果。因此，我们进行了一系列的稳健性检验以检验结果的稳健性。

首先，将空间权重矩阵 W^g 替换为 W^{ge} 以重新估计空间面板模型。如上所述，变量的全局 Moran's I 值（RETI 和 RPG）在 W^g 下最显著，其次是 W^{ge}。如表 3-11～表 3-13 所示，使用空间权重矩阵 W^{ge} 得出的这些结果与使用 W^g 的表 3-9 和表 3-10 中的结果大致一致，表明无论以地理距离还是地理和经济距离作为权重，都存在着同样的结果，RETI 的空间集聚对 RPG 具有显著的正向影响。该检验验证了研究结果的可靠性。

表 3-11 稳健性检验：基于 W^{ge} 的模型诊断检验

变量	个体固定效应	时间固定效应	双向固定效应	个体随机时间固定
Wald 检验空间滞后	41.901***	42.036***	21.645***	15.053**
LR 检验空间滞后	41.898***	40.887***	23.309***	16.213**
Wald 检验空间误差	63.687***	62.055***	22.284***	15.081**
LR 检验空间误差	67.837***	57.254***	23.414***	17.350***
Hausman 检验				29.959**

注：检验都遵循具有 K 自由度的卡方分布

表示 $p<0.05$，*表示 $p<0.01$

表 3-12 稳健性检验：基于 W^{ge} 的固定效应 SDM

变量	个体固定效应	时间固定效应	双向固定效应
lnRETI	0.331*** (3.072)	0.477*** (4.716)	0.388** (3.085)
lnPGDP	−1.124** (−2.472)	0.527 (1.174)	−1.392*** (−2.636)
lnEP	2.516*** (2.868)	1.719 (1.571)	2.600*** (2.923)
lnUR	4.193*** (4.992)	−1.111** (−2.004)	4.355*** (5.000)
lnFSE	0.402*** (2.817)	−0.211* (−1.779)	0.363** (2.324)
$\ln CO_2P$	0.335** (2.042)	1.324*** (11.642)	0.381** (2.177)

续表

变量	个体固定效应	时间固定效应	双向固定效应
lnTPS	−0.635*** （−2.123）	−0.180 （−1.457）	−0.472** （−2.218）
W×lnRETI	0.380** （2.303）	0.313 （1.342）	0.376** （1.965）
W×lnPGDP	0.768* （1.128）	−1.654** （−1.997）	0.730 （1.012）
W×lnEP	−3.007*** （−3.272）	0.145 （0.062）	2.251 （1.283）
W×lnUR	−1.533** （−1.624）	−1.328 （−1.162）	−1.405 （−1.384）
W×lnFSE	−0.239** （−1.310）	0.411 （1.512）	−0.330 （−1.503）
W×lnCO_2P	−0.548*** （−3.054）	1.291*** （5.580）	−0.427** （−2.135）
W×lnTPS	−0.110 （−0.489）	−0.897*** （−3.053）	0.041 （0.164）
W×lnRPG	0.300*** （4.926）	0.230*** （3.480）	0.089 （1.414）
σ^2	0.330	0.785	0.333
Corrected R^2	0.915	0.789	0.917
LR	−351.950	−540.277	−342.849

注：括号内为 t 统计量

*表示 $p<0.1$，**表示 $p<0.05$，***表示 $p<0.01$

表 3-13　稳健性检验：基于 W^{ge} 的空间溢出效应重新估计

解释变量	直接效应	间接效应	总效应
lnRETI	0.366*** （3.457）	0.669*** （3.117）	1.035*** （4.206）
lnPGDP	−1.097** （−2.324）	0.521 （0.583）	−0.576 （−0.578）
lnEP	2.371** （2.728）	−3.092*** （−3.292）	−0.721 （−1.332）
lnUR	4.170*** （5.087）	−0.293 （−0.227）	3.877** （2.437）
lnFSE	0.393** （2.650）	−0.166 （−0.645）	0.227 （0.697）
lnCO_2P	0.310* （1.837）	−0.606** （−2.499）	−0.295 （−0.911）
lnTPS	−0.659*** （−3.040）	−0.400 （−1.276）	−1.059** （−2.389）

注：括号内为 t 统计量

*表示 $p<0.1$，**表示 $p<0.05$，***表示 $p<0.01$

其次，可再生能源技术的专利数量被用作技术创新（核心变量）的代理变量，而不是考虑可再生能源技术衰退和扩散的专利存量。如表 3-13 所示，在直接效应中 RETI、EP、UR 和 CO_2P 系数均显著为正，与表 3-10 中的结果相同，再次证明了我们结果的稳健性。但 RETI 的系数为 0.366，约为 0.414 的 88.4%（表 3-9 中带有固定效应的 SDM 的估计结果），表明如果不考虑技术的衰退和扩散，RETI 对 RPG 的积极影响被低估了 11.6%。

最后，我们通过将其值增加或减少 10%来调整衰退率和扩散率的值，以重新估计空间计量经济模型。正如在表 3-14 中观察到的，变量的符号和显著性水平与表 3-9 中的结果相似，这表明主要估计结果是可靠的。

表 3-14　稳健性检验：SDM 的重新估计（使用固定效应）

变量	专利代理	扩散率		衰退率	
		+10%	−10%	+10%	−10%
lnRETI	0.366*** (2.851)	0.411*** (3.281)	0.415*** (3.301)	0.410*** (3.286)	0.416*** (3.300)
lnPGDP	−1.680** (−3.433)	−1.890*** (−3.802)	−1.907*** (−3.832)	−1.890*** (−3.803)	−1.907*** (−3.831)
lnEP	3.538*** (4.125)	3.504*** (4.113)	3.506*** (4.117)	3.510*** (4.119)	3.506*** (4.116)
lnUR	4.732*** (5.302)	4.977*** (5.576)	5.002*** (5.602)	4.975*** (5.573)	5.003*** (5.603)
lnFSE	0.282* (1.849)	0.274* (1.811)	0.276* (1.823)	0.274* (1.807)	0.277* (1.826)
$\ln CO_2P$	0.464*** (2.674)	0.501*** (2.890)	0.506*** (2.916)	0.501*** (2.889)	0.506*** (2.917)
lnTPS	−0.426* (−2.031)	−0.469** (−2.239)	−0.472** (−2.253)	−0.468* (−2.236)	−0.472** (−2.253)
W×lnRETI	1.818*** (2.970)	2.457*** (3.743)	2.497*** (3.796)	2.465*** (3.754)	2.493*** (3.791)
W×lnPGDP	−2.517 (−1.195)	−4.762** (−2.068)	−4.990** (−2.141)	−4.747** (−2.065)	−5.001** (−2.143)
W×lnEP	−3.841*** (−3.546)	−3.878*** (−3.617)	−3.883*** (−3.624)	−3.881*** (−3.620)	−3.886*** (−3.626)
W×lnUR	−7.217 (−1.664)	−5.745 (−1.331)	−5.491 (−1.271)	−5.752 (−1.333)	−5.484 (−1.270)
W×lnFSE	0.752* (1.739)	0.534 (1.213)	0.527 (1.193)	0.541 (1.228)	0.527 (1.193)
$W\times\ln CO_2P$	−1.157** (−2.244)	−1.016* (−1.961)	−0.964 (−1.848)	−1.037 (−2.005)	−0.995* (−1.822)
W×lnTPS	0.091 (0.084)	−0.095 (−0.089)	−0.084 (−0.078)	−0.109 (−0.101)	−0.078 (−0.072)

续表

变量	专利代理	扩散率		衰退率	
		+ 10%	–10%	+ 10%	–10%
W×lnRPG	0.206* （1.680）	0.167 （1.310）	0.157 （1.220）	0.160 （1.247）	0.158 （1.229）
σ^2	0.337	0.333	0.333	0.333	0.333
Corrected R^2	0.913	0.914	0.914	0.914	0.914
LR	–353.271	–350.467	–350.300	–350.461	–350.310

注：专利替代意味着可再生能源技术专利数据被用作技术创新的替代变量，而无须考虑技术的衰退和扩散
*表示 $p<0.1$，**表示 $p<0.05$，***表示 $p<0.01$

3.3.4 讨论与政策建议

1. 讨论

技术创新对可再生能源发展的影响引起了学者的广泛关注。本章有助于从以下方面更深入地了解 RETI 对 RPG 的影响：①中国省级 RETI 的空间分布如何；②RETI 如何在中国的省级水平上对 RPG 产生作用；③是否有必要考虑技术的衰退和扩散。研究证明，中国省级 RETI 水平的绝对变化显示了从西北到东南的阶梯式分布，这表明中国东南部的可再生能源技术发展水平明显优于西北地区。具体来说，2005 年，东南地区的九个省区市（江苏、上海、浙江、福建、江西、安徽、广东、广西和海南）中有五个属于 H-H 集群。在 2018 年，也有四个省市属于 H-H 集群，具体包含江苏、上海、浙江和安徽。相反，西北地区（陕西、甘肃、宁夏、青海和新疆）中有四个省份在 2005 年和 2018 年技术创新水平的 L-L 集群中。东南地区的技术创新（2005～2018 年累计价值）占全国的 51.3%，而西北地区的技术创新仅占全国的 4.5%。之所以出现这种现象，是因为东南地区各区市的经济相对发达，从而导致了更多的研发投资，包括基础研究、应用研究及科学技术服务与交流。这一发现与 Zhu 等（2020）的研究一致，其探讨了 RETI 对控制中国空气污染的影响。Zhu 等（2020）发现，属于 RETI 的 H-H 集群的省区市主要集中在长江经济带（江苏、浙江、安徽和山东），而属于 L-L 集群的省区市则主要集中在西北地区。RETI 水平的空间分布也与 Bai 等（2020）的研究基本一致，他们使用 ArcGIS 在 1997～2015 年对中国 30 个省区市的 RETI 进行了空间可视化分析。他们发现大多数东部沿海省区市（江苏、上海、浙江和福建）的 RETI 水平较高。由于中国各省之间地理位置、经济繁荣度和政策导向的差异，各省的 RETI 水平存在显著差异，且仍在不断扩大。这将影响国家 RETI 的整体效率及 RETI 因素的最佳配置（Bai et al.，2020）。这些发现可以指导政府通过准确识别出处于严峻 RETI 形势下的省份，从而更有效地优化 RETI 要素的分配。

研究表明 RETI 可以为中国省级的 RPG 做出贡献，并分析得出了 RETI 对 RPG 的影响路径。在我们的研究中，中国的省级技术创新对 RPG 的直接效应（0.449）、间接效应（3.046）和反馈效应（0.035）表现出显著的正向性（见 3.3.3 节），即特定省份 RETI 水平的增加将直接促进该省份本身的 RPG 增加，并通过技术扩散间接促进其邻近省份 RPG 增长。然后，这些影响在扩散至邻近的省份后部分通过技术扩散再次回到原来的省份本身。与现有文献中有关技术创新与可再生能源发展之间关系的文献相比，这一结果是一个新发现（Chen and Lei，2018；Geng and Ji，2016；Irandoust，2016；Lin and Zhu，2019；Sohag et al.，2015）。例如，Geng 和 Ji（2016）发现，通过面板误差修正模型，从长远来看，四个北欧国家的技术创新与可再生能源消耗之间存在单向因果关系。Sohag 等（2015）得出的结论：马来西亚在给定经济产出水平下，技术创新可以提高能源效率，并相应地减少能源消耗。Chen 和 Lei（2018）揭示，在全球 30 个国家的研究背景下，技术创新有助于以较低的成本生产可再生能源。Lin 和 Zhu（2019）还揭示了技术创新可以提高可再生能源的技术水平，使各国能够以较低的成本生产可再生能源，然后为可再生能源的发展做出贡献。尽管以上所有研究都证实了 RETI 对可再生能源发展的积极作用，但遗憾的是以上研究都很少涉及或没有讨论 RETI 对 RPG 的直接作用、间接作用和反馈作用。

RETI 的间接效应比直接效应要重要得多，这主要是因为中国的 RETI 和可再生资源潜力的空间特征。如 3.3.1 节和图 3-4 所述，属于 RETI 的 H-H 集群的省份的可再生资源潜力较低。具体而言，RETI 排名前 5 位的省市江苏、北京、广东、上海、浙江的可再生资源潜力排名分别为第 18、28、16、29、25。这 5 个省市的 RETI 占 55.5%，而其可再生资源潜力仅占 5.5%。这些省市的资源潜力有限，因此其 RPG 的增长空间有限。但由于技术的扩散特性，RETI 的溢出效应很大。

在 RETI 对 RPG 影响的实证研究中，非常有必要考虑技术的衰退和扩散。使用技术专利数量替代 RETI 后的模型估计系数为 0.366，这意味着与表 3-9 的估计结果（0.414）相比，该系数未考虑技术的衰退和扩散而被低估了 11.6%。以往研究（Geng and Ji，2016；Popp et al.，2011；Sohag et al.，2015）采用可再生能源技术专利的数量作为 RETI 的衡量标准。我们的研究证明该标准不能代表真实的 RETI 水平，这将导致估计偏差。由于技术的衰退、技术的发展和创新具有长期的积累效应，并且由于时间滞后效应的缘故，新技术对未来发展的影响可能比当前情形更大（Bai et al.，2020）。此外，随着技术的进步，新技术将取代旧技术，并且技术会发生折旧。因此，考虑到技术的衰退和扩散，某一年可再生能源技术专利的数量不能代表当年 RETI 的实际水平（Lin and Zhu，2019；Popp et al.，2013）。然而我们的研究发现，估计结果对衰退率和扩散率的值不够敏感。当衰退率或扩散率的值变化±10%时，估计系数平均变化 0.6%（参见表 3-9 和表 3-14）。

在探索 RETI 对 RPG 的影响中，空间依赖性起着至关重要的作用。从表 3-7 和表 3-9 中可以看出，非空间面板模型的结果（0.286）忽略了实证分析中的空间依赖性，低估了 RETI 对 RPG（0.449）的积极影响。这一发现与 Bai 等（2020）的研究相似。他们发现，在实证分析中忽略空间依赖性可能会低估 RETI 对空气污染的负面影响。在我们的研究中，样本期间（2005～2018 年），中国的省级 RETI 具有显著的空间自相关性，并且中国的 RPG 具有显著的地理空间依赖性（参见表 3-4 中 RETI 和 RPG 的全局 Moran's I 统计与分析结果）。RETI 水平在省一级表现出强烈的正空间溢出效应（2.467，$p<0.01$）。本章建立了一个理论框架，以探索 RETI 对 RPG 的影响，其中空间依赖性起着至关重要的作用。

人均 GDP 系数估计值呈负相关（H_3 被拒绝）。这一发现与 Carfora 等（2017）的研究一致。但与 Przychodzen W 和 Przychodzen J（2020）、Zhao 和 Luo（2017）的研究结果不一致。对此主要有两种可能的解释。首先，上述结果可以用中国各省的经济水平和可再生能源资源禀赋相反的分布特征来解释。人均 GDP 高的省份拥有可再生能源的潜力很小，这些地区的 RPG 很小（内蒙古除外）。相反，具有可再生能源潜力的省份大多是人均 GDP 相对较低的地区。省域面板的数据特征导致了这样的结果。其次，过去几十年来，经济的快速增长是通过消耗大量的化石能源来维持的（Yu et al.，2016），而传统的化石能源则限制了对可再生能源的推动力（Marques and Fuinhas，2011），这意味着中国的发达地区更倾向使用市场上可利用的化石发电来满足其不断增长的电力需求。

能源价格对 RPG 的直接效应是正的（弹性 3.434，H_4 得以验证），而该变量的间接效应是负的（弹性−3.900），表明本省的能源价格上涨将激励各自的 RPG，但限制邻近省份的 RPG。能源价格每上涨 1%，RPG 的相对增长率平均将提高 3.434%。能源价格对中国的 RPG 具有积极而显著的影响，这表明市场刺激可再生能源发展，这一结果与 Marques 和 Fuinhas（2011）不一致，他们发现，在 1990～2006 年，欧盟国家中化石燃料的价格对可再生能源的发展并不重要。

关于其他控制变量，结果表明，就直接效应而言，城市化率和人均 CO_2 排放与 RPG 在显著性水平为 1%的情况下呈正相关（H_5 和 H_6 得到验证），而火力发电在发电组合中所占的比例与之显著负相关。随着城市化水平的不断提高，城市居民追求更高的环境质量，因此更加愿意重视低污染的可再生能源。大量的 CO_2 排放促进了可再生能源的发展，这与 Omri 等（2015）的观点一致。化石燃料对发电的贡献占比增加不利于可再生能源发电发展。

2. 政策建议

空间计量经济学模型的估计结果引导获得了几种促进可再生能源发电的方

法。内部驱动因素（包括技术创新）和外部驱动因素（包括化石能源价格、城市化率和人均 CO_2 排放）共同促进了可再生能源的发展。

考虑到 RETI 对 RPG 显著正向的溢出效应，政府应鼓励技术在区域间的传播。具体来说，属于 RETI H-H 集群的省市（即北京、天津、河北、山东、上海、江苏和浙江等）可以提供援助或支持政策，以加强跨省的 RETI 交流；地方政府，尤其是属于 RETI L-L 集群的地方集群政府（即新疆、青海、甘肃、宁夏和云南），应鼓励企业和研究机构进行可再生能源的技术创新。

RETI H-H 集群的分配优化值得关注。适当分配 RETI 中心（高 RETI 区域的集群）有助于在可再生能源开发中发挥更好的技术溢出效应。通过优化 RETI 中心的分配，可以最大程度地提高 RETI 的溢出效应和反馈效应，从而提高国家 RETI 的整体效率。

在评估 RETI 对 RPG 的影响时，政府和研究人员应考虑可再生能源技术随时间的衰退和扩散。考虑到技术的衰退和扩散，可以避免低估 RETI 对 RPG 的积极影响。

3.4　本 章 小 结

本章基于 2005～2018 年中国 30 个省区市的面板数据构建了空间面板模型，分析了可再生能源技术创新对可再生能源发电量增长的影响，结果发现以下几点。

（1）特定省份的 RETI 水平提高 1%，直接促进该省份的 RPG 平均增长 0.449%（直接效应），而邻近省份的 RPG 则因技术扩散而增加 3.046%（间接效应）。此外，RETI 对 RPG 的影响可能会通过邻近的省份，再返回到省份本身，相应影响占直接效应的 7.8%（反馈效应）。

（2）如果不考虑技术的衰退和扩散，RETI 对 RPG（估计系数）的影响将会被低估 11.6%。但是，估计结果对衰退率和扩散率的值不敏感。当衰退率或扩散率的值变化±10%时，估计系数平均仅变化 0.6%。

（3）空间依赖性在探索 RETI 对 RPG 的影响方面起着至关重要的作用。在样本期间（2005～2018 年），中国的省级 RETI 和 RPG 具有显著的空间自相关性。如果忽略实证分析中的空间依赖性，RETI 对 RPG 的积极影响将被低估 35.4%。

第4章　支持政策与可再生能源发展

4.1　中国分省可再生能源政策总体概况

本章主要研究“十二五”以来（即2011年开始）的可再生能源政策，在这一阶段，中国可再生能源发展已经属于调整优化阶段（Gan et al.，2007；Yuan and Xi，2019），国家能源局的统计数据也显示，从“十二五”时期以来，中国的可再生能源有了惊人的增长。2011年中国可再生能源发电装机为2.88亿kW（王卫，2013），到2018年中国可再生能源发电装机达到7.28亿kW，可再生能源发电装机从2011年到2018年增长了1.53倍。而2018年，风电装机1.84亿kW、光伏发电装机1.74亿kW、生物质能发电装机1781万kW，分别同比增长12.4%、34%和20.7%（国家能源局，2019）。因此，研究中国“十二五”时期以来的可再生能源法规政策，对促进可再生能源在下一阶段的发展及完善中国可再生能源法律政策体系具有重要的理论和现实意义。值得注意的是，由于中国的水电发展已经相对成熟（李锐等，2019），所以本章为了更好地研究可再生能源政策对可再生能源开发的影响机理，选取的是针对非水可再生能源的政策，并且研究所提到的可再生能源都只包括非水可再生能源（主要是风能、光伏和生物质能）。

从数量上看，2011～2018年，地区间累计存在可再生能源相关政策数量有较大的差异。表4-1是各地区累计存在可再生能源相关政策数量统计表。由表4-1可知，累计存在可再生能源相关政策数量最多的五个地区是广东、吉林、湖南、广西和浙江，其样本期间平均累计存在可再生能源相关政策数分别为48.1条、43.6条、43.5条、42.9条和42.8条，这些地区对可再生能源发展的重视程度相对来说大于其他地区。而累计存在可再生能源相关政策数量最低的地区是云南，样本期间平均累计存在可再生能源相关政策数是6.9条。2018年云南的累计存在可再生能源相关政策数量仅为广东的14.3%。辽宁和宁夏是累计存在可再生能源相关政策数量为第二低和第三低的地区，平均累计存在可再生能源相关政策数分别为13.5条和15.4条。

表4-1　各地区累计存在可再生能源相关政策数量统计　　单位：条

地区	年份								
	2011	2012	2013	2014	2015	2016	2017	2018	平均
广东	21	38	39	51	58	45	63	70	48.1

续表

地区	年份								
	2011	2012	2013	2014	2015	2016	2017	2018	平均
吉林	8	30	38	51	59	50	56	57	43.6
湖南	10	29	28	39	50	58	65	69	43.5
广西	10	21	32	39	45	49	67	80	42.9
浙江	13	26	38	43	51	52	60	59	42.8
内蒙古	10	18	21	30	35	47	68	77	38.3
河南	12	25	31	37	45	36	50	49	35.6
河北	11	21	26	31	42	45	51	53	35
江西	7	20	26	34	39	37	53	57	34.1
四川	18	23	29	33	40	29	44	47	32.9
湖北	5	16	21	29	37	41	55	56	32.5
江苏	6	21	29	36	39	33	36	41	30.1
上海	11	31	29	34	36	27	33	33	29.3
甘肃	8	14	19	31	37	32	37	41	27.4
山西	3	12	23	31	33	31	39	40	26.5
青海	14	19	22	28	29	27	35	36	26.3
安徽	8	16	18	19	28	28	40	42	24.9
北京	9	20	17	25	31	30	34	32	24.8
陕西	6	18	24	31	35	24	26	27	23.9
福建	11	16	20	23	29	25	31	34	23.6
新疆	4	9	19	22	30	28	33	34	22.4
重庆	8	13	13	17	19	27	38	42	22.1
黑龙江	4	15	14	17	20	23	38	42	21.6
海南	2	12	11	19	26	27	33	35	20.6
天津	3	20	20	22	23	17	26	32	20.4
贵州	8	13	15	20	23	19	29	35	20.3
山东	6	8	14	18	20	22	26	30	18
宁夏	2	8	13	18	20	16	22	24	15.4
辽宁	3	7	7	9	14	17	26	25	13.5
云南	1	3	3	3	4	10	15	16	6.9

在《可再生能源法》等能源发展的基本法律的基础上，中国相继出台了一系

列扶持可再生能源发展的政策，本章经过对政策内容的梳理，发现无论是否是专门针对可再生能源发展的法规政策，政策的内容分别会涉及可再生能源发展的规划综合、行业管理、技术开发、电价管理与财税支持、市场管理这 5 个方面的内容。所以本章将各个地区 2011～2018 年与可再生能源发展有关的政策，根据其涉及的内容一共分为五类政策类型，分别是规划综合类政策、行业管理类政策、技术开发类政策、电价管理与财税支持类政策和市场管理类政策，如图 4-1 所示。

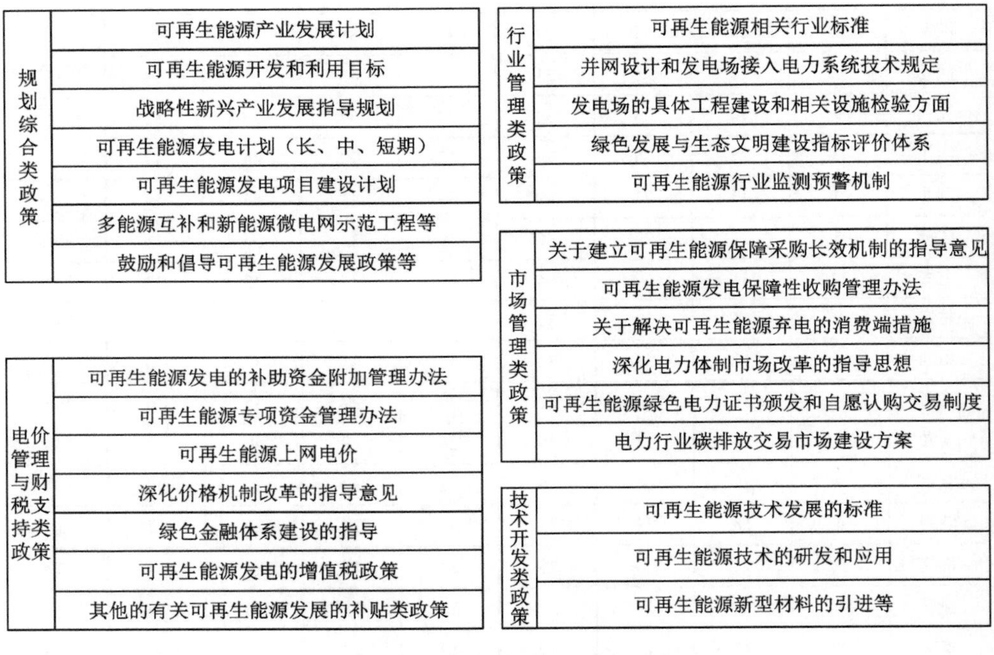

图 4-1　可再生能源相关政策分类图

1. 规划综合类政策

规划综合政策主要指导可再生能源产业在一定时期内的发展方向、目标和重点任务等。基本覆盖可再生能源行业发电设备生产、发电基础设施建设、发电、并网、技术创新等各个环节的发展方向。一般会指出可再生能源发展的指导思想、基本原则、发展目标、建设布局、重点任务、创新发展方式及保障措施等，是中国可再生能源发展的重要指南。

这类政策根据其涉及的内容进行概括，主要包括可再生能源产业发展计划、可再生能源开发和利用目标、战略性新兴产业发展指导规划、可再生能源发电计划（长、中、短期）、可再生能源发电项目建设计划、多能源互补和新能源微电网示范工程等，也包含鼓励和倡导可再生能源发展政策等，即创造社会良好前景的行为和现象的扶持，它是一种包含奖励因素和手段、目的在于引导公众朝着公共机构所倡导的方向努力的政策。例如，2013 年《关于印发江苏省"十二五"控制温室气体排放工作方案的通知》提出根据省域实际情况，在确保安全的前提下稳步推进核电建设，有序推进陆上风电，加快发展海上风电，探索发展非并网的中小型太阳能光伏电站。

2. 行业管理类政策

行业管理类政策包含了行业管理和行业监管两个方面的内容，它主要规定了可再生能源相关行业的发展要求。一般会涉及行业管理规定、管理要求、技术规范、编制规程、评价体系、实施方案等，是对可再生能源相关行业开发管理、安全监管和并网技术等方面规范管理的重要政策类型。

这类政策根据其涉及的内容进行概括，主要包括可再生能源相关行业标准、并网设计和发电场接入电力系统技术规定、发电场的具体工程建设和相关设施检验方面、绿色发展与生态文明建设指标评价体系、可再生能源行业监测预警机制等内容。例如，《广东省发展改革委关于印发 2016 年广东省风电开发建设方案的通知》指出了风电开发建设项目建设过程中的质量监督、环境保护和项目建成后的运行管理等工作。

3. 技术开发类政策

可再生能源产业技术开发类政策覆盖产业的基础环节，包括原材料、发电设备、整机制造、运营和终端应用、储能技术等各个方面。原材料方面包括高纯多晶硅、光伏产业的晶体硅、太阳能电池储能技术、风电产业的风机、涡轮机技术、生物质能产业的生物质能锅炉技术等，这些技术会在发电转换效率等方面产生影响。这类政策是促进可再生能源技术创新的重要保障。

这类政策根据其涉及的内容进行概括，主要包括可再生能源技术发展的标准、可再生能源技术的研发和应用、可再生能源新型材料的引进等内容。例如，2012 年《河南省人民政府关于进一步做好企业技术改造工作的意见》指出支持晶硅电池、薄膜电池和聚光太阳能产业发展；加快纤维乙醇产业化发展，支持开发利用生物质能原料。支持发展 MW 级及以上风电整机、风电轴承及主轴、叶片等关键零部件产品，并提出了相关的保障措施。

4. 电价管理与财税支持类政策

电价管理与财税支持类政策包含了两类内容：一是有关可再生能源发电有关电价的相关内容，一般涉及可再生能源发电项目的上网电价、电能价格形成机制、电价改革方案、电网输配电价等方面；二是各类对可再生能源相关产业的财政补贴和税收等内容，一般涉及可再生能源相关产业的税收优惠、贷款支持、专项资金和补贴方面。

这类政策根据其涉及的内容进行概括，主要包括可再生能源发电的补助资金附加管理办法、可再生能源专项资金管理办法、可再生能源上网电价、深化价格机制改革的指导意见、绿色金融体系建设的指导、可再生能源发电的增值税政策、其他的有关可再生能源发展的补贴类政策等。例如，2016 年《浙江省物价局关于电价调整有关事项的通知》提出分布式光伏自用有余上网电量，其上网电价调整为 0.4453 元/kW·h。2020 年，《上海市可再生能源和新能源发展专项资金扶持办法（2020 版）》指出了对于风电、光伏项目的奖励标准。

5. 市场管理类政策

市场管理类政策包含了交易市场和绿色认证政策两类与市场密切相关的政策类型。一般涉及可再生能源相关产业的贸易管理、市场化运行机制、市场建设、绿色认证等内容。这类政策在规范可再生能源相关产业市场规范化管理、推动可再生能源参与电力交易，通过绿色认证或碳排放权交易突出可再生能源的环境价值方面起着重要的作用。

这类政策根据其涉及的内容进行概括，主要包括关于建立可再生能源保障采购长效机制的指导意见、可再生能源发电保障性收购管理办法、关于解决可再生能源弃电的消费端措施、深化电力体制市场改革的指导思想、可再生能源绿色电力证书颁发和自愿认购交易制度、电力行业碳排放交易市场建设方案等方面内容。例如，2016 年《湖北省发展和改革委关于组织开展 2017 年度电力直接交易工作的通知》规定风电、光伏、生物质能等可再生能源电量为一类优先发电权，须达到 720 亿 kW·h。

4.2 可再生能源支持政策效果实证模型

4.2.1 变量选取

为研究发掘各省域可再生能源政策对可再生能源开发的影响机理，本章选取的自变量为可再生能源五种类型政策，并且还需要控制其他可能影响可再生能源开发的相关指标。结合对可再生能源开发影响因素的文献梳理，本章的被解释变量为人均非水可再生能源发电量（PRG），用来表征可再生能源的开发水平，核心解释变量为五种可再生能源政策类型，分别是规划综合类政策（FCP）、行业管理类政策（FIM）、技术开发类政策（FTD）、电价管理与财税支持类政策（TFS）、市场管理类政策（FMM）。中介变量为可再生能源技术创新程度（SKR）。而剩余控制变量则从电力消费、产业结构、能源替代率、碳排放方面考虑。主要有电力消费量（EC）、人均 GDP（PGDP）、产业结构（PSP）、可替代能源结构（PHG）、碳排放（CE）。

1. 人均非水可再生能源发电量

可再生能源的发展对中国的能源安全、能源独立和缓解气候变化具有重要作用（Wang et al.，2018a）。目前，可再生能源主要通过发电被应用到人类的生产生活中。不像煤炭、石油和天然气等传统能源具有实物形式，可以通过以交通工具或管道为载体途径实现跨区域的交换，可再生能源受到区域及气候等条件的限制极大，也仅能依靠发电的形式实现跨区域传输。此外，虽然很多研究采用可再生能源装机量作为衡量可再生能源开发水平的变量，但实际中由于弃风弃光等因素的存在，可再生能源装机产能不能全部有效利用，装机产能闲置，并不能有效反映可再生能源真实的利用水平。因而本章选取了可再生能源发电量作为表征可再生能源开发水平的指标。此外，由于本章研究的是非水可再生能源的政策影响，详细的原因解释在 4.3.1 节内容可见，所以选用非水可再生能源发电量作为被解释变量。且可再生能源的发电量也反映出区域的可再生能源禀赋，使用人均非水可再生能源发电量反映可再生能源开发水平会更客观。

2. 规划综合类政策

规划综合类政策包括战略规划等，对可再生能源的最低供电量提出了要求；还有别的规范和标准、其他强制性要求、鼓励性政策。它在引领可再生能源企业发展方向、提高可再生能源大众认可度等方面都起着积极的作用。

3. 行业管理类政策

行业管理类政策包括相关行业标准、技术规定等，对整个行业来说，行业管理类政策是行业管理规范、行业门槛设置、行业监督等方面的基本工具。在普通行业规定无法触及的方面可通过政策强制执行，所以行业管理类政策必不可少。

4. 技术开发类政策

政府出台的技术开发类政策包括有对可再生能源发电企业给予一定比例的研发投资补贴、技术创新、技术引进等内容，在缓解企业开发新技术时的资金压力、可再生能源产业技术发展方面都有重要影响，且政策是一个影响能源公司朝着可再生能源技术创新方向努力的有效工具。

5. 电价管理与财税支持类政策

电价管理与财税支持类政策旨在降低投资者风险的财政和金融激励，包括价格政策、补贴和税收三种具体工具。可再生能源电价补贴是降低其成本劣势，维护可再生能源企业正常运行的一项扶持性政策。截止到 2019 年，在所有新近投产的并网大规模可再生能源发电容量中，接近 50%的成本都高于最便宜的化石燃料发电（IRENA，2020b）。与运营现有的燃煤电厂相比，成本劣势显而易见。而货币补贴和税收激励政策可以促进可再生能源投资，政府的直接补贴政策更是能促进对中、小型和微型企业可再生能源的投资（Yang et al., 2019b）。所以，电价管理与财税支持类政策对可再生能源开发的影响机制究竟如何值得进一步探讨。

6. 市场管理类政策

市场管理类政策在消除能源市场垄断方面起着关键的作用，当市场自身内部无法自己调节时，就需要政府的手去干预，保持开放、竞争的现代市场体系，维护市场的秩序，使资源配置得到优化。一般来说，市场类政策是为生产者之间的可再生能源交易和履行可再生能源义务提供了一个工具，并为市场主体提供了一个公开公平的交易平台。

7. 可再生能源技术创新程度

技术创新是一个可再生能源产业发展的重要动力，促进其开发利用，而政策支持又是技术创新的重要发展动力，所以讨论技术创新在可再生能源政策与其发展中的中介作用，可以进一步地挖掘其中的作用机理。此外，由于本章讨论的是非水可再生能源，所以这里的技术创新也是指非水可再生能源的。

8. 电力消费量

电力消费量反映了与国家或经济规模有关的需求方面的影响因素。该变量反映了对电力需求的大小，因为在那些电力需求较大的地区，无论是对传统能源发电还是可再生能源发电的需求相对来说都比较大，为了控制电力需求大小不同对研究的影响，选取电力消费量来作为控制因素。

9. 人均 GDP

人均 GDP 不仅反映了地区经济情况，还反映了政策指标或电力消费量未反映的所有其他需求方面的因素。经济增长是影响能源消费的关键因素之一，工业是带动经济发展的主要动力，而工业是能源消费的主力军。因而研究也考虑经济因素对可再生能源开发的影响，同时为了控制人口因素的干扰，选取人均 GDP 而非 GDP 总量指标来衡量各地区经济水平。

10. 产业结构

由于不同产业生产特性的巨大差异（如制造业、建筑业等，其生产过程相对来说需要消耗大量的电力），产业结构的调整也可能引起可再生能源发电量的显著变化。第二产业中的工业部门作为中国工业化进程中经济增长的主要驱动力，也是电力消费的主力军，因此，本章用第二产业增加值占 GDP 总额的比重来衡量产业结构以消除因产业结构不同对政策分析造成的干扰。

11. 可替代能源结构

可替代能源结构可以反映清洁能源中的替代作用，包含了能源成本的影响作用。现有文献在衡量能源结构变量时多是采用煤炭占总能源消费的比重进行衡量，但用煤炭消费占比不能显现出其他清洁能源的替代作用对非水可再生能源开发的影响作用。且在其他清洁能源中，核电和水电是相对来说占比较大、成本较低的清洁能源，用核电和水电的比重衡量可替代清洁能源在较大程度上也是合理的。因而本章用各省的核电和水电的比重表征可替代能源结构将更能满足研究的需求。

12. 碳排放

碳排放一直是可再生能源发电的推动因素，减少温室气体排放是全球环境保护和可持续发展的重要课题。可再生能源发电具有清洁、低碳的特点，开发利用可再生能源发电可以大幅度减少污染物排放，获得显著的环境效益。所以本章选取各地区碳排放总量来作为控制因素。各变量定义如表 4-2 所示。

表 4-2　变量与其含义

变量	名称	定义
PRG	人均非水可再生能源发电量	总发电量减去火电、核电和水电的部分除以总人口
FCP	规划综合类政策	当年规划综合类政策数量
FIM	行业管理类政策	当年行业管理类政策数量
FTD	技术开发类政策	当年技术开发类政策数量
TFS	电价管理与财税支持类政策	当年电价管理与财税支持类政策数量
FMM	市场管理类政策	当年市场管理类政策数量

续表

变量	名称	定义
SKR	可再生能源技术创新程度	非水可再生能源技术的知识存量
EC	电力消费量	全社会用电量
PGDP	人均 GDP	GDP 除以总人口（常住口径）
PSP	产业结构	第二产业占 GDP 比重
PHG	可替代能源结构	核水电发电占总发电量比重
CE	碳排放	CO_2 排放总量

4.2.2 数据来源

由于西藏缺失与能源相关的数据，故本章选取的研究对象将其排除在外，仅包含中国 30 个省区市。

（1）直接来自年鉴的数据，如电力消费量、计算非水可再生能源的发电量需要的分省的不同种类发电量数据均通过《中国电力统计年鉴》得到，部分省份 2018 年数据暂未公布的，本章使用上一年增长率来估算。测算人均 GDP 和产业结构所需要的第二产业比重、总人口（常住口径）和 GDP 数据均由《中国统计年鉴》获得，需要注意的是，GDP 数据相应调整为 2010 年可比价。碳排放总量测算需要的数据可从《中国能源统计年鉴》各省份能源平衡表获得。

（2）需要估算的数据，如非水可再生能源发电量通过总发电量减去火电、核电和水电部分计算得到；测算可再生能源技术创新程度的知识存量的算法采用了永续盘存制（perpetual inventory system，PIM）（Verdolini and Galeotti，2011），估算用到的专利申请数为非水可再生能源的专利申请数，知识折旧率取值 10%，年份为 2011～2018 年；测算碳排放所需要的碳排放量估算采用了 Yu 等（2014）论文中的测算方法，其原理在于 CO_2 的主要来源是化石能源的燃烧，因而可将不同种类化石能源消费量数据与对应的碳排放系数相乘后加总最终得出中国及各省区市历年的碳排放总量。

（3）来自其他参考资料的数据，如所有与可再生能源发展有关的政策是从白鹿智库数据库收集而来，白鹿智库数据库的政策涵盖了包括中国国家和省级的发改委、人民政府、国务院、科学技术部等所有可能涉及的发行政策的部门的政策文件，可以避免漏掉与可再生能源发展有关政策的情况。非水可再生能源的专利申请数可以从中国知识产权网数据库获得。描述性统计结果如表 4-3 所示。

表 4-3　中国 30 个省区市数据的描述性统计结果

变量	单位	平均值	标准差	最小值	最大值
PRG	kW·h/人	325.87	626.54	0.18	4178.77
FCP	条	16.39	9.27	1	44
FIM	条	6.35	5.08	0	28
FTD	条	2.47	2.03	0	10
TFS	条	1.98	2.24	0	12
FMM	条	1.02	1.52	0	6
SKR		827.77	1186.13	11.59	8009.16
EC	亿 kW·h	1882.89	1331.88	185.07	6329.64
PGDP	万元/人	4.93	2.33	1.52	12.41
PSP		44.64%	8.44%	18.62%	59.04%
PHG		0.21%	0.24%	0%	0.88%
CE	万 t	3.09	2.01	0.31	10.89

图 4-2 为可再生能源不同类型年均政策数量占比图，由图 4-2 可知，在中国可再生能源政策中，规划综合类政策和行业管理类政策占比较大，这两类政策占比超过全部政策的 80%。

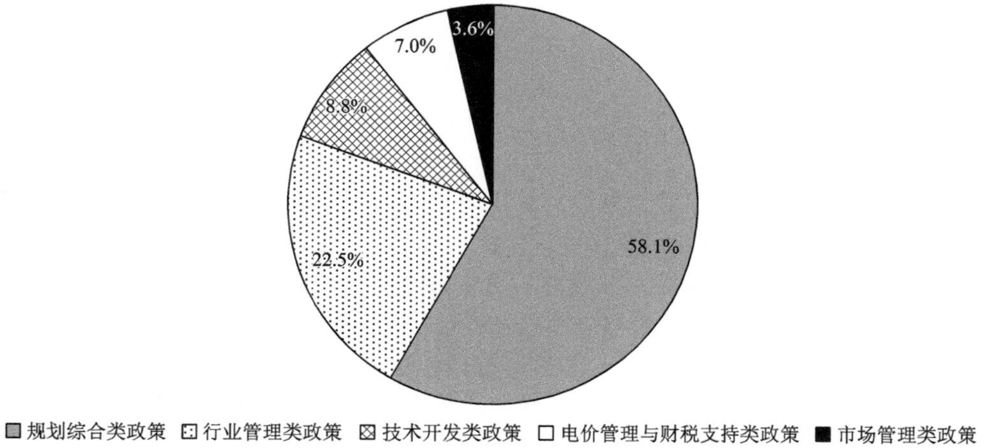

图 4-2　可再生能源不同类型年均政策数量占比图（2011～2018 年）

4.2.3　固定效应模型设计

为了更好地挖掘可再生能源政策对可再生能源开发的影响关系，本章采用中国 30 个省区市 2011～2018 年的面板数据进行具体研究。在研究过程中，我们采用固定效应模型以更好地控制遗漏变量的影响。此外，Hausman 检验（Hausman，1978）的结果也更为支持固定效应模型。在确定模型后，本章将各解释变量即五类可再生能源政策类型和控制变量逐步添加到确定的模型中进行回归，最终输出稳健的回归结果。本章采用的基本模型如下：

$$\begin{aligned}\ln \mathrm{PRG}_{it} &= \alpha_i + \beta_1 \ln \mathrm{FCP}_{it} + \beta_2 \ln \mathrm{FIM}_{it} + \beta_3 \ln \mathrm{FTD}_{it} \\ &\quad + \beta_4 \ln \mathrm{TFS}_{it} + \beta_5 \ln \mathrm{FMM}_{it} + \gamma_i C_{it} + u_{it}\end{aligned} \tag{4-1}$$

由于本章主要研究可再生能源政策与可再生能源开发的影响关系，可再生能源政策是本章探讨的影响可再生能源开发的关键因子。而可再生能源开发同时也受到其他因素的影响，因而研究从需求侧因素、能源结构因素和环境因素三个方面考虑，选取了电力消费量（EC）、人均 GDP（PGDP）等作为控制变量以消除这些因素的差异带来的回归偏误。此外，为了赋予变量弹性的含义，对模型中所包含的变量本章均进行了自然对数处理。式（4-1）中，被解释变量为人均非水可再生能源发电量（lnPRG），解释变量分别为规划综合类政策（lnFCP）、行业管理类政策（lnFIM）、技术开发类政策（lnFTD）、电价管理与财税支持类政策（lnTFS）、市场管理类政策（lnFMM），作为控制变量的集合 C_{it} 包含电力消费量（lnEC）、人均 GDP（lnPGDP）、产业结构（lnPSP）、可替代能源结构（lnPHG）、碳排放（lnCE）。

4.2.4 DID 模型设计

1. 变量说明

利用 DID 模型进行回归分析，旨在研究特定政策实施后的净效应。由于控制组的限制，本章的 DID 模型回归分析主要针对两类政策进行，即技术开发类政策和市场管理类政策。控制组存在限制的原因是规划综合类政策、行业管理类政策和电价管理与财税支持类政策几乎在每个省份的每一年都存在，不存在 DID 模型的控制组，无法开展有效性的研究。例如，规划综合类政策中的“十二五”和“十三五”系列规划政策在每个省都存在，且这类政策的时效性覆盖了 2011～2020 年的这个时段。行业管理类政策不存在的年份几乎仅出现在 2011 年，政策的实施效果仅在一年的时间里可能还无法完全显现出来，将无法得到合理的评估效果，而电价管理与财税支持类政策情况类似，出现只存在一年或者两年的情况。

针对技术开发类政策的 DID 模型，其分组虚拟变量为技术开发类政策，把除技术开发类政策的剩余变量都列为其他解释变量（即规划综合类政策、行业管理类政策、电价管理与财税支持类政策、市场管理类政策、电力消费量、人均 GDP、产业结构、可替代能源结构和碳排放），针对市场管理类政策的 DID 模型的处理办法相同，其分组虚拟变量为市场管理类政策，把除市场管理类政策的剩余变量列为其他解释变量。

2. 可再生能源支持政策 DID 估计

在做随机实验或自然实验时，实验的效果常常需要一段时间才能显现出来，当想知道被解释变量实验前后的变化时，需要考虑以下两期面板数据：

$$y_{it}=\alpha+\gamma D_t+\beta x_{it}+u_i+\varepsilon_{it}(i=1,\ \cdots,\ n;\ t=1,\ 2) \tag{4-2}$$

其中，D_t 是实验期虚拟变量（$D_t=1$，如果 $t=2$，为实验后；$D_t=0$，如果 $t=1$，为实验前）；u_i 是不可观测的个体特征，而政策虚拟变量：

$$x_{it}=\begin{cases}1, & \text{若}i\in\text{实验组，且}t=2\\ 0, & \text{其他}\end{cases} \tag{4-3}$$

当 $t=1$ 时（第一期），实验组和控制组并没有受到任何不同对待，x_{it} 都等于 0。当 $t=2$ 时（第二期），实验组 $x_{it}=1$，而控制组 x_{it} 仍然等于 0。如果该实验不能完全随机化（如观测数据没有随机化），则 x_{it} 可能与被遗漏的个体特征 u_{it} 相关，从而导致 OLS 估计不一致。这里可以对式（4-2）进行一阶差分，以消除 u_i，得到一致估计。根据与差分估计量（differences estimator）的推理进一步可得 DID 估计量（differences-in-differences estimator）$\hat{\beta}_{DD}$，即实验组的平均变化与控制组的平均变化之差，DID 估计量已经剔除了实验组与控制组"实验前差异"（pretreatment differences）的影响。

然后，可得以下两期面板模型：

$$y_{it}=\beta_0+\beta_1G_iD_t+\beta_2G_i+\gamma D_t+\delta_{it}z_{it}+\varepsilon_{it} \quad (i=1,\ \cdots,\ n;\ t=1,\ 2) \tag{4-4}$$

其中，G_i 是分组虚拟变量（$G_i=1$，如果个体 i 属于实验组，即该省份存在指定政策；$G_i=0$，如果个体 i 属于控制组，即该省份不存在指定政策）。D_t 是时期虚拟变量（如果 $t=2$，$D_t=1$；如果 $t=1$，$D_t=0$），而互动项 $G_iD_t=x_{it}$（若 i 属于实验组，且 $t=2$，则取值为 1，否则，取值为 0）。z_{it} 是其他解释变量，针对技术开发类政策模型为规划综合类政策、行业管理类政策、电价管理与财税支持类政策、市场管理类政策、电力消费量、人均 GDP、产业结构、可替代能源结构、碳排放。相关变量所代表含义与 DID 模型一致，具体可参照 4.2.1 节内容。式（4-4）的分组虚拟变量 G_i 刻画的是实验组与控制组本身的差异（即使不进行实验，也存在此差异），时间虚拟变量 D_t 刻画的是实验前后两期本身的差异（即使不进行实验，也存在此时间趋势），而互动项 G_iD_t 才能真正度量实验组的政策效应。

4.3 中国可再生能源支持政策效果实证分析

4.3.1 政策与可再生能源发展的固定效应研究

1. 回归结果分析

本章就中国30个省区市2011～2018年面板数据进行固定效应模型回归分析，模型（Ⅰ）～模型（Ⅴ）逐步添加不同的控制变量，结果如表4-4所示。

表4-4 面板固定效应模型回归结果

变量	模型				
	（Ⅰ）	（Ⅱ）	（Ⅲ）	（Ⅳ）	（Ⅴ）
lnFCP	0.164 （0.52）	−0.592** （−2.62）	−0.679** （−2.72）	−0.892*** （−3.74）	−0.892*** （−3.68）
lnFIM	0.065 （0.23）	−0.850*** （−3.86）	−0.915*** （−3.90）	−0.794*** （−3.66）	−0.793*** （−3.57）
lnFTD	−0.022 （−0.09）	0.298* （1.84）	0.311* （1.91）	0.315** （2.13）	0.316** （2.08）
lnTFS	0.791*** （3.56）	0.710*** （4.97）	0.717*** （5.00）	0.706*** （5.41）	0.705*** （5.28）
lnFMM	−0.103 （−0.45）	−0.252* （−1.70）	−0.243 （−1.64）	−0.336** （−2.43）	−0.337** （−2.39）
lnEC	2.208** （2.66）	0.223 （0.37）	0.081 （0.13）	0.368 （0.64）	0.369 （0.63）
lnPGDP		7.064*** （7.36）	7.159*** （7.38）	7.429*** （8.39）	7.438*** （8.04）
lnPSP			−0.733 （−0.83）	−0.161 （−0.20）	−0.156 （−0.19）
lnPHG				−0.277*** （−2.92）	−0.277*** （−2.86）
lnCE					−0.019 （−0.04）
常数项	−12.800** （−2.27）	−5.557 （−1.49）	−1.519 （−0.25）	−6.499 （−1.12）	−6.524 （−1.10）

注：括号里面为 t 值

***、**、*分别表示在1%、5%、10%显著性水平下拒绝原假设

综合回归结果进行分析，我们有以下发现。

（1）规划综合类政策、行业管理类政策和市场管理类政策对可再生能源的

开发有负向影响。规划综合类政策数量对可再生能源发电量的负向影响程度最高。如表 4-4 所示，在 1%的显著性水平下，规划综合类政策数量每增加 1%，将导致可再生能源发电量下降 0.892%。这表明规划综合类政策会减少可再生能源发电量。

首先，可再生能源的规划综合类政策多为规划指标的制定、鼓励提倡类。约束性指标、规划的监督审核类的政策较少，导致规划综合类政策的合理性和实施效果不尽如人意。可再生能源特别是风能、太阳能等具有的间歇性、不稳定、用电高峰期难以调整等特点很少能在这类政策中考虑到。其次，规划综合类政策的政策利益相关者大多数涉及的都是普通公众，很少能约束到投资者的意愿。政策的不具体、实用性低及执行力低也有可能是造成政策抑制可再生能源发展的原因。而且，在中国可再生能源发电中，离开政府补贴，除了水电发电成本基本可以和火电相抗衡，大部分的风电、光电等能源发电成本与火电相比还是没有优势（Liang et al.，2019），规划目标对可再生能源配额的提高将加大高成本电力公司的压力，损害其利益，所以规划综合类政策数量需要控制在合理的范围之内，使规划目标与可再生能源相关企业利润最大化目标相一致，逐步调整规划目标。

行业管理类政策对可再生能源发电量产生显著的负向作用。如表 4-4 模型（V）所示，行业管理类政策对可再生能源发电量的作用显著且影响系数为负。在 1%的显著性水平下，行业管理类政策的存在每增加 1%，可再生能源发电量将下降 0.793%。这意味着行业管理类政策的增加也会降低可再生能源发电量。

行业管理类政策涉及可再生能源相关行业标准、电力技术规定、监测预警机制等方面。在一定程度上提高了可再生能源行业的进入壁垒，提高了行业门槛，使行业逐步规范化、合理化，优胜劣汰，避免行业出现产能过剩、一味追求数量而忽视质量的现象。中国可再生能源发电产业在早几年就出现过严重的产能过剩现象（王宇和罗悦，2018），2017 全年可再生能源弃电量高达 1007 亿 kW·h（国家能源局，2018），大量闲置的产能，不仅影响产业的健康发展，造成了大量的资源浪费，还大大降低了社会的投资效率。因此，政府为此也制定了减少相关补贴、严格行业标准等一系列政策来应对，规范产业的管理与进出。当然，在这个可再生能源迅速发展的阶段，行业管理类政策对可再生能源发电量的抑制作用可能是行业调整期内，政策有效性暂未发挥导致的。

市场管理类政策对可再生能源发电量有负显著影响。由表 4-4 模型（V）可知，市场管理类政策在 5%的显著性水平下与可再生能源发电量负相关，市场管理类政策每增加 1%，可再生能源发电量将减少 0.337%。说明市场管理类政策会抑制可再生能源发电。

其实，根据 Marques 等（2019）的研究，市场管理政策只有在可再生能源发展成熟并与电力市场很好地结合时才有效。如果市场管理类政策推出太早，则可能反过来阻碍可再生能源的发展。说明中国可再生能源市场发展还没有达到很成熟的阶段，现有的市场管理类政策与可再生能源市场不相匹配。政策制定者在设计基于市场的政策时需要充分做好中国可再生能源市场发展状况的调研，避免政策性工具给经济带来的负担。

（2）技术开发类政策和电价管理与财税支持类政策可以促进可再生能源开发。技术开发类政策有利于可再生能源发电量的增加。根据表 4-4 模型（Ⅴ）可知，在 5%的显著性水平下，技术开发类政策对可再生能源发电量的作用为正。技术开发类政策每增加 1%，可再生能源发电量将提高 0.316%。这也意味着技术开发类政策的增加可以促进可再生能源发电。

对于中国正在处于调整优化阶段的可再生能源产业来说，技术创新是其发展的决定性因素（Lin and Chen，2019），技术开发类政策作为可再生能源技术创新的指导和规范类文件，是技术发展的指南针和监督政策，在可再生能源企业技术的质量把关上有着重要作用。它在引导和支持企业进行可再生能源技术创新、技术规范、研发项目投资等方面起着举足轻重的作用。可再生能源技术开发类政策对其技术开发与创新的规范与引导将有效地促进可再生能源的开发。同时，对比表 4-4 模型（Ⅰ）和模型（Ⅱ），以及表 4-4 模型（Ⅲ）和模型（Ⅳ）可知，在人均 GDP 和可替代能源结构变量的加入后，技术开发类政策对可再生能源发电量的影响分别从不显著变为显著，10%的显著性水平变为 5%的显著性水平，这说明地区经济水平的差异和地区间能源结构的不同都会影响技术开发类政策的作用。

在政策变量中，电价管理与财税支持类政策对可再生能源发电量的促进作用最大。根据表 4-4 模型（Ⅴ）可知，在 1%的显著性水平下，电价管理与财税支持类政策每增长 1%，可再生能源发电量将增长 0.705%。也就是说，电价管理与财税支持类政策的增加对促进可再生能开发有实质性作用。

电价管理与财税支持类政策包括可再生能源上网电价政策、补贴政策和税收激励等政策，这些政策在激励可再生能源发展方面都起着积极的作用（Liu et al.，2016；Yang et al.，2019b）。2011 年以来，中国的上网电价政策从固定补贴上网电价到交叉控制的上网电价（Liu et al.，2016），上网电价政策制定机制一直在随市场改变而改变，但是这一政策对可再生能源开发及保证电力市场的稳定一直起着积极的作用。事实上，这些政策的出台，旨在补偿可再生能源投资者，有助于鼓励规避风险的投资者参与开发可再生能源。政府的补贴政策，更有利于中、小型和微型企业对可再生能源的投资，而这股不小的力量在拉动可再生能源发展方面发挥了不小的作用。同时，货币补贴和税收激励政策能有效地促进可再生能源的市场扩散，进一步提高可再生能源的投资，促进其发展。从表 4-4 模型（Ⅰ）～模型（Ⅴ）可知，电价管理与财税支持类政策对可再生能源发电量的影响在电力消费量等变量逐步加入后都是显著的，且呈变小趋势，说明电力消费量、人均 GDP 等因素的作用会减弱电价管理与财税支持类政策对可再生能源发电量的影响。

（3）地区经济发展越好，可再生能源发展越好。根据表 4-4 模型（Ⅴ）可知，人均 GDP 的增长能促进可再生能源发电量增长，在 1%显著性水平下，人均 GDP 每增长 1%，可再生能源发电量将增加 7.438%。说明经济越发达，对可再生能源发电量需求越大。一般经济发达地区的工业产业都比较多，对电力需求量相对来说也会比较大，所以可再生能源发电量也会比较多。

（4）清洁可替代能源占比越大，可再生能源发电量越低。根据表 4-4（Ⅴ），可替代能源结构对可再生能源发电量有负显著作用，在 1%的显著性水平下，核电和水电占比增加 1%将使得可再生能源发电量减少 0.277%。作为清洁可替代能源，核电和水电占比越大，可再生能源发电量就会越少。可能是因为在清洁能源中，人们会更愿意倾向于成本更低的清洁替代能源。与水力发电相比，太阳能光伏发电和生物质能发电在技术上都还需要很大的提高，成本仍显著高于水电，这就需要进一步降低成本来弥补这种缺陷。

2. 中介效应检验

前文提到，与传统能源技术相比，成本是可再生能市场的决定因素，而可再生能源成本与技术创新密切相关，所以技术创新在可再生能源发展中就变得尤为关键，而可再生能源政策又是技术创新的关键推动力。基于这两点，本章将用可再生能源技术创新作为中介变量，进行中介变量的识别及作用分析，为揭示可再生能源政策对可再生能源发展的作用路径提供实证，讨论可再生能源技术创新在可再生能源政策与可再生能源开发中起到的中介作用。

1）两步回归法

中介效应检验方法一般都采用逐步检验回归系数检验，但是存在一定的局限性。Zhao 等（2010）对传统的逐步检验回归系数方法进行了进一步的思考，提出了两步回归（two-step regression）法，因此本章将使用两步回归法进行中介变量的识别及作用分析，回归结果如表 4-5 和表 4-6 所示。

表 4-5　可再生能源政策对技术创新的回归结果（第一步）

变量	模型				
	（Ⅰ）	（Ⅱ）	（Ⅲ）	（Ⅳ）	（Ⅴ）
lnFCP	0.024 （0.57）				
lnFIM		0.045 （0.91）			

续表

变量	模型				
	（Ⅰ）	（Ⅱ）	（Ⅲ）	（Ⅳ）	（Ⅴ）
lnFTD			0.030 （0.71）		
lnTFS				0.089** （−2.27）	
lnFMM					−0.047 （−0.68）
lnEC	−0.195 （−0.75）	−0.208 （−0.73）	−0.051 （−0.21）	−0.276* （−1.68）	0.411 （1.03）
lnPGDP	2.755*** （11.83）	2.613*** （9.38）	2.885*** （12.68）	2.891*** （14.68）	2.472*** （6.48）
lnPSP	−0.212 （−0.83）	−0.194 （−0.77）	0.208 （0.69）	−0.142 （−0.57）	−1.638*** （−4.25）
lnPHG	−0.060 （−1.14）	−0.079 （−1.49）	−0.002 （−0.04）	−0.006 （−0.18）	0.108 （1.66）
lnCE	0.582*** （3.10）	0.487*** （2.70）	0.521*** （2.95）	0.669*** （4.72）	−0.0842 （−0.38）
常数项	3.251* （1.73）	3.500* （1.72）	0.651 （0.33）	3.421** （2.26）	5.672* （1.87）

注：括号里面为 t 值

***、**、*分别表示在 1%、5%、10%显著性水平下拒绝原假设

表 4-6 技术创新对可再生能源政策与可再生能源发展的中介作用（第二步）

变量	模型				
	（Ⅰ）	（Ⅱ）	（Ⅲ）	（Ⅳ）	（Ⅴ）
ln SKR	1.064*** （5.83）	0.980*** （4.80）	1.085*** （4.71）	1.826*** （5.13）	0.553** （2.18）
ln FCP	−0.218** （−2.07）				
ln FIM		−0.018 （−0.14）			
ln FTD			−0.185 （−1.50）		
ln TFS				0.096 （0.63）	
ln FMM					0.382** （2.52）
ln EC	0.393 （0.59）	0.383 （0.49）	0.532 （0.74）	0.197 （0.31）	0.490 （0.55）
ln PGDP	2.525*** （3.25）	2.391** （2.57）	1.031 （1.10）	0.319 （0.25）	2.640** （2.52）

续表

变量	模型				
	（Ⅰ）	（Ⅱ）	（Ⅲ）	（Ⅳ）	（Ⅴ）
ln PSP	1.126* （1.72）	1.217* （1.77）	−0.634 （−0.73）	2.478*** （2.62）	0.729 （0.77）
ln PHG	−0.108 （−0.81）	−0.108 （−0.74）	−0.163 （−1.06）	−0.150 （−1.20）	−0.343** （−2.35）
ln CE	0.160 （0.33）	0.248 （0.49）	0.090 （0.17）	0.453 （0.77）	−0.069 （−0.14）
常数项	−8.859* （−1.71）	−12.600** （−2.26）	−5.120 （−0.91）	−18.270*** （−3.10）	−9.682 （−1.41）

注：括号里面为 t 值

***、**、*分别表示在1%、5%、10%显著性水平下拒绝原假设

表4-5的回归结果主要验证了特定可再生能源政策对可再生能源开发的影响。根据表4-5模型（Ⅰ）、模型（Ⅱ）、模型（Ⅲ）及模型（Ⅴ），规划综合类政策、行业管理类政策、技术开发类政策和市场管理类政策对可再生能源技术创新的影响系数分别为0.024、0.045、0.030和−0.047，但是都不显著，说明这四类政策都不对可再生能源技术创新产生实质性的影响。因此，可再生能源技术创新在这四类政策对可再生能源发展的影响中没有起到中介作用。

根据表4-5模型（Ⅳ），电价管理与财税支持类政策对可再生能源技术创新有显著作用。具体来说，在5%的显著性水平下，电价管理与财税支持类政策每增长1%，可再生能源技术创新将增长0.089%。说明电价管理与财税支持类政策的增长可以促进可再生能源技术创新的增加。由于可再生能源产业技术创新过程中的高风险、高成本和不确定性等特点，可再生能源产业技术创新需要大量的金钱和时间投入，而回报也是在长期内才能得到，政策财税支持可以在一定程度上减少企业的负担，也更能增加可再生能源企业对可再生能源专利申请的热情，促进可再生能源技术创新。

在表4-6模型（Ⅳ）中，可再生能源技术创新程度对可再生能源发电量有正显著影响，在1%的显著性水平下，可再生能源技术创新程度每增长1%，可再生能源发电量将增长1.826%。说明可再生能源技术创新对可再生能源开发有显著的促进作用。但是电价管理与财税支持类政策对可再生能源发电量的影响系数不显著，根据温忠麟等（2004）的中介效应检验程序及应用，我们需要进一步做Sobel检验来确定是否存在中介效应。由于规划综合类政策、行业管理类政策、技术开发类政策和市场管理类政策对可再生能源技术创新无显著关系（参见表4-5），因此讨论中介作用时不考虑。

2）Sobel检验

为了稳健两步回归法的中介效应效果，所以本章采用Sobel检验对中介变量

的影响效应进行进一步的检验。根据表 4-7，Sobel 检验的 p 值为 0.006，所以拒绝原假设，中介效应成立。电价管理与财税支持类政策对可再生能源发电量的总效应为 0.86，等于直接效应 0.54 加上间接效应 0.32。其中，中介效应在总效应中占比为 37.2%。可再生能源技术创新在电价管理与财税支持类政策与可再生能源开发中具有一定的中介作用，能有效强化两者的促进作用。

表 4-7　Sobel 检验结果

检验内容	系数	标准误	Z	$p>\|Z\|$
Sobel 检验	0.32	0.12	2.707	0.006
Goodman-1 检验	0.32	0.12	2.676	0.007
Goodman-2 检验	0.32	0.12	2.739	0.006
a	0.35	0.11	−3.059	0.002
b	0.92	0.16	−5.809	6.3e-09
间接效应	0.32	0.12	2.706	0.006
直接效应	0.54	0.22	2.439	0.014
总效应	0.86	0.24	3.626	0.000

中介效应占总效应的比例：0.372
间接效应与直接效应的比例：0.60
总效应与直接效应的比例：1.6

Sobel 检验回归结果进一步分析了电价管理与财税支持类政策对可再生能源开发的影响路径，可再生能源技术创新在电价管理与财税支持类政策对可再生能源开发的影响关系中起到促进作用。电价管理与财税支持类政策能够有效提高企业申请可再生能源专利的热情，增加可再生能源技术创新。技术创新的增加可以降低可再生能源成本，进而提高电价竞争力，是推动可再生能源扩散的一个重要力量，提高可再生能源开发程度，使得可再生能源发电量增加，验证了技术创新在电价管理与财税支持类政策对可再生能源开发关系中的中介作用。电价管理与财税支持类政策在提高可再生能源技术创新的同时也通过可再生能源技术创新的中介作用对可再生能源开发产生了积极影响，为可再生能源技术创新和可再生能源开发提供了有效动力。

3. 稳健性分析

在计量回归中，稳健性检验作为对研究结果科学性的证据支撑是非常重要的。为了得出更为全面、具有可靠性的结果，本章在稳健性检验中加入了地区变量进行稳健性检验。考虑到中国的地区经济发达程度不同对样本结果影响较大，所以加入地区虚拟变量，根据地区经济发展水平将样本划分为两组：一组是经济发展水平较高的省区市；另一组是经济发展水平相对较低的省区市，检验结果是否依然显著。按照《中国统计年鉴》的地区划分标准（国家统计局，2009），北京、天津、河北等地为最早实行沿海开放政策并且经济发展水平较高的地区，将其定义为1，辽宁、吉林和黑龙江等地区为经济次发达或经济欠发达地区，将其定义为0。具体的检验结果如表4-8所示。

表4-8 稳健性检验结果

变量	模型				
	（Ⅰ）	（Ⅱ）	（Ⅲ）	（Ⅳ）	（Ⅴ）
lnFCP	0.164 （0.52）	−0.592** （−2.62）	−0.679** （−2.72）	−0.892*** （−3.74）	−0.892*** （−3.68）
lnFIM	0.065 （0.23）	−0.850*** （−3.86）	−0.915*** （−3.90）	−0.794*** （−3.66）	−0.793*** （−3.57）
lnFTD	−0.022 （−0.09）	0.298* （1.84）	0.311* （1.91）	0.315** （2.13）	0.316** （2.08）
lnTFS	0.791*** （3.56）	0.710*** （4.97）	0.717*** （5.00）	0.706*** （5.41）	0.705*** （5.28）
lnFMM	−0.103 （−0.45）	−0.252* （−1.70）	−0.243 （−1.64）	−0.336** （−2.43）	−0.337** （−2.39）
lnEC	2.208** （2.66）	0.223 （0.37）	0.081 （0.13）	0.368 （0.64）	0.369 （0.63）
lnPGDP		7.064*** （7.36）	7.159*** （7.38）	7.429*** （8.39）	7.438*** （8.04）
lnPSP			−0.733 （−0.83）	−0.161 （−0.20）	−0.156 （−0.19）
lnPHG				−0.277*** （−2.92）	−0.277*** （−2.86）
lnCE					−0.0185 （−0.04）
常数项	−12.800** （−2.27）	−5.557 （−1.49）	−1.519 （−0.25）	−6.499 （−1.12）	−6.524 （−1.10）

注：括号里面为t值

***、**、*分别表示在1%、5%、10%显著性水平下拒绝原假设

由表4-8可知，当加入地区变量后，规划综合类政策、行业管理类政策和市场管理类政策对可再生能源发电量有负显著影响，技术开发类政策和电价管理与财税支持类政策仍显著促进可再生能源开发。

通过将加入地区变量后得到的回归结果与表4-4回归结果进行对比，我们发现各变量的估计系数大小、方向均未发生明显的变化，说明本章的模型结果是较为稳健的。

4.3.2　政策对可再生能源开发的 DID 法验证

1. 技术开发类政策的 DID 模型分析

本章针对 2011～2014 年 18 个省区市的面板数据，进行技术开发类政策对可再生能源开发的 DID 模型回归分析，通过运行软件 Stata 14.0 得出运算结果，如表 4-9 所示。

表 4-9　技术开发类政策的 DID 模型运算结果

变量	系数	稳健标准误	t	$p>\|t\|$
GD	0.334	0.164	2.04	0.053
D	−0.012	0.083	−0.14	0.887
G	0.315	0.103	3.07	0.005
常数项	0.205	0.159	1.28	0.214
R^2	0.57			

技术开发类政策的实施对可再生能源开发有正显著影响。根据表 4-9 可知，交互项 GD 的系数为 0.334，t 值为 2.04 通过了 10%的显著性水平检验，说明技术开发类政策使得政策存在地区的可再生能源开发程度大于政策不存在的地区，净增值为 0.334。这也意味着技术开发类政策的实施有增加可再生能源发电的净效应，技术开发类政策对促进可再生能源发展起到了实质性的作用。

这也从另一个角度进一步加深证实了 4.3.1 节固定效应模型分析的结果，即技术开发类政策可以显著促进可再生能源开发。技术开发类政策作为可再生能源技术创新的指导和规范类文件，是技术发展的指南针和监督政策，在可再生能源企业技术的质量把关上有着重要作用。所以可再生能源技术的创新发展和可再生能源的长期发展都需要相关的技术开发类政策的存在。

2. 市场管理类政策的 DID 模型分析

本章针对 2012～2015 年 19 个省区市的面板数据，进行市场管理类政策对可再生能源开发的 DID 模型回归分析，通过运行软件 Stata 14.0 得出运算结果，如表 4-10 所示。

表 4-10　市场管理类政策的 DID 模型运算结果

变量	系数	稳健标准误	t	$p>\|t\|$
GD	−0.0198	0.072	−0.27	0.787
D	0.0035	0.070	0.05	0.961

续表

变量	系数	稳健标准误	t	$p>\|t\|$
G	0.195	0.084	2.31	0.030
常数项	0.270	0.168	1.61	0.121
R^2	0.55			

根据表 4-10 显示，市场管理类政策对可再生能源开发没有显著性影响。交互项 GD 没有通过显著性检验。说明市场管理类政策存在地区的可再生能开发程度和政策不存在的地区是一样的，即市场管理类政策存在的山西、江苏等地的可再生能源发电量增长趋势和不存在该项政策的北京、天津等地是没有显著区别的，该政策的存在对可再生能源开发没有起实质性的作用。

这似乎与 4.3.1 节的结论，市场管理类政策对可再生能源开发有负显著作用，有所出入。根据表 4-10，市场管理类政策的交互项 GD 值为–0.0198，说明市场管理类政策对可再生能源发电量的影响作用也是负向的，但是并不显著，这可能是因为在短期内，市场管理类政策在部署可再生能源方面是无效的（Marques et al.，2019）。固定效应模型使用的是 2011～2018 年的面板数据进行回归，而 DID 模型由于分组的限制仅使用了省际面板 2012～2015 年的数据进行回归，政策的效果可能暂时还未显现出来。这种缺乏有效性的情况要求政策制定者在设计和微调基于市场的政策时需要非常谨慎，以便将可再生能源充分纳入市场。

3. 稳健性检验

为了得出更为全面、具有可靠性的结果，对技术开发类政策的 DID 模型和市场管理类政策的 DID 模型，本章将通过对子样本回归进行稳健性检验。本章将提取整体样本的子样本进行回归，考虑到中国的地区经济发达程度不同对样本结果产生较大影响，所以研究将以人均 GDP 作为提取依据，分为人均 GDP 较低组和人均 GDP 较高组，然后对人均 GDP 较低的子样本重新进行 DID 模型回归，检验研究结论是否依然一致。具体的检验结果如表 4-11 所示。

表 4-11　技术开发类政策和市场管理类政策的 DID 模型的稳健性检验

变量	技术开发类政策			市场管理类政策		
	系数	稳健标准误	t	系数	稳健标准误	t
GD	0.392*	0.210	1.86	0.031	0.54	0.58
D	0.042	0.124	0.34	0.166**	0.054	3.07

续表

变量	技术开发类政策			市场管理类政策		
	系数	稳健标准误	t	系数	稳健标准误	t
G	0.243	0.226	1.08	−0.123	0.90	−1.36
常数项	0.397	0.284	1.40	0.010	0.241	0.04
R^2	0.82			0.978		

**、*分别表示在 5%、10%显著性水平下拒绝原假设

由表 4-11 的第 2～4 列可知，交互项 GD 在 10%的显著性水平下正显著，利用 DID 模型对子样本进行的回归结果与 4.3.2 节中整体样本中的结果进行对比，并未发生明显的变化，说明技术开发类政策的 DID 模型结果是较为稳健的。

由表 4-11 的第 5～7 列可知，交互项 GD 并不显著，利用 DID 模型对子样本进行的回归结果与 4.3.2 节中整体样本中的结果进行对比，并未发生明显的变化，说明市场管理类政策的 DID 模型结果是较为稳健的。

4.4 本 章 小 结

本章首先分析了可再生能源政策的演变特征并根据政策内容进行分类整理，其次利用中国省际水平历史数据采用固定效应模型和 DID 估计实证检验了不同类型政策对可再生能源开发的影响效果，深入探讨了其影响机理。研究结果如下。

（1）可再生能源发展相关的政策内容涉及可再生能源发展的规划综合、行业管理、技术开发、电价管理与财税支持、市场管理等五个方面的内容。其中规划综合类政策和行业管理类政策占比较大，这两类政策占比超过全部政策的 80%。

（2）规划综合类政策、行业管理类政策和市场管理类政策数量的增加会抑制可再生能源开发利用，而技术开发类政策和电价管理与财税支持类政策可以促进可再生能源开发利用。规划综合类政策、行业管理类政策和市场管理类政策数量每增加 1%，可再生能源发电量将分别减少 0.892%、0.793%和 0.337%。技术开发类政策和电价管理与财税支持类政策数量每增加 1%，将促进可再生能源发电量增加 0.316%和 0.705%。

（3）人均 GDP 有利于促进可再生能源的发展，而当清洁可替代能源占比越大，可再生能源发电量越低。

第5章　可再生能源产能过剩评估与成因

5.1　中国可再生能源产业产能概况

可再生能源开发已经成为全球能源转型和应对气候变化的重大战略举措（Yu et al.，2021）。在各国共同努力下，全球可再生能源发展迅猛。2019 年全球可再生能源投资总额为 3017 亿美元。其中，风能、太阳能和生物质能投资分别为 1427 亿美元、1410 亿美元和 142 亿美元（UNEP，2020）。在投资的推动下，全球可再生能源发电份额从 2005 年的 17.8%显著上升到 2020 年的 27.7%。其中，风能、太阳能、其他非水可再生能源的比重分别从 0.6%上升到 5.9%、从 0.02%上升到 3.2%、从 1.4%上升到 2.6%，而水力发电的比重保持在 16%（BP，2021）。作为全球最大的能源消费和碳排放国（Yu et al.，2015；Yu et al.，2018b），中国将发展可再生能源作为推动能源“供给革命”的根本途径；将新能源产业作为国家战略性新兴产业。在一系列政策的激励下，中国可再生能源产业发展迅猛。例如，中国风电机组产量由 2010 年的 1377 万组，增加到 2019 年的 3619.8 万组（产业信息网，2017；智研咨询，2020）。多晶硅产量由 2008 年 0.27 万 t 猛增到 2021 年的 49 万 t，占全球产量的 77.3%（北极星太阳能光伏网，2018a；中国金融信息网，2022）。

与之相对应的，中国可再生电力发展迅猛。截至 2020 年底，中国可再生能源发电装机容量达到 9.3 亿 kW，全年可再生能源发电量为 2.2 万亿 kW·h，占全部发电量的 29.1%（水电水利规划设计总院，2018）。相对于 2011 年，中国风电和光电累计装机容量在 2020 年分别增长了 5.1 倍和 113 倍，形成“追风逐日”的现象。在创造世界新能源产业扩张和装机容量增速奇迹的同时，也出现了明显的产能过剩和弃风电及弃光电现象（Wang et al.，2014b；Yao et al.，2018）。一些地方政府为了获得相应的政策和资金支持，滥批乱建，重复建设，可再生能源产业相关生产线和装机规模“井喷”（Sun et al.，2014；Yu et al.，2019；Zeng et al.，2015）。例如，2015 年中国风电机组年产能约为 40GW，而国内市场需求不超过 20GW。2016 年中国晶体硅光伏组件产量达 85GW，而同年全球光伏市场总需求只有 60GW 左右（Yao et al.，2018）。2017 全年可再生能源弃电量仍高达 100.7TW·h，超过当年三峡电站发电量约 3.7TW·h，造成的电费损失超过了 300 亿元（国家能源局，2018）。大量闲置的风能和光伏产业产能，不仅影响产业的健康发展，造成了大量的资源浪费，还大大降低了社会的投资效率（Zeng et al.，2018）。因此，揭示中国可再生能源产量过剩原因成为当前企业和学者关注的热点问题。

简而言之，产能过剩或过剩产能是指企业以较低的速度运营生产设施，从而平均成本在垄断或不完全竞争中达到最低水平（Kamien and Schwartz，1972）。中国新能源产业过剩得到越来越多研究的共识。例如，2009 年中国国务院提出要抑制多晶硅和风能设备的产能过剩（国务院，2009）。Zeng 等（2014）坚持认为中国整个光伏产业都出现了产能过剩。吴春雅和吴照云（2015）认为中国光伏和风能行业有 3/4 的上市公司存在不同程度的产能过剩。Yao 等（2018）提出中国光伏行业不仅整体上产能过剩，而且还存在高端不足、中低端严重过剩的环节性过剩问题。产能过剩会阻碍可再生能源的有序发展（Río et al.，2016）。作为可再生能源增长的领导者，中国可再生能源产能过剩将严重影响全球能源转型的进程。因此，为有效缓解中国可再生能源行业产能过剩、促进可再生能源的健康发展，并稳定全球可再生能源市场，必须探究可再生能源出现产能过剩的根本原因。

围绕中国可再生能源行业产能过剩的原因，学者进行了较为广泛的研究。第一个重要原因是政府的补贴。中国地方政府往往忽视实际市场需求、短期内产业发展和重复建设的潜在风险，导致产能过剩。为激励可再生能源发展，中国政府先后颁布了一系列补贴和优惠政策。例如，落实《关于发展生物能源和生物化工财税扶持政策的实施意见》（2006 年）、《关于完善光伏发电价格政策的通知》（2013 年）、《可再生能源发电全额保障性收购管理办法》（2016 年）。政府补贴可能会扭曲企业投资行为，会造成重复建设，增加产能过剩的风险（Lin and Jiang，2011；Yu and Lu，2015）。一些企业为了抢占资源制高点“跑马圈地”，不管有无能力，匆忙开发（Zhang et al.，2017c）。

市场结构供需失衡是造成可再生能源行业产能过剩的另一个重要原因。国内市场需求和消纳能力不足，产能在很大程度上通过海外市场的需求才能得到释放的地区性供需失衡（Wang et al.，2014b）。本地消纳能力越弱，对国际市场的依存度越大，则越容易受到海外市场波动的影响。Wang 等（2014b）指出中国的光伏产品大量依赖出口，产业受制于国外市场，增加了光伏产业的产能过剩风险。

Lacerda 和 Bergh（2016）认为电网系统的配套能力不足也将造成暂时的新能源产能过剩。其他因素，如金融支持（Boccard，2009）、企业总资产（Zhang et al.，2016a）等在一定程度上也可能会影响产能过剩程度。

为抑制产能过剩，一些学者也提出了相应的政策建议。例如，Zhang 等（2017b）认为应当通过对僵尸企业的清理及行业兼并重组合理配置资源来减少产能过剩。Wang 等（2018b）提出中国政府需要进行战略性体制改革及创新性政府干预。Wang 等（2014b）和 Zhang 等（2016a）提出需要对中国光伏补贴政策进行完善。而对于市场供需结构性失衡问题，Yao 等（2018）认为应积极转向创新驱动，提高中国新能源产业产品的核心竞争力。Río 等（2016）、Wang 等（2014b）及 Lacerda 和 Bergh（2016）等也认为增加自主研发能力，推动过剩产能向中高端环节转移是解决产能过剩的关键。此外，完善行业的信息监管和披露机制（Wang et al.，2018b；Yang et al.，2018）、协调电力规划和建立投资预警机制（Yuan et al.，2016）也被认为是解决产能过剩的有效手段。

通过文献回顾，我们发现，现有关于新能源产能过剩的研究中多数集中在对单一能源产业或者风能和光伏两种能源产业进行分析。没有文献对生物质能行业的产能过剩的程度进行测度，也没有对其形成原因进行深入探究。而在关于产能过剩的成因分析中，多数是通过从政府失灵和市场失灵的两个角度定性地来讨论产能过剩的形成机制，只有少数研究考虑到企业自身因素对产能过剩现象的影响，但并未将其作为核心的解释变量进行分析。企业作为行业的基本构成元素，其自身发展水平对整个行业的发展尤为重要，忽视企业自身内部发展的异质性将可能对最终模型结果造成较大的影响。因而，为了填补这一研究空白，本章利用 DEA 模型分别测度了风能、光伏及生物质能三种可再生能源行业产能过剩程度，在此基础上，不仅探讨了体制性及结构性两种外部环境因素对产能过剩作用机制外，还分析了企业资源报酬率对产能过剩的影响。

本章的主要贡献在以下三个方面：首先，从企业层面出发，定量地测度了包括生物质能在内的不同非水可再生能源行业的产能过剩程度。其次，不仅考虑了外部的政府的体制性因素和市场结构性因素，还结合企业自身发展水平分析了产能过剩形成的机理。最后，探究了导致不同行业的产能过剩的关键因素，提出缓解可再生能源产业产能过剩针对性的政策建议。

5.2　产能过剩评估模型与结果

5.2.1　产能过剩的测量模型

产能利用率与产能过剩成反比，反映企业生产能力的利用情况，对市场需求敏感（Zhang et al.，2016a）。许多研究采用产能利用率这一指标来探讨企业或行业的产能过剩问题（Arfa et al.，2017；Feng et al.，2018；Kirkley et al.，2002）。产能利用率度量方法主要有成本函数法（Shen and Chen，2017）、生产函数法（Dong et al.，2018a）、DEA（Karagiannis，2015）和协整分析方法（Ray，2015）。与其他方法相比，DEA 方法既能适应单一的投入产出，又能适应多种投入产出（Ward，2001）。而且，它不需要特定形式的函数和权重。因此，为了测度中国非水电可再生能源行业的产能过剩，本节还采用 DEA 方法估算产能利用率。具体来说，所选择的可再生能源企业是可再生能源设备制造（如风力发电设备、生物质燃料锅炉）或材料生产（如光伏产品）企业，而不是发电企业。

此外，本节采用了 Fare 等（1989）开发的方法来计算产能利用率，这表明无偏产能利用测度是基于观察到的产出除以技术效率程度的有偏测度。

此分析的产出是企业的收入。对于大多数研究，将生产或工业总产值作为产出变量进行衡量（Dong et al.，2018a；Feng et al.，2018）。相比之下，在本节中，样本包括风能、光伏和生物质能的可再生能源设备制造商。由于没有统一的度量单位来描述生产，因此收入被视为产出变量。一方面，收入反映了一定时期内生产活动的全部成就；另一方面，货币形式允许进行比较研究。产能过剩涉及对资本（厂房和设备）和可变投入等存量资源的过度投资（Kirkley et al.，2002）。一般来说，机器和设备等固定资产是固定投入，员工人数（Karagiannis，2015）和经营预算（Arfa et al.，2017）是可变投入。因此，固定资产是净资本资产的代理变量（Fare et al.，1989），作为固定投入，同时员工人数和企业的经营费用则是可变投入。本节采用以下具体步骤。

第一步是测量技术效率（TE）。技术效率是实际产出与技术上最大产出的比率，它可以从给定的技术和全要素（固定和可变）投入得到。模型如下：

$$\frac{1}{\mathrm{TE}(x_j, y_j)} = \max \varphi_1$$

$$\text{s.t.} \begin{cases} \sum_{j=1}^{n} \lambda_j y_{1j} \geqslant \varphi_1 y_{1j} \\ \sum_{j=1}^{n} \lambda_j x_{ij} \leqslant x_{ij} \\ \sum_{j=1}^{n} \lambda_j = 1 \\ i = 1,2,3;\ j = 1,2,\cdots,n \\ \lambda_j > 0 \end{cases} \tag{5-1}$$

其中，$(y_{1j})^{\mathrm{T}}$ 是 DMU_j 唯一的产出，即营业收入；$x_{ij} = (x_{1j}, x_{2j}, x_{3j})^{\mathrm{T}}$ 是 DMU_j 的 i^{th} 投入，并且 $x_{ij} > 0$；x_{1j}、x_{2j}、x_{3j} 分别是总资产、营业成本和总费用；$\lambda_j (j = 1,2,\cdots,n)$ 是变量的加权向量；$\max \varphi_1$ 是从全要素（固定和可变）投入中获得的技术上的最大产出。

第二步是测量有偏的产能利用率（Cu′）。产能利用率定义为实际产出与产能产出之比。根据 Johansen（1968），只要不限制生产的可变因素的可用性，在现有的工厂和设备下，单位时间内可以生产的最大数量。Fare 等（1989）提出了一个修正的 DEA 框架来估计产能。这里，每个可再生能源企业的产能估计是指在恒定的固定投入和不受限制的可变投入下，最大的潜在或前沿水平的产出。对于 DMU_j，产出导向并且规模报酬可变 DEA 如下：

$$\frac{1}{\widehat{\mathrm{TE}}(x_j^f, y_j)} = \max \varphi_2$$

$$\text{s.t.} \begin{cases} \sum_{j=1}^{n} \lambda_j^* y_{1j} \geqslant \varphi_2 y_{1j} \\ \sum_{j=1}^{n} \lambda_j^* x_{1j}^f \leqslant x_{1j}^f \\ \sum_{j=1}^{n} \lambda_j^* = 1 \\ j = 1, 2, \cdots, n \\ \lambda_j^* > 0 \end{cases} \tag{5-2}$$

其中，$(x_{1j}^f)^{\mathrm{T}}$ 是 DMU_j 的固定投入，即固定资产；$\max\varphi_2$ 是从固定要素投入和不受限制的可变投入中获得的最大产出。实际产出定义为 y_j，产能产出计算为 $\varphi_2 y_j$。基于观测到的产出的产能利用率（Cu′）计算如下：

$$\mathrm{Cu}' = \frac{y_j}{\varphi_2 y_j} = \frac{1}{\varphi_2} = \widehat{\mathrm{TE}}(x_j^f, y_j) \tag{5-3}$$

这里，Cu′ 是向下偏的，因为没有事先保证观测到的产出是以技术上有效的方式生产的。因此，Fare 等（1989）提出了无偏产能利用率（Cu）测度。在本节中，产能利用率定义为无偏产能利用率（Cu），在[0，1]范围内。具体计算如下：

$$\mathrm{Cu} = \frac{\varphi_1 y_j}{\varphi_2 y_j} = \frac{\varphi_1}{\varphi_2} = \frac{\widehat{\mathrm{TE}}(x_j^f, y_j)}{\mathrm{TE}(x_j, y_j)} = \frac{\mathrm{Cu}'}{\mathrm{TE}(x_j, y_j)} \tag{5-4}$$

5.2.2　产能过剩的测量结果

利用 DEA 模型可以得到 2008～2016 年 116 家上市风能、光伏、生物质能企业的产能利用率，如表 5-1 所示。图 5-1 为三类非水电可再生能源企业的产能利用率分布图。方块图从上到下分别显示了各行业的最大值、上四分位数、中位数、下四分位数和最小值。三角形图案代表平均值。

表 5-1　非水电可再生能源企业的产能利用率

年份	产业	平均值	最小值	下四分位数	中位数	上四分位数	最大值
2008	风能	58.4%	23.3%	37.0%	49.5%	81.8%	100.0%
	光伏	70.4%	14.4%	49.0%	82.4%	97.6%	100.0%
	生物质能	73.4%	8.5%	70.3%	73.5%	87.8%	100.0%

续表

年份	产业	平均值	最小值	下四分位数	中位数	上四分位数	最大值
2009	风能	55.9%	11.3%	34.8%	50.5%	79.0%	100.0%
	光伏	66.0%	19.1%	40.1%	74.4%	88.1%	100.0%
	生物质能	75.6%	8.1%	64.3%	75.6%	97.6%	100.0%
2010	风能	56.0%	7.3%	20.7%	52.4%	99.0%	100.0%
	光伏	47.2%	6.7%	21.6%	41.2%	63.4%	100.0%
	生物质能	80.7%	14.4%	75.6%	89.3%	100.0%	100.0%
2011	风能	52.2%	7.0%	25.2%	50.3%	82.9%	100.0%
	光伏	38.8%	5.4%	16.4%	31.8%	58.3%	100.0%
	生物质能	77.6%	26.0%	69.5%	83.9%	90.6%	100.0%
2012	风能	62.5%	14.5%	35.3%	56.4%	99.6%	100.0%
	光伏	38.8%	5.4%	16.4%	31.8%	58.3%	100.0%
	生物质能	78.0%	25.8%	68.6%	84.6%	94.6%	100.0%
2013	风能	47.3%	8.1%	28.3%	45.1%	54.6%	100.0%
	光伏	37.9%	6.2%	17.8%	27.2%	54.7%	100.0%
	生物质能	75.1%	30.5%	60.8%	76.9%	88.4%	100.0%
2014	风能	49.5%	12.2%	27.5%	44.2%	72.5%	100.0%
	光伏	34.6%	1.8%	16.0%	28.2%	41.8%	100.0%
	生物质能	78.9%	50.8%	67.8%	77.7%	93.2%	100.0%
2015	风能	70.0%	15.6%	59.0%	73.1%	96.1%	100.0%
	光伏	35.9%	2.6%	16.5%	32.1%	48.3%	100.0%
	生物质能	78.5%	41.3%	56.4%	81.3%	100.0%	100.0%
2016	风能	64.4%	12.8%	39.7%	66.1%	92.6%	100.0%
	光伏	27.1%	0.2%	8.9%	17.6%	32.3%	100.0%
	生物质能	76.4%	30.9%	62.7%	77.6%	100.0%	100.0%

结果显示，所有的风能、光伏、生物质能产业都报告产能过剩。其中光伏产业产能过剩程度最为严重，生物质能产业产能过剩程度最低。图 5-1 显示，三个产业上市企业的年均产能利用率差异显著，即风能、光伏、生物质能产业的年均产能利用率分别为 57.4%、44.1%、77.1%。也就是说，三个产业的年均产能过剩比例分别为 42.6%、55.9%、22.9%。另外，在各产业样本中，产能过剩的企业平均占比相差较大，风能产业为 81%，光伏产业为 91%，生物质能产业为 73%。光伏产业报告产能过剩程度最严重，产能过剩企业比例最高，而生物质能产业表示最低。此外，如图 5-1 所示，风能、光伏、生物质能产业的平均产能利用率最低，分别为 2013 年的 47.3%、2016 年的 27.0%、2008 年的 73.4%。

换言之，风电、光伏、生物质能产业的平均产能过剩程度最严重的值分别为 52.7%、73.0%、26.6%。

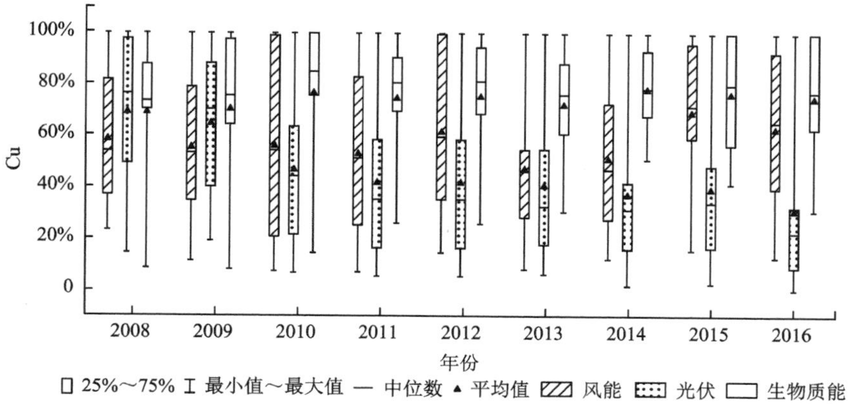

图 5-1　产能利用率的估算结果

5.3　产能过剩成因计量模型

5.3.1　面板 Tobit 模型

为了减少预测模型回归系数的不确定性，本节采用 Eforn（1979）bootstrap 方法对原始样本和标准差进行重采样。采样方法基于带替换的分布函数，可以改善预测模型的准确性和标准误差。本节采用非参数 bootstrap 方法，选取的样本数量为 999。

此外，本节采用 Tobin（1958）面板 Tobit 回归模型估计整体样本，模型分布函数如式（5-5）所示。根据式（5-4），当企业 i 在第 t 年的产能利用率（Cu_{it}）为 1 时，它将在某一点被压缩。在这种情况下，概率分布 Cu_{it} 将成为由离散点（数据来自 $\mathrm{Cu}_{it}=1$ 的情况）和连续分布（数据来自 $\mathrm{Cu}_{it}<1$ 的情况）组成的混合分布。无论对不含离散点的整个样本还是子样本进行检验，采用 OLS 都不能得到一致的估计量。

综上所述，我们选择 bootstrap 检验的面板 Tobit 模型作为回归模型。该方法不仅考虑了因变量的混合分布特性，而且考虑了预测模型回归系数的不确定性。因此，提高了测量结果的准确性和可信度。

$$\ln \mathrm{Cu}_{it}=\begin{cases}\alpha_0+\alpha_1 \mathrm{Ra}_{it}+\alpha_2 \ln \mathrm{Gs}_{it}+\alpha_3 \ln \mathrm{De}_{it}+\sum_{m=1}^{4}\beta_m \ln \mathrm{Con}_{it}+\varepsilon_{it}, & \mathrm{Cu}_{it}<1\\ 0, & \mathrm{Cu}_{it}=1\end{cases}\tag{5-5}$$

其中，Cu_{it} 是企业 i 在第 t 年的产能利用率；Ra_{it} 是资产报酬率；Gs_{it} 是政府补贴；De_{it} 是企业出口的依存度，表示国内外市场结构；Con_{it} 是本节所考虑的四个控制变量（政策数量、产业政策协调度、资产轻质化程度、金融支持）；α_0 是常数项；α_1、α_2、α_3 和 β_m 是每个变量的系数；ε_{it} 是误差项。表 5-2 列出了所有变量及其定义。

表 5-2　变量定义及说明

变量类型	变量名称	变量说明
因变量	产能利用率（Cu）	衡量企业产能利用情况
自变量	资产报酬率（Ra）	企业当年的利润总额/当年平均资产总额
	政府补贴（Gs）	企业每年的政府补贴/营业收入
	出口依存度（De）	企业每年的出口收入/营业收入
控制变量	政策数量（Po）	可再生能源相关激励政策的数量
	产业政策协调度（Pc）	可再生能源相关政策的产业协调程度
	资产轻质化程度（Pl）	企业每年的无形资产额/总资产额
	金融支持（Fs）	企业每年的筹资活动现金流入

1. 被解释变量

产能利用率。根据产能过剩的定义，即企业的实际产出小于最优产出的情况。一般而言，当产能利用率为 1 时，产业不存在产能过剩的情况；而当产能利用率小于 1 时，可再生能源企业产能过剩（Karagiannis，2015）。多数采用产能利用率指标进行产能过剩研究，如 Zhang 等（2016a）用来衡量风光产业的产能过剩。Kirkley 等（2002）用以研究美国的产能过剩，尤其是北大西洋海扇贝渔业。Feng 等（2018）也用此变量来研究中国整个工业部门的产能过剩。

2. 解释变量

（1）资产报酬率。用以反映企业内部因素，用企业当年净利润额比当年平均资产总额表示。资产报酬率表示企业全部资产获取收益的水平，能全面反映企业的获利能力和投入产出状况（Agha，2014）。资产报酬率越高，表明企业投入产出的水平越好，企业的资产运营越有效。

（2）政府补贴。用以反映企业外部因素中的由政府失灵导致的体制性过剩程度。政府通过直接给予符合相关条件的企业无偿性的财政补贴的方式主导投资，扭曲要素及资源的市场价格，形成由政策性补贴竞争所带来的体制扭曲的产能过剩。

（3）出口依存度。用以反映企业外部因素中的由市场失灵导致的结构性过剩程度。对外依存度越高，意味着国内市场无法消纳企业可再生能源相关产品的程度越高，表明国内市场与国际市场存在较大差异，不同地区供需结构不平衡。这可能会对产能过剩产生影响。

3. 控制变量

（1）政策数量。除了政府的直接补贴外，中国政府还通过众多具有长期发展目标和产业目标的激励政策，鼓励了可再生能源产业的发展。为了进一步研究产业激励政策对可再生能源产能过剩的潜在影响，搜集了包括中央政府和地方政府在内出台的可再生能源产业激励政策数量。中央政策适用于所有可再生能源企业，省、区市政策只适用于总部所在地的企业。

（2）产业政策协调度。根据投入产出理论，一个产业的产能必然受到其相关产业的需求和供给的影响。因此，可再生能源激励政策的协同作用也可能对产能产生影响。首先，主要将包括硅和太阳能电池在内的太阳能光伏产业，由涡轮机和叶片组成的风能产业，以及涉及燃烧锅炉的生物质能产业视为制造业。其次，这些设备的生产需要研发、设计行业及由软件和互联网网络组成的生产控制系统的有力支持。最后，可再生能源产业的发展离不开金融支持。因此，风能和光伏产业与第二、三产业有着密切的联系。生物质能需要第一产业的秸秆、谷物和其他原材料。因此，除了第二产业和第三产业以外，生物质能产业还与第一产业相联系。

为探讨可再生能源产业与其他产业政策协同对产能过剩的影响，本节考虑了政策的产业协调度。协调度的计算公式如下（Zhang et al.，2017a）：

$$\mathrm{Pc}_{kjts}=\frac{\sum_{l=1}^{n}P_{ktl}\cdot P_{jtl}}{n},\quad k,j=1,2,3,\quad k\neq j;\ t=2008,2009,\cdots,2016 \tag{5-6}$$

其中，P_{ktl}是0-1变量，表示t年出具的政策l是否涉及产业k。P_{jtl}类似于产业j的P_{ktl}。$P_{ktl}\cdot P_{jtl}=1$是政策l在产业k和产业j之间协调。如前所述，就风能和太阳能而言，与风能和光伏能源企业相关的产业只有两个，即$P_{1tl}\cdot P_{2tl}$。但是，有三个行业从事生物质能的生产，即$P_{1tl}\cdot P_{2tl}\cdot P_{3tl}$。$n$是在$t$年与可再生能源相关的政策数量。同一省内相同的可再生能源企业的政策协调度是相等的。例如，对于s省的所有风能企业，$\mathrm{Pc}_{it}=\mathrm{Pc}_{kjts}$，$i\in s$。表5-3列出了风能、太阳能光伏和生物质能的政策协调度。

表 5-3　可再生能源政策的产业协调度

地区	风能 1)									光伏 1)									生物质能 2)								
	2008年	2009年	2010年	2011年	2012年	2013年	2014年	2015年	2016年	2008年	2009年	2010年	2011年	2012年	2013年	2014年	2015年	2016年	2008年	2009年	2010年	2011年	2012年	2013年	2014年	2015年	2016年
安徽										1	1	1	1	1	2/3	1	1/3	1	1	1	1	1/2	1	1	1	0	6/7
北京	1	0	1	1	1	1	1	0	1	1	0	2/3	1	1	2/3	1	1/3	1									
福建	4/5	0	1	0	1	1/2	1	0	7/8	1	0	1	0	1	2/3	1	1/3	8/9									
甘肃	0	0	0	0	0	0	0	0	0																		
广东	1	1	1	0	3/4	1	1	1/2	1	1	1	1	0	3/4	3/4	4/5	2/3	8/9	1	1/2	1	0	1/2	1	1/3	0	7/8
河北										1	0	1	0	1	2/3	1	1/3	1									
河南										1	0	1	0	1	3/4	1	1/2	1									
黑龙江	1	0	1	0	1	1	1	0	7/8	1	0	2/3	0	1	2/3	1	1/2	5/7									
湖北										1	0	1	0	1	3/4	1	0	8/9	1	1	1	0	2/3	1	1	0	6/7
湖南	1	0	1	0	1	1/2	1	0	8/9	1	1	1	0	1	2/3	1	2/3	1									
吉林										1	0	1	1	1	2/3	1	1/2	1									
江苏	1	1	1	1	1	1/2	1	0	1	1	1	1	1	1	1/2	1	1/2	1	1	1/2	1/2	1	1	1/2	1/2	0	7/9
辽宁	1	1	1	0	2/3	1	1	1/2	1	1	1	1	0	2/3	2/3	1	2/3	1									
内蒙古										1	0	1	0	1	2/3	1	1/3	1									
宁夏										1	0	1	0	1	3/4	1	1/2	8/9									
青海										1	0	1	1	3/4	2/3	1	1/3	1									
山东	1	1	1	1	1	1	1	0	1										1	1/2	1	0	2/3	1	1	0	7/8
山西										1	0	1	1	1	3/4	1	2/3	5/6									
上海	5/6	0	1	1	3/4	1	1/2	0	7/8	1/2	0	1	1	1	2/3	1/3	2/3	4/5	2/3	1	1	1	1	1	1/2	0	3/4
四川	1	0	1	1	1	1	1	0	1										1	1	1	1	1	1	1	0	6/7

续表

地区	风能 1)									光伏 1)									生物质能 2)								
	2008年	2009年	2010年	2011年	2012年	2013年	2014年	2015年	2016年	2008年	2009年	2010年	2011年	2012年	2013年	2014年	2015年	2016年	2008年	2009年	2010年	2011年	2012年	2013年	2014年	2015年	2016年
天津										1	0	1	0	1	1/2	1	0	1									
新疆	1	1	1	1	1	1	1	0	1	1	1	1	1	1	2/3	1/2	1/2	1	1	1/2	1	0	1	1	1	0	7/8
浙江	1	0	1	0	2/3	1	1	0	1	1	0	1	0	3/4	3/5	1	1/2	1	1	1	1	0	2/3	1/2	1	0	6/7
重庆	1	0	1	0	1	1	1	0	1	1	0	1	0	1	2/3	1	1/2	1									

1）测量第二产业与第三产业的政策协调程度

2）测量第一产业、第二产业、第三产业之间的政策协调程度

（3）资产轻质化程度。用企业每年的无形资产额占企业总资产额表示。企业无形资产包括公司内部开发项目研究的支出、非专利技术、专利权、特许经营权等。因此，本节利用该变量来探讨非水电可再生能源企业产能过剩问题。

（4）金融支持。用企业每年的筹资活动现金流入衡量。该变量包括企业取得借款、发行股票、发行债券等收到的现金流入。由于每个企业规模大小不同，企业的融资难易程度也会不同。因此选用金融支持作为控制变量，以探讨金融支持规模差异给非水可再生能源企业产能过剩带来的影响。

5.3.2 数据管理

鉴于中国水能产业发展成熟，本节将重点研究三类非水能可再生能源产业（风能、光伏、生物质能相关设备及配件制造）。此外，由于可再生能源行业没有官方的划分和统计，而上市公司可以反映整个行业的发展趋势，因此本节采用了同花顺财经网中风能、光伏、生物质能企业的上市数据。中国上市公司自 2007 年开始采用新会计准则，因此，分析期为 2008～2016 年。考虑到本节的重点是可再生能源制造企业的产能过剩，因此剔除了不专注于这些业务或数据丢失严重的上市公司。用于分析的上市公司共计 116 个，其中风能企业 24 个，光伏企业 74 个，生物质能企业 18 个。

相关企业数据取自其在 Wind 数据库上公布的 2008～2016 年年报。政策信息来源于国家发展改革委的政策文件库和通知公告及政府网站。政策内容包括《中华人民共和国国民经济和社会发展第十一个五年规划纲要》（2006～2010 年）以来（即 2005 年以后），2008～2016 年实施的可再生能源产业鼓励政策。特别是由于政策的时效性，本节在估算各省每年的政策数量时，对某些政策在宣布取消或到期前进行了核算。在政策修订的情况下，旧政策将在新政策颁布后修改或废止，这意味着旧政策只存在于新政策颁布之前。此外，对于位于同一省份的同一家可再生能源企业，其每年的政策数量和政策的产业协调度都是相同的。

图 5-2 显示了可再生能源上市公司的总部分布情况。大部分公司位于经济发达的东部和中部地区。在这些城市中，非水电可再生能源上市公司数量最多的三个省份是江苏、广东和浙江，分别为 23 家、20 家和 13 家。

表 5-4 列出了总体样本、风能企业样本、光伏企业样本和生物质能企业样本的 4 个投入/产出变量［固定资产（Fa）、劳动人数（Lb）、营业费用（Oe）和营业收入（Rn）］和 7 个回归变量［资产报酬率（Ra）、政府补贴（Gs）、出口依存度（De）、政策数量（Po）、产业政策协调度（Pc）、资产轻质化程度（Pl）和金融支持（Fs）］的描述性统计。风能企业有最高的固定资产均值（103.96 亿元）、营业费用（10.53 亿元）、营业收入（87.88 亿元）、政策数量（7.79）、金融支持（88.56 亿元）。

光伏企业有最高的平均劳动人数（7264.3 人）、资产报酬率（5.72%）、出口依存度（15.52%）、产业政策协调度（0.76）。生物质能企业报告的政府补贴（1.66%）和资产轻质化程度（4.63%）最高。

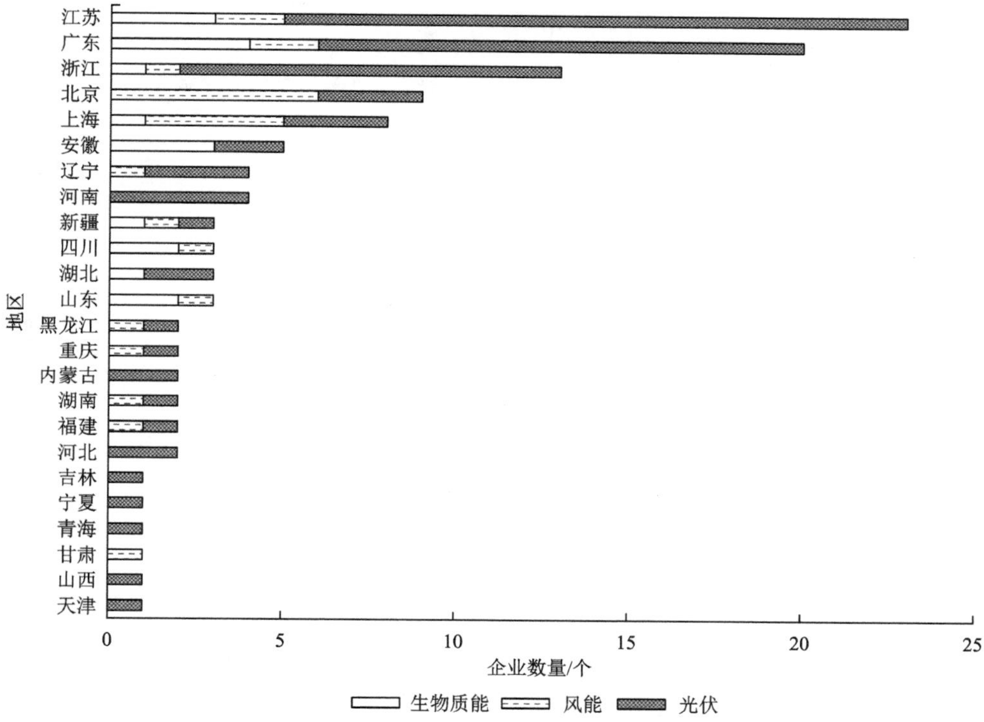

图 5-2　非水电可再生能源上市公司分布情况

表 5-4　描述性统计

样本	统计量											
	变量	Fa	Lb	Oe	Rn	Ra	Gs	De	Po	Pc	Pl	Fs
	单位	亿元	人	亿元	亿元				条			亿元
全样本	均值	39.63	5 991.5	7.01	59.39	5.35%	1.29%	14%	7.69	0.74	3.96%	35.91
	标准差	144.05	18 894.3	14.44	126.16	8.97%	2.28%	22.02%	4.79	0.36	4.44%	108.97
	最小值	0.02	12	0.01	0	–98.25%	0	0	0	0	0	0
	最大值	1 837.38	197 480	122.61	1 034.70	88.79%	26.13%	99.31%	20	1	53.87%	1 296.10
风能	均值	103.96	4 875.1	10.53	87.88	4.3%	1.14%	12.23%	7.79	0.71	3.48%	88.56
	标准差	297.88	6 388.4	16.24	133.38	6.87%	1.26%	20.76%	3.98	0. 42	2.66%	220.52
	最小值	0.18	12	0.01	0.00	–28.39%	0.03%	0	0	0	0	0
	最大值	1 837.38	31 091	76.50	663.07	30.46%	7.34%	88.7%	18	1	13.37%	1 296.10

续表

样本	统计量											
	变量	Fa	Lb	Oe	Rn	Ra	Gs	De	Po	Pc	Pl	Fs
	单位	亿元	人	亿元	亿元				条			亿元
光伏	均值	24.40	7 264.3	6.96	59.93	5.72%	1.24%	15.52%	7.7	0.76	3.95%	24.31
	标准差	44.89	23 243.3	15.22	135.95	10.14%	2.36%	23.35%	5.18	0. 34	4.56%	39.84
	最小值	0.02	26	0.09	0.52	−98.25%	0	0	1	0	0	0
	最大值	374.83	197 480	122.61	1 034.70	88.79%	26.13%	99.31%	20	1	53.87%	462.92
生物质能	均值	16.45	2 247.2	2.50	19.18	5.23%	1.66%	10.16%	7.54	0.7	4.63%	13.39
	标准差	23.64	2 061.2	2.28	17.39	5.57%	2.9%	16.93%	4.11	0. 37	5.6%	25.30
	最小值	0.03	160	0.13	0.49	−23.56%	0.01%	0	2	0	0	0
	最大值	128.06	8 933	15.90	77.30	20.79%	19.94%	99.04%	18	1	39.35%	240.63

5.4 可再生能源产能过剩成因实证结果分析

5.4.1 面板 Tobit 回归结果

本章利用中国 116 家上市企业在 2008～2016 年的年度数据，对风能、光伏、生物质能装备制造或材料生产产业采用 bootstrap 回归的面板 Tobit 模型。表 5-5 给出了结果。这些表使用产能利用率作为因变量。模型（Ⅰ）～模型（Ⅲ）使用了三个核心变量：资产报酬率、出口依存度和政府补贴。模型（Ⅳ）同时包含三个变量。模型（Ⅴ）在模型（Ⅳ）的基础上考虑了四个控制变量（政策数量、产业政策协调度、资产轻质化程度和金融支持）。从回归结果可以得出以下结论。

表 5-5 风能产业的 bootstrap 回归的 Tobit 模型

变量	模型				
	（Ⅰ）	（Ⅱ）	（Ⅲ）	（Ⅳ）	（Ⅴ）
Ra	0.709 （1.02）			0.591 （0.87）	0.516 （0.78）
lnGs		-0.136^{***} （−2.71）		-0.135^{***} （−2.67）	-0.126^{**} （−2.51）
lnDe			0.001 （0.13）	0.003 （0.39）	0.005 （0.66）
lnPo					0.0125 （0.86）
lnPc					−0.006 （−1.19）

续表

变量	模型				
	（Ⅰ）	（Ⅱ）	（Ⅲ）	（Ⅳ）	（Ⅴ）
lnPl					−0.136 （−1.34）
lnFs					−0.003 （−0.19）
常数项	−0.657*** （−13.19）	−1.303*** （−5.22）	−0.618*** （−7.70）	−1.295*** （−5.16）	−1.762*** （−3.90）
sigma_u	0.682*** （16.54）	0.669*** （17.40）	0.674*** （14.59）	0.685*** （14.60）	0.615*** （7.83）
sigma_e	0.505*** （13.10）	0.496*** （13.66）	0.507*** （12.98）	0.492*** （13.12）	0.491*** （12.42）
N	216	216	216	216	216

注：括号内的数字表示系数的 z 统计量

***、**分别表示 1%、5%的显著性水平

（1）政府补贴是风能产业产能过剩的决定因素。如表 5-5 的模型（Ⅴ）所示，在 5%的显著性水平下，政府对企业的直接补贴对风能产业的产能利用率产生负面影响。具体而言，政府补贴每增加 10%，风能产业的产能利用率就会下降 1.26%，从而加剧了风能产业产能过剩的严重性。政府补贴在一定程度上可以降低企业的运营成本，但同时也降低了相关产业的准入门槛。因此，对可再生能源项目的战略支持很可能产生挤出效应，吸引大量的民间投资。这很容易导致风能产业（如风力发电厂和风力发电机）的过度投资，进而降低产能利用率，加剧产能过剩。根据表 5-5 的模型（Ⅴ），风能企业的资产报酬率和出口依存度（反映国内外市场结构）在模型中并不显著，说明企业的盈利水平和国内外市场结构并不是造成风能产业产能过剩的主要原因。

（2）资产报酬率、政府补贴、出口依存度比例显著影响光伏产业的产能过剩。如表 5-6 的模型（Ⅴ）所示，三个变量与产能利用率分别在 1%、5%、10%的显著性水平上存在相关性。在控制变量中，政策数量、产业政策协调度和金融支持显著影响光伏产业的产能过剩。

表 5-6　光伏产业的 bootstrap 回归的 Tobit 模型

变量	模型				
	（Ⅰ）	（Ⅱ）	（Ⅲ）	（Ⅳ）	（Ⅴ）
Ra	1.921*** （3.93）			1.777*** （3.86）	1.214*** （3.79）
lnGs		−0.028*** （−4.38）		−0.026*** （−4.21）	−0.012** （−2.14）

续表

变量	模型				
	（Ⅰ）	（Ⅱ）	（Ⅲ）	（Ⅳ）	（Ⅴ）
lnDe			-0.010^{***} （−3.03）	-0.008^{**} （−2.49）	-0.005^{*} （−1.74）
lnPo					-0.450^{***} （−11.30）
lnPc					0.008^{*} （1.91）
lnPl					−0.049 （−1.29）
lnFs					0.015^{*} （1.87）
常数项	-1.160^{***} （−30.71）	-1.222^{***} （−25.45）	-1.162^{***} （−26.77）	-1.397^{***} （−22.62）	-0.679^{***} （−3.69）
sigma_u	0.619^{***} （21.13）	0.641^{***} （21.33）	0.691^{***} （18.07）	0.673^{***} （17.91）	0.649^{***} （20.97）
sigma_e	0.653^{***} （16.76）	0.665^{***} （17.76）	0.662^{***} （17.83）	0.632^{***} （17.31）	0.542^{***} （17.19）
N	666	666	666	666	666

注：括号内的数字表示系数的 z 统计量

***、**和*分别表示 1%、5%和 10%的显著性水平

特别是，资产报酬率的提高将缓解光伏行业的产能过剩。如果资产报酬率每增加 10%，光伏产业的产能利用率将增加 12.14%。资产报酬率越高意味着更有效率的资产运营，越高的产能利用率，越低可能性的产能过剩。

从企业的外部因素来看，政府补贴和出口依赖度的增加会加剧光伏行业的产能过剩，强化政府补贴对产能过剩的影响。如表 5-6 的模型（Ⅴ）所示，政府补贴和出口依存度每增加 10%，光伏产业的产能利用率分别下降 0.12%和 0.05%。政府补贴会增加光伏行业产能过剩的风险。最近，地方政府响应国家政策号召，提出了一系列支持光伏产业的补贴政策。例如，根据湖北省公布的《新能源发电项目省级电价补贴金额（2016—2017 年）公示》，2016～2017 年补贴资金共计 62 447.45 万元，其中集成式光伏电站 23 个，补贴金额 16 311.46 万元，非自然人分布式光伏发电项目 309 年，补贴金额 3796.2 万元，自然人分布式光伏发电项目 566 个，补贴金额 261.2 万元（湖北省发展和改革委员会，2019）。在这些有吸引力的补贴的推动下，许多光伏企业扩大了产能，导致了这个产业的爆发式增长，其中包括晶体硅材料产业。供需之间的长期失衡最终将导致产能过剩。出口依存度的提高可能会加剧光伏企业的产能过剩，即不同地区的供需失衡将对产能过剩产生相当大的影响。从供应角度看，中国光伏组件在全球光伏市场中占有很大比

重。以 2016 年为例，中国硅片产量为 63GW，占全球总产量 69GW 的 91.30%（夏云峰，2018）。从需求角度看，国际国内新增市场增速放缓。上述因素将导致中国光伏市场供需失衡。此外，中国光伏行业“双低”局面（议价能力低、抗风险能力低）造成的“两头在外”的窘境（即上游的晶体硅材料和下游的发电市场都在国外）将给企业带来巨大压力，加剧产能过剩。

在显著性水平为 1%的情况下，政策数量对光伏产业的产能利用率有显著的负向影响，但对风能和生物质能产业的产能利用率影响不显著。如表 5-6 模型（V）所示，政策数量每增加 1%，可使光伏企业产能利用率降低 0.450%，加剧光伏行业产能过剩。政策越多往往表明对光伏产业的激励力度越强，因此越来越多不成熟的企业进入光伏市场而不考虑市场的接受能力，这将导致光伏行业产能过剩。然而，政策数量对风能和生物质能企业的产能利用率没有显著影响，如表 5-5 和表 5-7 中的模型（V）所示。风能行业作为最早的大规模可再生能源行业，发展良好，投资者的决策更加理性（Zhao et al.，2019）。中国生物质能产业起步较晚，与风能、光伏产业相比，政策相对较小。因此，政策数量对生物质能产业产能利用没有显著影响。

表 5-7　生物质能产业的 bootstrap 回归的 Tobit 模型

变量	模型				
	（I）	（II）	（III）	（IV）	（V）
Ra	−0.113 （−0.15）			−0.156 （−0.23）	−0.128 （−0.15）
lnGs		−0.062 （−1.50）		−0.057 （−1.54）	−0.054 （−1.36）
lnDe			0.011** （2.30）	0.010** （2.45）	0.010*** （2.62）
lnPo					0.064 （0.97）
lnPc					−0.002 （−0.63）
lnPl					−0.081 （−1.61）
lnFs					−0.000 （−0.00）
常数项	−0.217*** （−4.16）	−0.531** （−2.56）	−0.094 （−1.34）	−0.375** （−2.02）	−0.784** （−2.40）
sigma_u	0.386*** （6.61）	0.379*** （7.32）	0.389*** （6.65）	0.369*** （6.83）	0.342*** （6.33）
sigma_e	0.344*** （9.67）	0.337*** （10.71）	0.327*** （11.61）	0.323*** （12.11）	0.318*** （12.59）
N	162	162	162	162	162

注：括号内的数字表示系数的 *z* 统计量

***、**分别表示 1%、5%的显著性水平

可再生能源产业政策协调度对光伏产业产能利用率有显著的正向影响，但影响有限。如表 5-6 的模型（Ⅴ）所示，产业政策协调度每增加 1%，光伏企业产能利用率就会增加 0.008%，光伏产业产能过剩将在一定程度上得到缓解。产业政策协调度越高，不仅意味着参与的产业越多，而且可再生能源产业及其相关产业的协调度也越高。企业根据需求制订生产计划和采购原材料，提高了产能利用率。此外，金融支持可以提高光伏企业的产能利用率，因为企业的运营需要一定的融资，充足的资金可以有效保障企业的生产经营。如表 5-6 的模型（Ⅴ）所示，金融支持每增加 1%，光伏企业的产能利用率就会增加 0.015%。

（3）出口依存度是造成生物质能产业产能过剩的一个重要因素。如表 5-7 中的模型（Ⅴ）所示，在 1%的显著性水平下，出口依存度正向影响生物质能企业的产能利用率。特别是，出口依存度增加 10%，产能利用率增加 0.10%，这意味着可以通过增加出口业务比重来缓解生物质能企业产能过剩。值得注意的是，对于光伏和生物质能产业来说，出口依存度比率的影响正好相反。这可能是因为中国的生物质能产业起步比欧美等发达国家和地区晚。换句话说，就是尚未成熟，在海外市场上没有优势，国际市场占有率比较低。因此，加强企业核心竞争力，进一步开拓国际市场，增加企业出口，将有助于实现有效供给，释放生产能力。根据表 5-7 的模型（Ⅴ），生物质能产业的资产报酬率和政府补贴对产能利用率影响不大，即企业的盈利水平和直接补贴都不是造成生物质能产业产能过剩的主要原因。

（4）资产轻质化程度不是影响非水电可再生能源行业产能过剩的关键因素。如表 5-5～表 5-7 中的模型（Ⅴ）所示，资产轻质化程度对风能、光伏和生物质能行业的产能利用没有显著影响，说明资产结构对产能过剩没有实质性影响。

5.4.2 稳健性检验

为了进一步检验本节回归结果的稳健性，对表 5-5～表 5-7 中的模型（Ⅴ）进行了以下两种方法的稳健性检验：一种方法是回归使用不同的标准误类型，我们在估计时不进行 bootstrap 法重复抽样，而直接使用基于最大似然估计观测到的信息矩阵（observed information matrix，OIM），即渐进理论得到的标准误；另一种方法是在回归中加入企业规模的虚拟变量，这里的回归方法也是用 bootstrap 回归的面板 Tobit 模型，如表 5-8 所示。

表 5-8　不同产业的最大似然标准误的 Tobit 模型结果

变量	风能			光伏			生物质能		
	系数	z	p 值	系数	z	p 值	系数	z	p 值
Ra	0.516	0.800	0.426	1.214	4.970	0.000***	−0.128	−0.170	0.863
lnGs	−0.126	−2.860	0.004***	−0.012	−2.170	0.030**	−0.054	−1.710	0.088*

续表

变量	风能			光伏			生物质能		
	系数	z	p 值	系数	z	p 值	系数	z	p 值
lnDe	0.005	1.220	0.221	–0.005	–2.240	0.025**	0.010	3.330	0.001***
lnPo	0.013	0.430	0.670	–0.450	–12.740	0.000***	0.064	1.210	0.225
lnPc	–0.006	–1.300	0.194	0.008	1.930	0.053*	–0.002	–0.630	0.526
lnPl	–0.136	–1.590	0.112	–0.049	–1.450	0.146	–0.081	–1.580	0.115
lnFs	–0.003	–0.440	0.657	0.015	3.770	0.000***	0.000	–0.010	0.992
常数项	–1.762	–4.750	0.000***	–0.679	–4.070	0.000***	–0.784	–2.880	0.004***
sigma_u	0.615	5.100	0.000***	0.649	10.670	0.000***	0.342	4.830	0.000***
sigma_e	0.491	17.060	0.000***	0.542	32.590	0.000***	0.318	14.050	0.000***

***、**和*分别表示 1%、5%和 10%的显著性水平

表 5-8 为最大似然标准误的面板 Tobit 模型的回归结果，表 5-9 为考虑企业规模这一虚拟变量的回归结果。根据国家统计局的数据，所选企业中大部分是规模较大的企业，其营业收入接近 4 亿元以上，很难对这些企业进行分组（国家统计局，2018）。因此，以上市企业当前的市值作为区分企业规模的分类标准。考虑到三个产业的异质性，将每个产业总市值的上四分位数作为分界点。据此，将价值大于分界点的大型企业定义为 1，而价值小于分界点的小型企业取值为 0。根据表 5-8 和表 5-9，虽然各个控制变量系数的显著性水平有一定的变化，但其数值、符号并没有显著变化。因此，本节的回归结果是比较稳健的。

表 5-9　不同产业考虑企业规模虚拟变量的稳健性检验结果

变量	风能			光伏			生物质能		
	系数	z	p 值	系数	z	p 值	系数	z	p 值
Ra	0.564	0.880	0.378	1.210	3.790	0.000***	–0.213	–0.250	0.802
lnGs	–0.123	–2.480	0.013**	–0.012	–2.180	0.029**	–0.058	–1.470	0.142
lnDe	0.007	0.960	0.335	–0.005	–1.820	0.069**	0.008	2.150	0.032**
lnPo	0.001	0.080	0.940	–0.449	–11.290	0.000***	0.064	0.960	0.338
lnPc	–0.006	–1.280	0.202	0.008	1.900	0.057*	–0.002	–0.630	0.529
lnPl	–0.089	–0.950	0.340	–0.050	–1.350	0.178	–0.010	–1.830	0.068*
lnFs	–0.004	–0.300	0.764	0.014	1.830	0.067	–0.000	–0.030	0.974
cap	0.856	4.440	0.000***	0.351	7.330	0.000***	0.292	2.980	0.003***
常数项	–1.736	–4.180	0.000***	–0.779	–4.210	0.000***	–0.960	–2.810	0.005***
sigma_u	0.539	9.240	0.000***	0.631	20.930	0.000***	0.315	5.550	0.000***
sigma_e	0.490	12.440	0.000***	0.542	17.200	0.000***	0.319	12.580	0.000***
N	216			666			162		

注：cap 是企业规模的虚拟变量

***、**和*分别表示 1%、5%和 10%的显著性水平

5.5 本章小结

本章利用2008～2016年风能、光伏和生物质能产业116家上市企业的数据，运用DEA方法测度非水电可再生能源企业的产能过剩程度。然后，利用bootstrap回归的面板Tobit模型，从企业盈利能力水平、政府补贴和国内外市场结构三个角度分析产能过剩的形成机理，找出不同产业产能过剩的关键决定因素。研究结果表明以下几点。

（1）中国非水可再生能源行业产能过剩程度存在显著的差异，其中，光伏行业的产能过剩最为严重，其次是风能和生物质能行业。研究期间，光伏、风能和生物质能行业中出现产能过剩的公司占比分别为91%、81%和73%，对应的平均产能过剩程度为55.9%、42.6%、22.9%。

（2）企业的盈利能力、政府补贴及国内外市场结构均对光伏行业产能过剩有显著影响，政府过度补贴是导致风能相关行业产能过剩的主要原因。而对于生物质能产业来说，生物质能源产能过剩受到出口依存度的显著影响，国内外市场结构的失衡是导致其产能过剩的主要原因。

（3）政策数量的增加也会加剧光伏产业产能过剩，但可再生能源产业政策协调度与金融支持的提高可以缓解这一现象。此外，在10%的显著性水平下，可再生产业政策协调度和金融支持对产能利用率有显著的正向影响。

第 6 章　可再生能源开发利用绩效评估

6.1　绩效评估指标体系

由于资源潜力、经济发展水平、技术水平、能源消费结构等方面的差异，中国各省份能源生产和利用存在显著差异（Wang et al.，2017b），可再生能源发展水平和利用效果必然存在差异，即可再生能源开发利用绩效存在差异。因此，要提高可再生能源的开发利用水平，降低风电和光伏发电的弃用率，有必要对各地可再生能源开发利用的绩效进行定量测度。一方面，对可再生能源开发利用绩效进行横向和纵向的比较评估有助于实现区域的自我诊断，找到影响可再生能源开发利用绩效的关键因素；另一方面，可再生能源开发利用绩效的评估可以比较差距，挖掘潜力，并为每个地区制定完善的可再生能源政策提供决策支持。

可再生能源的开发利用是将可再生能源资源转化为能源产品和服务，然后以电能和热能的形式储存起来，供人类生活和生产使用（Yu et al.，2019）。可再生能源的开发利用是一个投入产出的生产性系统，涉及可再生能源的勘探、开发、运输、存储和消费等多个过程。这些过程必然与科技、社会和自然环境之间相互影响。例如，该系统投入主要包括以自然资源形式存在的可再生资源、技术、资本和人力，而产出则是可再生电力及服务。其中，开发利用过程中需要相关的技术支撑，而可再生能源的开发利用反过来也会促进科学技术的进步。除技术投入外，可再生能源在开发利用过程中还需要社会提供人力资源，与此同时，也为社会提供了就业岗位和电力消费品。此外，可再生能源的开发利用是人类影响自然的过程，必然对环境产生一定的影响，而人们的环保意识又对开发利用行为产生约束。如图 6-1 所示。

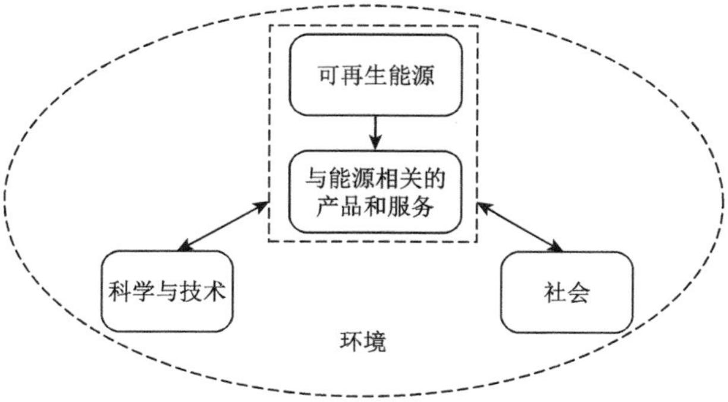

图 6-1　可再生能源开发利用绩效的影响因素

可再生能源开发利用绩效是系统全面的。它不仅涉及投入和产出的经济效益，还涉及能源、环境、技术和社会等许多其他方面。因此，可再生能源开发利用绩效评价是一个多准则决策问题。因此，本章从 E^3TS①的视角提出可再生能源开发利用的绩效评价模型。

为了建立一个合适的标准，我们咨询了十位可再生能源专家。其中，四位专家是清华大学、新加坡国立大学、华北电力大学和中国地质大学的教授。四位专家是来自华能新能源股份有限公司、明阳新能源投资控股集团有限公司、湘电集团有限公司等知名可再生能源企业的资深研究人员或管理人员。两位专家是国家能源局和中国国家可再生能源中心等政府能源机构的资深研究员。基于十位可再生能源专家的判断和对现有文献的梳理，本章在 E^3TS 框架下选取了 12 个一级指标和 22 个子指标，对中国 30 个省区市的可再生能源开发利用综合绩效进行评价。

能源绩效：能源绩效（C1）包括开发效益、开发潜力和利用效益三个方面。开发效益反映了可再生能源的开发利用程度。开发潜力反映了一定时期内可再生能源开发利用的速度和潜力，包括资源潜力和可再生能源发电能力增长率，可以通过综合考虑土地利用、开发成本和送出条件等因素进行评估。利用效益主要评价能源消费结构的合理性，反映可再生能源的有效利用程度。能源准则评价指标具体如表 6-1 所示。

表 6-1 能源绩效指标

序号	一级准则	公式	单位	描述
C111	可再生能源发电装机容量占全部电源装机容量比例	可再生能源发电装机容量÷地区总发电装机容量		衡量可再生能源开发程度
C121	可再生能源发电装机容量增长速度	（本年可再生能源发电装机容量–去年可再生能源发电装机容量）÷去年可再生能源发电装机容量		衡量可再生能源的开发潜力及趋势
C122	可再生能源资源潜力		万 kW	反映可再生能源技术可开发潜力
C131	可再生能源发电并网率	1–弃风率		反映实际接入电网的可再生能源电力
C132	可再生能源占一次电力消费总量比重 1)			反映可再生能源消费在电源结构中的占比情况（Cui et al.，2014）

1）可再生能源消纳占比中 15 个省区市数据直接由各省区市 2011～2015 年省统计年鉴所得；另外 15 个省区市数据根据公式计算所得

$$\text{第 } i \text{ 个省区市的可再生能源占一次电力消费比重} = \text{中国总的可再生能源消费量} \times \left(\frac{\text{第 } i \text{ 个省区市电力消耗}}{\sum_{i=1}^{30} \text{第 } i \text{ 个省区市电力消耗}} \right)$$

① E^3TS 指能源（energy）、经济（economics）、环境（environment）、技术（technology）、社会（society）五个维度。

经济绩效：经济绩效（C2）包括经济支持和经济贡献两个方面。可再生能源经济投资水平的高低刺激着可再生能源产业的发展潜力和市场占有率。可再生能源的利用不仅可以满足清洁能源的供应，还能支持可再生能源产业自身的经济可持续发展。因此，经济支持评估了能源结构相关的经济配置效率。经济贡献反映了可再生能源对区域经济增长的推动作用。经济准则评价指标具体如表 6-2 所示。

表 6-2　经济绩效指标

序号	一级准则	公式	单位	描述
C211	可再生能源行业投资占 GDP 比重[1)]	可再生能源行业投资/GDP		衡量与可再生能源有关的经济支出水平
C212	节能环保支出占公共预算支出比重	节能环保科学技术支出/公共预算支出		衡量可再生能源环保投入的经济支出水平
C221	可再生能源相关行业产值占 GDP 比重[2)]			衡量可再生能源行业产值占 GDP 的比重
C222	可再生能源发电企业售电收入占 GDP 比重	（可再生能源上网电量×平均上网电价[3)] ÷1.17）/GDP		衡量可再生能源电力企业收入对 GDP 增长的贡献

1）可再生能源行业投资由《中国统计年鉴 2015》分地区电力、蒸汽、热水生产和供应业投资数据替代

2）可再生能源行业产值根据各省份 133 家可再生能源相关产业上市公司营业收入汇总所得（http://quotes.money.163.com/f10/xjllb_002594.html#01c07）

3）平均上网电价来自《全国电力价格情况监管通报》

技术绩效：技术绩效（C3）包括技术支持和技术效果。可再生能源是一个资本密集型和技术密集型产业，需要大量的投资和高水平的技术创新。技术绩效与可再生能源研发投资、可再生能源研发人员数量、专利数量、发电技术效率密切相关。考虑到中国数据的可获得性，我们选择了研发投资占 GDP 比重、研发人员数量、单位投资可再生能源发电量（间接反映发电技术效率），以及输电线损率（反映传输技术）来评价技术效益。技术准则评价指标具体如表 6-3 所示。

表 6-3　技术绩效指标

序号	一级准则	公式	单位	描述
C311	研发人员数量		人	衡量可再生行业研发人员数量
C312	研发投资占 GDP 比重	研发投资÷GDP		衡量可再生行业研发的投资水平
C321	单位投资可再生能源发电量	RE 发电量÷RE 投资		衡量每单位 RE 投资生产可再生能源电力的水平
C322	输电线损率			衡量电力通过输电线路传输的损耗程度

环境绩效：环境绩效（C4）包括减排效果、空气质量和生态环境三个方面。可再生能源的发电过程更加清洁环保，不仅可以减少温室气体、化学需氧量（chemical oxygen demand，COD）、粉尘等污染物的排放，还可以减少煤炭开采导致的水资源消耗和环境破坏，改善了空气质量。因此，环境绩效主要是可再生能源开发利用对环境的影响。环境准则评价指标具体如表 6-4 所示。

表 6-4　环境绩效指标

序号	一级准则	公式	单位	描述
C411	单位 GDP CO_2 排放量		亿 t/亿元	可再生能源的开发和利用减少温室气体的排放的程度
C412	单位 GDP COD 排放量		亿 t/亿元	可再生能源的开发和利用减少环境中排放 COD 的程度
C413	单位 GDP 粉尘排放量		亿 t/亿元	可再生能源的开发和利用可以减少粉尘排放
C421	年平均 PM_{10} 浓度		$\mu g/m^3$	可再生能源的开发和利用改善年均 PM_{10}
C422	空气质量差天数		天	可再生能源的开发和利用对空气质量的改善程度
C431	节约用水量		万 m^3	可再生能源的开发利用有助于节约用水
C432	燃料节约量	本年燃料利用量–去年燃料利用量	万 t 标准煤	可再生能源的开发和利用可以减少大量化石燃料的利用

社会绩效：社会绩效（C5）包括就业和收入两个方面。中国区域可再生能源开发利用给水、电、气行业的社会就业和居民收入提供了巨大的推动作用。可再生能源产业快速发展的同时增加了就业岗位的数量。社会绩效解释了区域可再生能源开发利用对社会可持续发展的推动程度，主要评价了可再生能源对水、电、气行业的就业和居民收入产生的影响。社会准则评价指标具体如表 6-5 所示。

表 6-5　社会绩效指标

序号	一级准则	公式	单位	描述
C511	水、电、气供应行业从业人员比例	各省区市水、电、气供应行业城镇单位从业人员÷城镇单位就业人员		可再生能源产业的快速发展对中国各省区市就业的贡献
C521	水、电、气供应行业从业人员收入总额		元	可再生能源发展产业对水、电力和天然气产业居民收入的影响

可再生能源开发利用绩效评价指标如图 6-2 所示。

图 6-2　可再生能源开发利用综合绩效评价指标

6.2　绩效评估 ANP 方法

6.2.1　ANP 模型简介

可再生能源开发利用绩效评价是指按照一定的指标体系和统一的标准和程序，采用定量方法对可再生能源在一定时期内的开发能力和利用效率进行客观、准确、全面的评价。本节采用 ANP 对中国区域可再生能源开发利用绩效进行评价。ANP 是 Saaty（1996）基于 AHP 提出的，主要应用于不确定情况下，具有多个评估准则的决策问题。不同于 AHP，ANP 是一种更一般的决策形式，它不需要假设高层元素与低层元素及层内元素的独立性。在 ANP 中，因子和因子水平之间的相互依赖被定义为一种带有反馈的系统，但是 AHP 并不包含因子之间的反馈循环（Tseng et al.，2011）。此外，在实际求解过程中，AHP 可能会过度简化依赖关系或反馈关系的复杂性，导致评估结果产生偏差。ANP 允许可再生能源开发利用绩效评价指标之间存在相互影响和制约的关系。ANP 在解决多准则决策问题上是一种非常流行的方法（Atmaca and Basar，2012；Köne and Büke，2007）。由 6.1 节所述可知，能源、经济、环境、技术和社会准则之间存在着相互依赖的关系，而 AHP 方法无法捕捉到这些。因此，本节利用 ANP 来评价可再生能源开发利用的绩效。

ANP 由控制层和网络层两部分组成。控制层中的每个准则都是相互独立的，同时支配着相互依赖和反馈的网络系统。网络可以包含反馈关系和集群内部及集群之间复杂的相互关系（Saaty，1996）。网络系统中元素集中的元素可能会相互影响。元素集中的所有元素彼此互不隶属、互不独立，某一个元素可以影响整个网络系统中的任何其他元素，反之亦然。图 6-3 显示了具有相互依赖集群的网络模型。

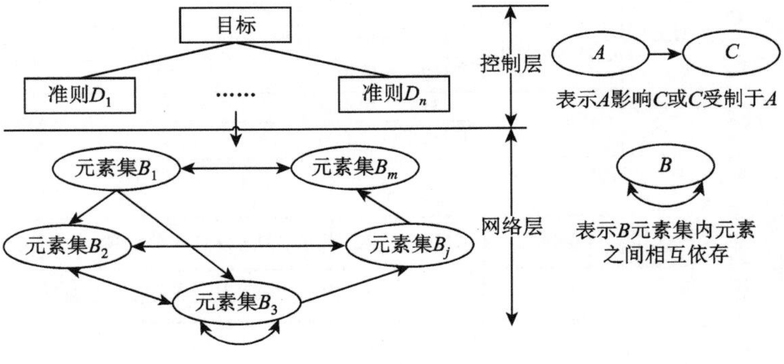

图 6-3　ANP 的典型结构模型

6.2.2　ANP 绩效评估步骤

1. 构造 0-1 因子间优势矩阵

为了确定图 6-2 所建立的可再生能源开发利用准则间的相关关系，我们咨询了十名可再生能源专家和可再生能源公司的管理人员（6.1 节中描述），对不同集群和元素进行两两比较，构造判断矩阵。本节使用 0-1 因子间优势矩阵来反映集群或元素之间的相关关系（Saaty，1996），根据一个元素是否对另一个元素产生影响而取值 1 或 0。可再生能源开发利用绩效评价体系的网络结构如图 6-4 所示。

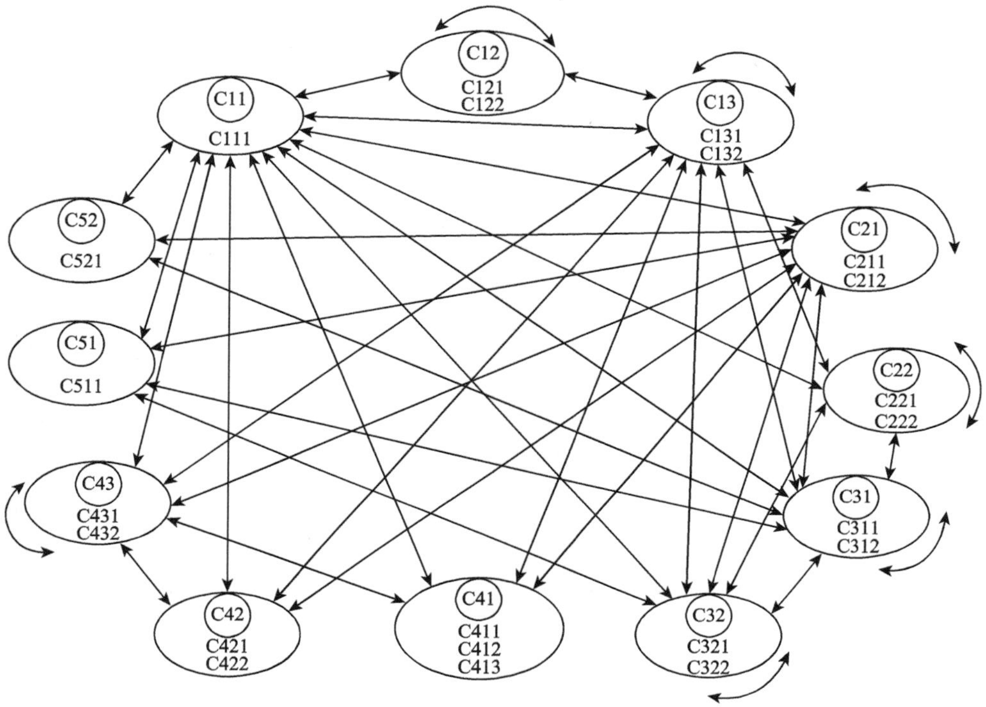

图 6-4　可再生能源开发利用绩效评价体系网络层次结构

2. 建立两两比较超矩阵

超矩阵表示矩阵中行元素对列元素的影响优先级。超矩阵的每一列未被归一化，进而构造一个未加权超矩阵 W 。可再生能源专家和可再生能源公司管理者通过对元素进行两两比较产生最终的评分。评分范围从 1 到 9，其中 1 表示两个元素同等重要，9 表示其中一个元素比另一个极端重要。

3. 建立加权超矩阵

在这一步中，将未加权的超矩阵乘以集群优势矩阵的权重获得加权超矩阵 $\bar{W}$ 。加权超矩阵见表 6-6。

表 6-6　加权超矩阵（ $\bar{W}$ ）

指标	C1					C2					C3					C4					C5	
C111	0	0.64	0.64	0.32	0.28	0.31	0.33	0.48	0.48	0.42	0.26	0.36	0	0.53	0.53	0.53	0.58	0.58	0.47	0.42	0.59	0
C121	0.21	0	0.26	0.21	0.19	0	0	0	0	0	0	0	0	0	0	0	0	0	0	0	0	0
C122	0.04	0.26	0	0.05	0.04	0	0	0	0	0	0	0	0	0	0	0	0	0	0	0	0	0

续表

指标	C1					C2					C3					C4					C5	
C131	0.03	0.03	0.03	0	0.18	0	0	0.05	0.05	0	0.07	0.19	0	0	0	0	0	0	0	0	0	0
C132	0.16	0.08	0.08	0.21	0	0	0	0.23	0.22	0	0.22	0.05	0	0.27	0.27	0.27	0.26	0.26	0.29	0.25	0	0
C211	0.14	0	0	0	0	0	0.24	0.16	0.16	0.08	0.05	0.03	0	0.02	0.02	0.02	0.02	0.02	0.03	0.03	0.11	0.5
C212	0.03	0	0	0	0	0.22	0	0	0	0.02	0.01	0.12	0	0.11	0.11	0.11	0.1	0.1	0.14	0.13	0.02	0
C221	0.01	0	0	0.02	0.01	0.06	0	0	0.09	0	0.07	0.01	0	0	0	0	0	0	0	0	0	0
C222	0.05	0	0	0.06	0.05	0.01	0	0.09	0	0	0.01	0.05	0	0	0	0	0	0	0	0	0	0
C311	0.02	0	0	0	0	0.02	0.03	0	0	0	0.1	0.02	0.17	0	0	0	0	0	0	0	0.05	0.1
C312	0.1	0	0	0	0	0.08	0.08	0	0	0.17	0	0.08	0.83	0	0	0	0	0	0	0	0.01	0.4
C321	0.09	0	0	0.12	0.11	0.14	0.15	0	0	0.04	0.03	0	0	0	0	0	0	0	0	0	0.03	0
C322	0	0	0	0	0	0	0	0	0	0.2	0.13	0.08	0	0	0	0	0	0	0	0	0.17	0
C411	0.02	0	0	0	0.03	0.03	0.04	0	0	0	0	0	0	0	0	0	0	0	0	0.04	0	0
C412	0	0	0	0	0.01	0.01	0.01	0	0	0	0	0	0	0	0	0	0	0	0	0.01	0	0
C413	0	0	0	0	0	0	0	0	0	0	0	0	0	0	0	0	0	0	0	0.01	0	0
C421	0.01	0	0	0	0.01	0.01	0.01	0	0	0	0	0	0	0	0	0	0	0	0	0.01	0	0
C422	0.02	0	0	0	0.03	0.03	0.03	0	0	0	0	0	0	0	0	0	0	0	0	0.05	0	0
C431	0.01	0	0	0	0.01	0.01	0.01	0	0	0	0	0	0	0	0	0	0	0	0	0.06	0	0
C432	0.02	0	0	0	0.03	0.03	0.03	0	0	0	0	0	0	0.07	0.07	0.07	0.05	0.05	0.07	0	0	0
C511	0.02	0	0	0	0	0.04	0.04	0	0	0.06	0.04	0	0	0	0	0	0	0	0	0	0	0
C521	0.02	0	0	0	0	0	0	0	0	0	0	0	0	0	0	0	0	0	0	0	0	0

4. 建立极限超矩阵

通过增加加权超矩阵 $\bar{W}$ 的幂次直到矩阵收敛或保持稳定，计算得到极限超矩阵，从而综合所有集群和元素之间的内部关系。极限超矩阵 $\bar{W}^{\infty}$ 见表 6-7。它代表全局优先向量，反映了网络结构中所有元素间相互依赖的关系。研究中的 ANP 的运算过程是使用软件 Super Decisions（www.superdecisions.com）确定的。

表 6-7　极限超矩阵（$\bar{W}^{\infty}$）

指标	C1					C2					C3					C4					C5	
C111	0.28	0.28	0.28	0.28	0.28	0.28	0.28	0.28	0.28	0.28	0.28	0.28	0.28	0.28	0.28	0.28	0.28	0.28	0.28	0.28	0.28	0.28
C121	0.10	0.10	0.10	0.10	0.10	0.10	0.10	0.10	0.10	0.10	0.10	0.10	0.10	0.10	0.10	0.10	0.10	0.10	0.10	0.10	0.10	0.10
C122	0.04	0.04	0.04	0.04	0.04	0.04	0.04	0.04	0.04	0.04	0.04	0.04	0.04	0.04	0.04	0.04	0.04	0.04	0.04	0.04	0.04	0.04
C131	0.05	0.05	0.05	0.05	0.05	0.05	0.05	0.05	0.05	0.05	0.05	0.05	0.05	0.05	0.05	0.05	0.05	0.05	0.05	0.05	0.05	0.05
C132	0.11	0.11	0.11	0.11	0.11	0.11	0.11	0.11	0.11	0.11	0.11	0.11	0.11	0.11	0.11	0.11	0.11	0.11	0.11	0.11	0.11	0.11

续表

指标	C1					C2					C3					C4					C5	
C211	0.07	0.07	0.07	0.07	0.07	0.07	0.07	0.07	0.07	0.07	0.07	0.07	0.07	0.07	0.07	0.07	0.07	0.07	0.07	0.07	0.07	0.07
C212	0.04	0.04	0.04	0.04	0.04	0.04	0.04	0.04	0.04	0.04	0.04	0.04	0.04	0.04	0.04	0.04	0.04	0.04	0.04	0.04	0.04	0.04
C221	0.02	0.02	0.02	0.02	0.02	0.02	0.02	0.02	0.02	0.02	0.02	0.02	0.02	0.02	0.02	0.02	0.02	0.02	0.02	0.02	0.02	0.02
C222	0.03	0.03	0.03	0.03	0.03	0.03	0.03	0.03	0.03	0.03	0.03	0.03	0.03	0.03	0.03	0.03	0.03	0.03	0.03	0.03	0.03	0.03
C311	0.02	0.02	0.02	0.02	0.02	0.02	0.02	0.02	0.02	0.02	0.02	0.02	0.02	0.02	0.02	0.02	0.02	0.02	0.02	0.02	0.02	0.02
C312	0.07	0.07	0.07	0.07	0.07	0.07	0.07	0.07	0.07	0.07	0.07	0.07	0.07	0.07	0.07	0.07	0.07	0.07	0.07	0.07	0.07	0.07
C321	0.06	0.06	0.06	0.06	0.06	0.06	0.06	0.06	0.06	0.06	0.06	0.06	0.06	0.06	0.06	0.06	0.06	0.06	0.06	0.06	0.06	0.06
C322	0.02	0.02	0.02	0.02	0.02	0.02	0.02	0.02	0.02	0.02	0.02	0.02	0.02	0.02	0.02	0.02	0.02	0.02	0.02	0.02	0.02	0.02
C411	0.01	0.01	0.01	0.01	0.01	0.01	0.01	0.01	0.01	0.01	0.01	0.01	0.01	0.01	0.01	0.01	0.01	0.01	0.01	0.01	0.01	0.01
C412	0.01	0.01	0.01	0.01	0.01	0.01	0.01	0.01	0.01	0.01	0.01	0.01	0.01	0.01	0.01	0.01	0.01	0.01	0.01	0.01	0.01	0.01
C413	0.00	0.00	0.00	0.00	0.00	0.00	0.00	0.00	0.00	0.00	0.00	0.00	0.00	0.00	0.00	0.00	0.00	0.00	0.00	0.00	0.00	0.00
C421	0.01	0.01	0.01	0.01	0.01	0.01	0.01	0.01	0.01	0.01	0.01	0.01	0.01	0.01	0.01	0.01	0.01	0.01	0.01	0.01	0.01	0.00
C422	0.01	0.01	0.01	0.01	0.01	0.01	0.01	0.01	0.01	0.01	0.01	0.01	0.01	0.01	0.01	0.01	0.01	0.01	0.01	0.01	0.01	0.01
C431	0.00	0.00	0.00	0.00	0.00	0.00	0.00	0.00	0.00	0.00	0.00	0.00	0.00	0.00	0.00	0.00	0.00	0.00	0.00	0.00	0.00	0.00
C432	0.02	0.02	0.02	0.02	0.02	0.02	0.02	0.02	0.02	0.02	0.02	0.02	0.02	0.02	0.02	0.02	0.02	0.02	0.02	0.02	0.02	0.02
C511	0.02	0.02	0.02	0.02	0.02	0.02	0.02	0.02	0.02	0.02	0.02	0.02	0.02	0.02	0.02	0.02	0.02	0.02	0.02	0.02	0.02	0.02
C521	0.01	0.01	0.01	0.01	0.01	0.01	0.01	0.01	0.01	0.01	0.01	0.01	0.01	0.01	0.01	0.01	0.01	0.01	0.01	0.01	0.01	0.01

5. 计算综合绩效

可再生能源利用绩效指标体系中三级指标权重显示了网络层中每个元素的相对重要性，代表专家对各元素给出的重要性判断。权值越高，表示该指标在绩效评价体系中就越重要。可再生能源绩效评价指标权重如表 6-8 所示。

表 6-8　准则与指标及其权重

一级准则	权重	二级指标	权重	三级指标	权重
C1 能源绩效	0.584	C11	0.280	C111	0.280
		C12	0.140	C121	0.100
				C122	0.040
		C13	0.164	C131	0.053
				C132	0.111
C2 经济绩效	0.160	C21	0.110	C211	0.071
				C212	0.039
		C22	0.050	C221	0.019
				C222	0.031

续表

一级准则	权重	二级指标	权重	三级指标	权重
C3 技术绩效	0.169	C31	0.087	C311	0.021
				C312	0.066
		C32	0.082	C321	0.062
				C322	0.020
C4 环境绩效	0.065	C41	0.019	C411	0.013
				C412	0.004
				C413	0.002
		C42	0.026	C421	0.013
				C422	0.013
		C43	0.020	C431	0.005
				C432	0.015
C5 社会绩效	0.022	C51	0.015	C511	0.015
		C52	0.007	C521	0.007

本节采用线性加权函数法［式（6-1）］计算可再生能源开发利用的总体综合绩效：

$$P=\sum_{j=1}^{n} y_{ij}\cdot \overline{w}_{ij}^{\infty} \tag{6-1}$$

其中，P 是可再生能源开发利用绩效；$\overline{w}_{ij}^{\infty}$ 是准则层 i 中第 j 个指标所占的权重；y_{ij} 是标准化之后的值。

6.3　中国省域可再生能源开发利用绩效评估

6.3.1　数据管理

根据 6.2 节，可再生能源开发利用绩效评价指标数据来源如下。能源指标数据来源于《中国统计年鉴》(2012～2019 年)、《中国电力统计年鉴》(2012～2019 年)、《中国能源统计年鉴》（2012～2019 年）、《中国可再生能源展望 2017》。经济指标数据来源于在上海和深圳证券交易所上市的风能、光伏和生物质能概念板块的年报及《全国电力价格情况监管通报》。环境指标数据主要来源于《中国环境统计年鉴》（2012～2019 年）。其他指标数据来自中国和省级统计年鉴。为了方便起见，所有的货币指标（如 GDP 和电力销售收入）都转化为 2011 年不变价格。

指标可以是正向指标（效益类型、产出类型），也可以是负向指标（成本类型、投资类型）。由于各指标值统计单位和量纲不同，本节采用最大最小差异归一化方法使指标无量纲化。式（6-2）、式（6-3）分别用于正向指标和负向指标数据的无量纲化：

$$y_{ij} = \frac{x_{ij} - x_j^{\min}}{x_j^{\max} - x_j^{\min}} \tag{6-2}$$

$$y_{ij} = \frac{x_j^{\max} - x_{ij}}{x_j^{\max} - x_j^{\min}} \tag{6-3}$$

其中，x_{ij} 是第 i 集群的第 j 个指标的原始值；y_{ij} 是标准化后的指标值；其中 $x_j^{\min}$ 和 $x_j^{\max}$ 是第 j 个指标的最小值和最大值。

6.3.2 绩效评估结果

1. 历年可再生能源开发利用综合绩效

根据式（6-2）和式（6-3），本节对 30 个省区市 2011～2018 年的每个指标数据（150 个）统一无量纲化。对每个指标赋予相应的权重后（表 6-8），将每年 30 个省区市的绩效值求和得到 2011～2018 年 30 个省区市的总体绩效，如图 6-5 所示。30 个省区市的综合绩效由 2011 年的 8.7202 提高到 2018 年的 10.5208，增长 20.6%。能源绩效（C1）的增长速度最快，从 2011 年的 5.7414 上升为 2018 年 7.3459，上升了 27.9%。近年来，为了应对能源紧缺及环境污染等问题，中国政府大力发展可再生能源。这使得可再生能源发电装机总量从 2011 年 2.79 亿 kW 增加到 2018 年 7.28 亿 kW，增长了 160.9%；可再生能源发电量从 2011 年 0.77 万亿 kW·h 上升为 2018 年 1.87 万亿 kW·h，增长了 142.9%。可再生能源发电装机容量占全部电源装机容量比例（C111）的绩效值从 2011 年的 2.69 提高 2018 年的 3.67，提高了 36.4%。除了能源绩效外，技术绩效（C3）增长幅度最大。技术绩效从 2011 年的 0.9235 增长到 2018 年的 1.1704，增幅为 26.7%。技术是发展可再生能源的重要因素。为克服技术瓶颈，中国政府在 2011 年《可再生能源发展“十二五”规划》中宣布，加大可再生能源产业发展力度，加强技术研发人才培养。这使得研发人员数量（C311）增加了 13.0%，从 2011 年的 2 638 247 人增长为 2018 年 2 980 907 人。此外，研发投资占 GDP 比重（C312）也有所增加，绩效值从 2011 年的 0.4986 提高到 2018 年的 0.6213，提高了 24.6%。其研发投资从 2011 年的 5994 亿元增长为 2018 年 12 954 亿元，增长了 116%。经济绩效从 2011 年的 0.7839 下降为 2018 年的 0.7212，下降了 8.0%。这主要是因为可再生能源相关行业产值占 GDP 比重（C221）的绩效值从 2011 年的 0.0652 下降为 2018 的 0.0560，下降了 14.1%。环境绩效从 2011 年的 1.0768 下降为 2018 年的 1.0530，下降了 2.2%。这主要是因为 2018 年 30 个省区市空气质量差天数（C422）总和比 2011 年的空气质量差天数（C422）总和增加了 1.9 倍。

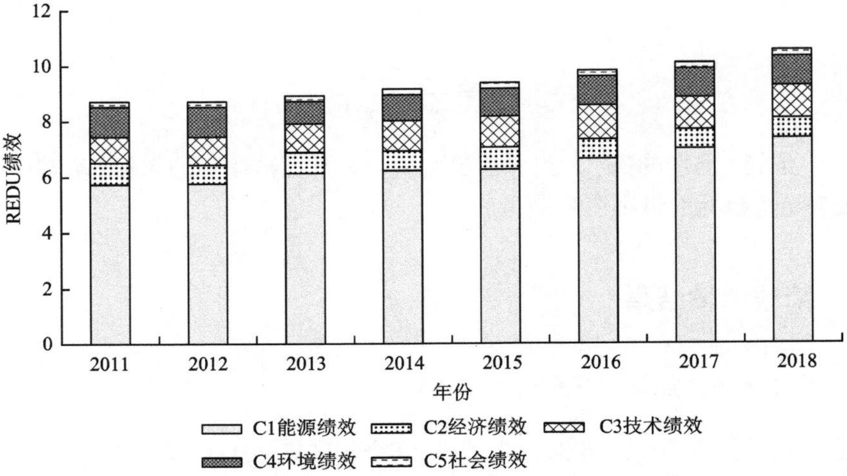

图 6-5　全国 30 个省区市 2011～2018 年整体可再生能源开发利用绩效变化

如图 6-6 所示，2011～2018 年，青海、云南、四川的可再生能源开发利用综合绩效一直位居全国前三。从图 6-7 可以看出，河北和安徽的可再生能源绩效明显上升。虽然大部分省区市的综合绩效都有不同程度的提高，但有 5 个省区市的综合绩效有所下降。其中，河北的可再生能源开发利用综合绩效从 2011 年的 0.1834（排名 29）到 2018 年的 0.3258（排名 16），增长了 77.6%，是 30 个省区市中绩效提升最高的省份。这主要得益于能源绩效和经济绩效的增长，分别增长了 118% 和 102%，在 30 个省区市中增速分别居第一名和第三名。其能源绩效从 2011 年的 0.0958 增长为 2018 年的 0.2093；经济效益从 2011 年的 0.0191 增长为 2018 年的 0.0385。2011～2018 年，河北政府鼓励民间资本建设风能、太阳能、生物质能等新能源发电，支持民间资本参与水电站建设，积极拓展民间投资领域。河北省可再生能源发电企业售电收入占 GDP 比重（C222）和可再生能源占一次电力消费总量比重（C132）在经济和能源绩效中显著提高。据统计，可再生能源发电企业售电收入占 GDP 的比重从 2011 年的 0.2%上升到 2018 年的 0.7%，可再生能源占一次电力消费总量比重从 2011 年的 1.1%上升到 2018 年的 4.1%。随着可再生能源装机容量的增加和可再生能源消费比重的提高，可再生能源发电量不断增加，可再生能源发电企业售电收入比重也随之提高。

安徽可再生能源开发利用综合绩效从 2011 年的 0.2133（排名 25）到 2018 年的 0.3339（排名 15），增长了 56.5%。这主要得益于其能源绩效增长了 75.5%，增速居全国第四名；经济绩效增长率 69.0%，增速居全国第六名。由于充足的资源潜力和国家政策支持，单位投资可再生能源发电量（C321）从 2011 年的 3.7kW·h/元上升到 2018 年的 12.3kW·h/元。另外，2011～2018 年可再生能源装机容量年均增长率为 34.9%，这也是安徽可再生能源综合绩效大幅提升的重要原因。

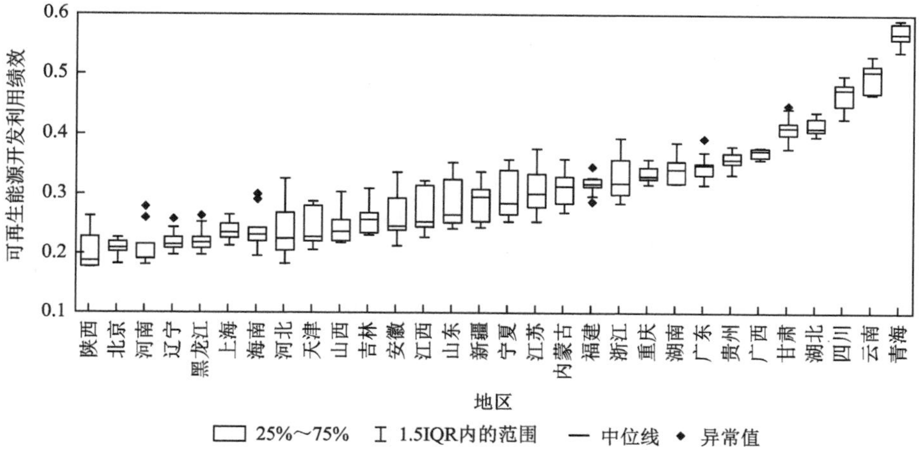

图 6-6　中国省域间可再生能源开发利用综合绩效（2011～2018 年）

IQR（interquartile range），是箱体范围，表示 1/4 分位和 3/4 分位的差值

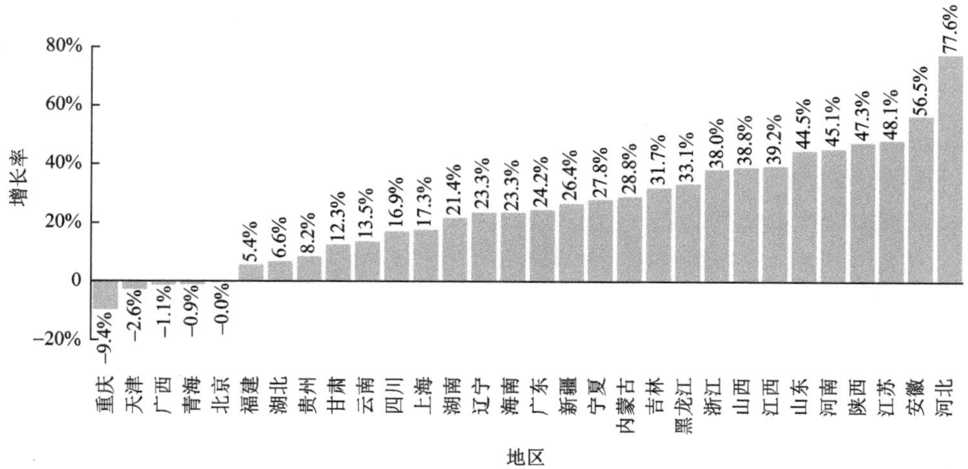

图 6-7　中国 30 个省区市 2011～2018 年可再生能源开发利用综合绩效增长率

重庆和天津的可再生能源开发利用绩效明显下降。虽然政府对可再生能源发展的支持政策没有变化，但在前期抢占资源制高点后，投资者回归理性。加

之，受中国经济增速放缓的整体影响，一些省区市的可再生能源投资增速下滑，装机增速回落，从而导致了部分省区市可再生能源绩效下降。2011～2018 年，重庆可再生能源开发利用综合绩效降幅最大，综合绩效从 2011 年的 0.3583（排名 7 位）下降到 2018 年的 0.3245（第 17 位），下降了 9.4%。这主要是由于能源绩效从 2011 年的 0.2643 下降到 2018 年的 0.2216，下降了 16.2%。可再生能源发电装机容量增长速度（C121）从 2011 年的 12.5%下降到 2018 年的 3.0%，下降了 76.0%。此外，经济绩效的各分项指标也出现下降趋势，导致经济绩效下降了 10.3%。其中，可再生能源发电企业售电收入占 GDP 比重（C222）下降幅度最大，为 14.2%。

天津综合绩效从 2011 年的 0.2877（排名 12）下降到 2018 年的 0.2803（排名 24），下降了 2.6%。这主要是由于能源和环境绩效下降，分别下降了 4.0%和 17.6%。天津市可再生能源发电装机容量增长速度（C121）从 2011 年的 250.0%下降到 2018 年的 76.6%，下降了 69.4%。装机容量增长率的下降，间接导致了单位 GDP CO_2 排放量（C411）、单位 GDP COD 排放（C412）、单位 GDP 粉尘排放量（C413）的增加和燃料节约量（C432）的减少。天津供电侧主要以燃煤发电为主（2018 年占 97.6%），目前可再生能源发展空间不足。然而，在中国的能源转型过程中，越来越多的小型或低效的燃煤电厂将被关闭。可再生能源的开发利用可以满足新的能源需求增长，取代燃煤发电厂。

2. 省域间可再生能源开发利用综合绩效

在 30 个省区市 2011～2018 年可再生能源开发利用绩效纵向比较的基础上，以 2018 年为例，本章进一步比较 30 个省区市横向绩效差异。由图 6-8 可知，30 个省区市可再生能源开发利用平均绩效为 0.3507。得分最高的三个省份为青海、云南和四川；绩效评分后三名的省市为北京、辽宁和陕西。综合绩效评分最高的青海（0.5862）比最低的北京（0.2200）高 1.7 倍。

进一步分析可知，绩效最高的省份可再生能源的装机容量和售电收入占比高。青海能源绩效和经济绩效居全国第一，使得其可再生能源开发利用综合绩效评分达到了 0.5862。在能源绩效方面，由于有足够的可再生能源资源和“金太阳示范项目[①]”的资金支持，2018 年青海省可再生能源发电装机容量为 2800 万 kW，可再生能源发电装机容量占全部电源装机容量比例（C111）高达 86.5%，全国最高；该省可再生能源占一次电力消费总量比重（C132）为 20.5%，居于全国第 5。在经济绩效方面，青海省可再生能源发电企业售电收入占 GDP 比重（C222）为 7.6%，居于各省之首；可再生能源行业投资占 GDP 比重（C211）为 2.1%，全国最高。

① 2009～2013 年，青海省获得“金太阳示范工程”的资助，总共接受投资 18 亿元。

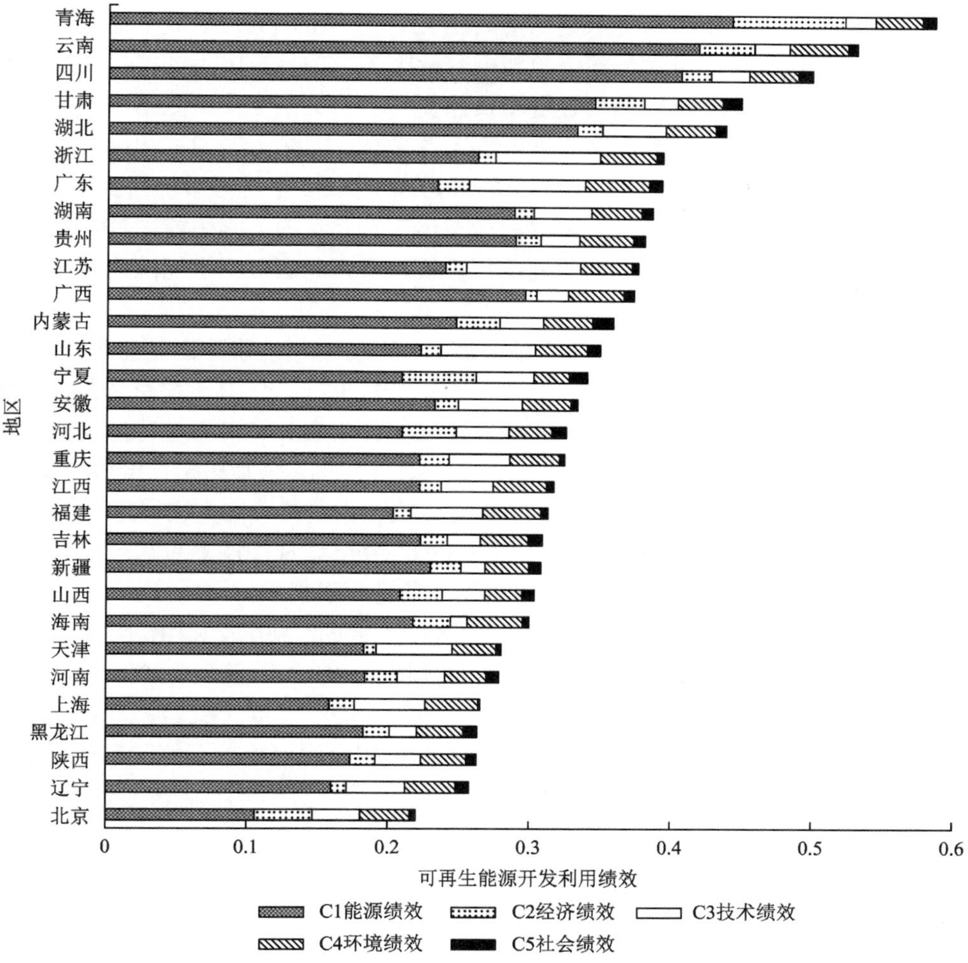

图 6-8　中国 30 个省区市可再生能源开发利用综合绩效（2018 年）

云南（排名第 2）和四川（排名第 3）可再生能源开发利用综合绩效评分分别为 0.5311 和 0.5000。能源绩效方面，两地区可再生能源发电装机容量占全部电源装机容量比例（C111）分别为 84.0%和 84.4%，分别排 30 个省区市的第 2 名和第 3 名；特别是这两个省份水电装机占全部电源装机容量比例较高（84.8%和 94.2%）。在经济绩效方面，云南和四川可再生能源行业投资占 GDP 比重（C211）分别为 1.6%和 0.3%，分别居全国第二位和第七位；可再生能源发电企业售电收入占 GDP 比重（C222）也较高，分别为 2.7%和 1.9%。

2018 年，在 30 个省区市中，北京（排名第 30）的可再生能源开发利用绩效评分为 0.2200，全国最低。北京综合绩效评分低的主要原因是能源绩效评分低。

其可再生能源占一次电力消费总量比重（C132）仅为 0.61%，远低于其他地区；可再生能源发电装机容量占全部电源装机容量比例（C111）仅为 14.0%，居全国倒数第三；可再生能源发电装机容量增长速度（C121）居全国倒数第 10。此外，经济绩效中的可再生能源发电企业售电收入占 GDP 比重（C222）和可再生能源行业投资占 GDP 比重（C211）2018 年的数据在全国 30 个省区市均列倒数第一。北京是中国的首都，它需要安全可靠的能源供应。北京的可再生能源具有不连续及不确定的特点。如果没有足够的发电厂进行调峰，北京可再生能源的发展将受到限制。

辽宁省可再生能源开发利用综合绩效低的（第 29 位）主要原因是能源绩效低。可再生能源占一次电力消费总量比重（C132）仅为 3.2%，仅高于北京和陕西。可再生能源发电装机容量占全部电源装机容量比例（C111）和可再生能源发电装机容量增长速度（C121）的增长率分别为 26.5%和 10.7%，分别居全国倒数第 10 名和倒数第 11 名。在经济绩效方面，节能环保支出占公共预算支出比重（C212）为 1.7%，居全国倒数第二。2018 年，辽宁 GDP 增长率为 8.0%，位居全国倒数第 9。经济放缓导致辽宁可再生能源的投资和开发受到限制。

综合绩效排名倒数第三的陕西（排名 28）可再生能源开发利用综合绩效评分为 0.2631。其可再生能源占一次电力消费总量比重（C132）仅为 2.2%，仅高于北京。经济绩效方面，可再生能源相关行业产值占 GDP 比重（C221）和可再生能源发电企业售电收入占 GDP 比重（C222）分别居全国倒数第五位和第十一位。此外，环境绩效方面，年平均 PM_{10} 浓度（C421）排名倒数第四及空气质量差天数（C422）排名倒数第五。

6.3.3　政策建议

根据对中国 2011～2018 年各地区可再生能源开发利用绩效的评价结果，本节提出建议如下。

（1）整体上中国各区域需继续扩大科技研发人员数量，特别是可再生能源相关的技术人员，进一步提高能源技术绩效。可再生能源产业属于科技密集型产业，需要一定的研发人员才能更好地开发和利用。受益于研发人员的增长，2011～2018 年中国各地区可再生能源开发利用绩效总和逐步增长。因此，为进一步从整体上提高各区域绩效，需要继续增加研发技术人员数量，特别是青海、云南、甘肃等西部地区。

（2）适度加快可再生能源开发利用综合绩效降低幅较大的地区的可再生能源装机容量。2011～2018 年绩效降幅较大的地区，如天津、海南、重庆等区域，其可再生能源发电装机容量增速和可再生能源发电量增速均较低，甚至出现负增长，影响其能源绩效和技术绩效。

（3）提高可再生能源开发利用综合绩效低的地区的可再生电力消纳能力。综合绩效评分较低的地区，如辽宁、陕西、北京等，其可再生能源占一次电力消费总量比重比较低。因此，地方政府需逐步降低上述地区可再生能源消费，提高可再生能源开发利用绩效。

6.4　本 章 小 结

本章采用 ANP 方法，考虑了可再生能源开发利用绩效评价中能源、经济、技术、环境和社会 5 个一级绩效指标及 22 个子指标之间的相互影响、相互制约关系，构建了绩效综合评价模型，对中国 30 个省区市的开发利用绩效展开评价。研究发现如下。

（1）2011～2018 年，中国 30 个省区市的可再生能源开发利用综合绩效总体提升。由评价结果可知，2011 年所有省区市的可再生能源开发利用总绩效为 8.7202，逐步提高到 2018 年的 10.5208。特别是能源绩效和技术绩效的大幅度提高。青海、云南、四川的可再生能源开发利用综合绩效排名前三，然而北京、辽宁排名最低。2011～2018 年，青海、云南和四川的可再生能源开发利用综合绩效在 0.43～0.59，综合绩效排名最高。北京、陕西和辽宁的可再生能源开发利用综合绩效处于 0.18～0.28。

（2）2011～2018 年，河北和安徽的可再生能源开发利用绩效明显上升而重庆和天津的绩效则明显下降。由于可再生能源行业投资占 GDP 比重和可再生能源占一次电力消费总量比重大幅度增加，河北和安徽的绩效分别提高了 77.6%和 56.5%。排名分别从 2011 的 29 位和 25 位上升到 2018 年的第 16 位和第 15 位。能源绩效的相对下降，使得重庆和天津的绩效分别下降 9.4%和 2.6%。

（3）可再生能源装机容量是影响可再生能源开发利用综合绩效评分的关键因素。2018 年，绩效评分最高的青海、云南和四川，它们的可再生能源的装机容量占比和售电收入占比等指标在 30 个省区市中排名均靠前。可再生能源利用综合绩效评分排名靠后的省份，其可再生能源发电装机量占全部电源装机容量比例和可再生能源发电企业售电收入占 GDP 比重都较低。

第 7 章　可再生能源开发利用对经济增长的影响

7.1　可再生能源发展与经济增长现状

统计数据显示，1990～2019 年中国的可再生能源发电装机量和 GDP（2010 年不变价）变化情况如图 7-1 所示。中国经济实现了迅速增长，GDP（2010 年不变价）从 1990 年的 5.614 万亿元增至 2019 年的 78.035 万亿元，年均增长 9.5%。同时期，中国可再生能源装机量由 36.05GW 到 771.75GW，年均增长 11.1%。2019 年，全国可再生能源发电装机容量占总电力装机容量的 38.4%，其中水电、风电、太阳能发电装机容量占比分别为 17.8%、10.4%、10.2%。太阳能发电装机量增速最快，从 2011 年的 2.22GW 迅速增至 2019 年的 204.18GW，年均增长 76.0%。1990～2019 年水电装机容量增速最缓慢，从 36.05GW 增至 358.04GW，年均增长 8.2%。这表明可再生能源的清洁能源替代作用日益突显。

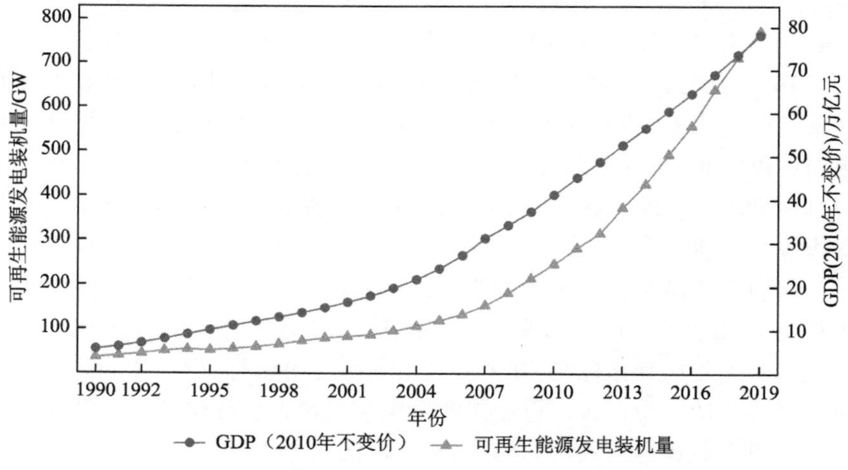

图 7-1　GDP 和中国可再生能源发电装机量

在分省域 GDP 增速上，1990～2019 年各省区市的 GDP（2010 年不变价）都实现了超过 9.0%的增幅。如图 7-2 所示，内蒙古的 GDP（2010 年不变价）增速最快，从 2000 年的 23.56 亿元增至 2018 年的 221.00 亿元，年均增速高达 13.2%；辽宁的增速最慢，年均增速仅为 9.5%。从经济总量上看，广东的 GDP（2010 年不变价）年均水平最高，为 441.59 亿元，2018 年达到 853.81 亿元。2000～2018 年，除了北京、吉林、浙江、福建、湖南、广东、广西等 7 个省区市外，其他省区市的可再生能源发电装机量都实现了超过 10.0%的增幅。江苏的可再生能源装机量增速最快，从 2000 年的 3.36 万 kW 迅猛增至 2018 年的 2471 万 kW，年均增长 44.3%。可再生能源发电装机量最高的地区是四川，2018 年达到 8258 万 kW；天津的可再生能源发电装机量水平最低，年均 27.22 万 kW。

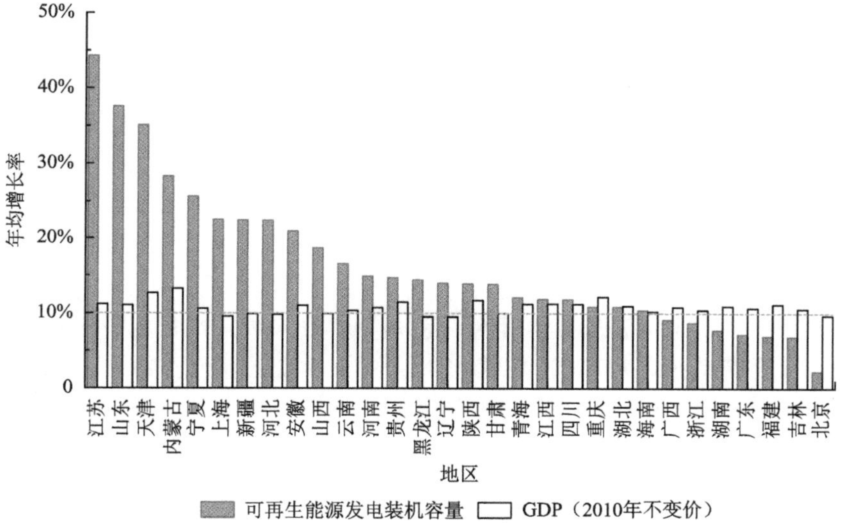

图 7-2　2000～2018 年中国 30 个省区市可再生能源发电装机容量和 GDP（2010 年不变价）的年均增长率

可再生能源发电装机量与 GDP 之间存在相互影响的密切联系。可再生能源是一种自然资源，具有更容易获得和可持续的特性，能够实现经济、社会和环境的平衡发展（Rafindadi and Ozturk，2017）。作为新兴的绿色产业，可再生能源产业提供了一种可持续经济发展模式，可以在一定程度上解决或者限制化石能源消费导致的气候变化、健康问题、能源安全、经济损失等负面影响，有益于技术经济效率提高和环境成本下降（Rafique et al.，2021；Wang Q and Wang L，2020b）。

7.2　可再生能源发展对经济增长影响的实证模型与数据

7.2.1　可再生能源发展对经济增长影响模型构建

根据增长假设，可再生能源的发展调整了能源结构，替代了部分不可再生能源，有助于推动 GDP 增长（Alam et al.，2012；Wang et al.，2019b）。经济发展影响可再生能源技术开发和创新的外部条件，如科研团队、科研经费、配套设施等，以及内部条件，如环保价值、专业知识储备等。这些硬件和软件基础降低了可再生能源转型的经济成本。经济发展水越高，其相应的科研投入和产出，以及教育投入都更加丰富。这增加了高新技术人才的吸引力，推动了可再生能源技术进步，进一步拓展了可再生能源消费转型的深度和广度。因此，经济发展水平高的省依靠可再生能源开发和技术创新的优势，具备更低的可再生能源消费的经济成本。

已有的研究大多采用柯布-道格拉斯生产函数模型来考察经济增长的影响因素。随着全球经济的不断发展，能源资源已成为决定经济增长的要素之一，能源要素被视为重要的生产要素，与其他要素一起纳入生产函数模型（齐绍洲和李杨，2017）。低碳转型使可再生能源在经济增长中的作用日益增强。因此，本节以柯布-道格拉斯生产函数模型为基础，研究可再生能源发展对经济增长的影响。该模型的一般形式为

$$Y_t = A_t K_t^{\alpha} L_t^{\beta} \tag{7-1}$$

其中，Y 是产出水平；L 是劳动投入；K 是资本投入；α 是资本投入对产出的贡献份额；β 是劳动投入对产出的贡献份额；常数 A 是技术水平；t 是时间。

为了消除异方差的影响并估算变量之间的弹性经济含义，研究对式（7-1）两边取对数，得到如式（7-2）所示的回归方程：

$$\ln \mathrm{GDP}_{it} = \beta_0 + \beta_1 \ln \mathrm{TE}_{it} + \beta_2 \ln \mathrm{CA}_{it} + \beta_3 \ln \mathrm{LA}_{it} + \mu_{it} \tag{7-2}$$

其中，β_0 是常数项；μ_{it} 是随机误差项；i 是截面单位数；GDP 是经济增长；TE 是技术创新；CA 是资本投入；LA 是劳动力投入。此外，由于可再生能源的发展有利于产业结构升级，从而促进经济绿色可持续增长。因此，根据理论模型，研究进一步引入可再生能源发展构建出如式（7-3）所示的计量模型：

$$\ln \mathrm{GDP}_{it} = \beta_0 + \beta_1 \ln \mathrm{TE}_{it} + \beta_2 \ln \mathrm{CA}_{it} + \beta_3 \ln \mathrm{LA}_{it} + \beta_4 \ln \mathrm{REG}_{it} + \mu_{it} \tag{7-3}$$

其中，REG 是可再生能源开发水平。

7.2.2 数据管理

本节构建的模型以人均 GDP（PGDP）作为被解释变量。解释变量除了包含可再生能源发电量（REG）（用来表征可再生能源的开发水平），还包含技术创新（TE）、资本投入（CA），以及劳动力投入（LA）等变量。

其中，研究选取人均 GDP 作为因变量来衡量各地区经济发展水平。地方经济发展水平是指一定地区经济发展的规模、速度和所达到的水准。同时，研究以 2010 年为基期，通过 GDP 平减指数折算成不变价格表示 GDP。

可再生能源开发利用水平的不断提高，不仅打破了传统能源生产和消费的总体格局，还可能影响与可再生能源有关的制造业、电力部门等产业的经济效益。本节选取了可再生能源发电量作为表征可再生能源开发水平的指标。从电力的供给与生产视角来看，可再生能源发电越多，意味着可再生能源的开发水平越高。研究通过加总各省水电、风电、光伏和生物质能发电五种可再生能源的发电量得到各省份可再生能源发电量，用以衡量可再生能源的生产规模。

资本投入用来表示社会资本投入，通过永续盘存法测算的样本期资本存量衡量。研究参考张军等（2004）计算资本存量的方式，以 2004 年为基期，通过永续盘存法推算出 2005～2018 年资本存量。同时用各省固定资产价格指数调整各年投资，折算成以 2010 年为基期的不变价实际值。其中，固定资本投资采用全社会固定资本投资来衡量；价格指数采用全社会固定资产价格指数；折旧率借鉴张军等（2004）测算的固定资本折旧率，假定折旧率为 9.6%。

技术创新采用各省发明专利授权量衡量。根据相关的经济增长理论可知，知识积累、科技进步和高素质的人力资本能够创造规模收益递增效应，从而实现经济的可持续增长。技术创新在经济增长中发挥着越来越重要的作用，将作为经济增长的引擎。技术创新能力的增强，不仅能推动经济的增长，更能推动经济的优质增长。

劳动力投入采用中国各省份从业人员数衡量。该指标用来表示社会人力资本投入的情况。

各变量定义及描述性统计分析如表 7-1 所示。

表 7-1　解释变量与其含义

变量	名称	定义
PGDP	人均 GDP	GDP 除以总人口（常住口径）
TE	技术水平	发明专利授权量/件
CA	资本投入	地区资本存量
LA	劳动力投入	地区从业人员数量
REG	可再生能源发电量	水电、风电、光伏和生物质能发电的发电量之和

由于西藏缺失与能源相关的数据，故本节选取的研究对象将其排除在外，仅包含中国 30 个省区市。其中，可再生能源的发电量涉及的分省的不同种类发电量数据均通过《中国电力统计年鉴》得到。人均 GDP 直接由《中国统计年鉴》获得。需要注意的是，GDP 数据需要相应调整为 2010 年可比价。劳动力投入及资本投入的原始数据来源于历年各省份统计年鉴。技术水平数据来源于中国研究数据服务（Chinese Research Data Services，简称 CNRDS）平台。

7.3　可再生能源发展对经济增长的实证证据

7.3.1　单位根检验与面板协整检验

序列的非平稳性可能导致最终结果出现“伪回归”，降低估计的可信度。因而在进行正式回归之前，先需要进行单位根检验，只有保证所有变量都是同阶单整，证明变量的平稳性，才能避免出现“伪回归”的问题。研究先对模型中包含的各项变量：人均 GDP、技术水平、资本投入、劳动力投入、可再生能源发电量分别进行单位根检验。

常用的面板单位根检验有 LLC（Levin-Lin-Chu）（Levin et al.，2002）、IPS（Im，Pesaran and Shin）（Im et al.，2003）、Fisher-ADF（Augmented Dickey-Fuller）和 Fisher-PP（Phillips and Perron）（Choi，2001）等，这些检验方法假设截面是相互独立的，被称为第一代面板单位根检验。Pesaran 认为截面的相互依赖可能会导致严重尺寸扭曲和信力下降（Pesaran，2007）。因此面板单位根若忽视截面相关的存在，可能会导致判断出现偏差。因而第二代面板单位根检验开始考虑解决截面相关带来的影响。

本节在进行面板单位根检验之前先采用 Pesaran 的截面相关（cross-sectional dependence，CD）检验（Pesaran，2004）方法检验各序列是否存在截面相关。其统计量如式（7-4）所示：

$$\mathrm{CD}=\sqrt{2T/N(N-1)}\left(\sum_{i=1}^{N-1}\sum_{j=i+1}^{N}\hat{\rho}_{ij}\right) \tag{7-4}$$

其中，样本相关系数 $\hat{\rho}_{ij}$ 是通过 OLS 回归得到的扰动项相关系数。

截面相关的结果如表 7-2 所示。我们可以发现每个变量都在 1%的显著性水平下拒绝截面相互独立的原假设，这意味着面板在进行单位根检验时，截面相关是一个不容忽视的问题。

表 7-2　截面相关和单位根检验结果

变量	CD 检验	CIPS 单位根检验	
		水平	一阶差分
lnPGDP	77.75***	−0.051	−2.176***
lnTE	74.79***	−1.225	−3.349***
lnCA	77.44***	0.027	−2.365***
lnLA	54.06***	0.070	−1.952***
lnREG	36.04***	−1.905***	−2.365***

注：截面相关检验的原假设为不存在截面相关，CIPS 单位根检验原假设为存在单位根。CIPS 统计量在 1%、5%和 10%显著性水平下对应的临界值分别为−1.77、−1.58 和−1.48

***表示在 1%显著性水平下拒绝原假设

由于每个变量都表现出截面相互依赖的特质，本节通过允许截面相关存在的 CIPS 面板单位根检验（Pesaran，2007）对各序列的平稳性进行检验。CIPS 检验是在面板 IPS 检验的基础上，先考虑将截面均值滞后项及差分项代入到第一步的 CADF（cross-sectionally augmented DF）回归中，并得到每个截面的 CADF 统计量 $t_i(N,T)$，即

$$t_i(N,T)=\frac{\Delta y_i'\bar{M}_w y_{i,t-1}}{\hat{\sigma}_i(y_i'\bar{M}_w y_{i,t-1})^{1/2}} \tag{7-5}$$

此外，$\hat{\sigma}_i^2=\dfrac{\Delta y_i' M_i \Delta y_i}{T-4}$，$\bar{M}_w=I_T-\bar{W}(\bar{W}'\bar{W})^{-1}$，$\bar{W}=(\tau,\Delta\bar{y},\bar{y}_{t-1})$，$\tau=(1,1,\cdots,1)'$。其中，$\Delta$ 是差分；$\bar{y}$ 和 y_{t-1} 分别是矩阵向量 y 的截面均值和滞后一期。

将各个截面的 t_i 进行平均则进一步得到 CIPS 统计量，如式（7-6）所示：

$$\text{CIPS}=\frac{1}{N}\sum_{i=1}^{N}t_i(N,T) \tag{7-6}$$

CIPS 检验的原假设为面板包含单位根，拒绝原假设意味着序列平稳，检验结果展示在表 7-2 中。如表 7-2 所示，除了可再生能源发展变量，其余变量的原始序列不平稳，但对数据进行一阶差分处理后都在 1%显著性水平下拒绝了不平稳的原假设，即模型中包含的各变量均为一阶单整。

单位根检验结果显示除了可再生能源发展变量以外，其余变量在原始水平下都为不平稳序列，但在表明这些变量都为同阶单整的前提下，研究可以通过面板协整检验判断非平稳序列之间是否存在着长期稳定的均衡关系。假设协整检验结果显示各变量存在共同的随机性趋势，这将修正“非平稳”给回归带来的影响，使结果更可靠。

由于原序列不平稳，为了确定变量之间是否存在长期稳定的协整关系以使得整个线性方程对于经济活动有规律性的定性描述，防止伪回归的出现，需要进行面板协整检验。本节对序列进行了 Pedroni 面板协整检验（Pedroni，1999，2004），该检验基于异质性非平稳面板共构建了 4 个组内统计量和 3 个组间统计量。其中包括假设自回归参数同质的四种组内统计量，以及假设自回归方程参数异质的三种统计量。运用 Pedroni 面板协整检验得到的统计量及对应的 p 值如表 7-3 所示。

表 7-3　面板协整检验结果

检验方式		统计量	p 值
组内统计量	Panel v 统计量	−7.117	0.000
	Panel rho 统计量	4.580	0.000
	Panel PP 统计量	−3.151	0.001
	Panel ADF 统计量	−4.525	0.000

续表

检验方式		统计量	p 值
组间统计量	Group rho 统计量	7.986	0.000
	Group PP 统计量	−6.166	0.000
	Group ADF 统计量	−5.782	0.000

由表 7-3 可知，组间统计量及组内统计量均在 1%的显著性水平下拒绝了不协整的原假设。我们可以得出这些变量之间是存在协整关系的。可见，人均 GDP 与其余变量之间存在长久、稳定的联系，可以进一步估计协整方程，估计出可再生能源开发对经济增长的影响程度。

7.3.2 回归结果分析

研究对面板数据进行平稳性分析和协整检验后，得出面板数据具有协整关系。由于 OLS 估计量的渐近分布非标准，并且受制于噪声参数影响，使用 OLS 估计将导致常用的检验程序无效。同时，考虑面板数据序列的内生性问题，研究将使用针对面板数据的 FMOLS 对变量进行估计。相较于 OLS，FMOLS 方法对数据要求低，具备更强的适应性。同时，FMOLS 考虑了面板数据的序列相关性和内生性问题，能够更为全面地分析面板数据的长期产出弹性。面板数据的 FMOLS 估计，包括组内（within-dimension）面板 FMOLS 估计和组间（between-dimension）面板 FMOLS 估计，并对两种方法进行了对比研究，发现组间面板 FMOLS 比组内 FMOLS 具有更好的小样本性质和灵活的条件设定，因而研究采用组间面板 FMOLS 进行估计（白俊红和吕晓红，2017）。本节以可再生能源发展水平（REG）作为核心变量，并采用逐步回归的方式依次加入技术水平投入（TE）、资本投入（CA）和劳动力投入（LA）变量进行回归。分别对应表 7-4 中模型 1 至模型 4。

表 7-4 是总体样本的 FMOLS 回归结果。从第 1 行结果来看，可再生能源发展水平的系数为负且显著。当依次加入其他控制变量后，二者的负向关系及显著性水平均未改变。此外，虽然回归系数的大小有波动，但并不影响可再生能源的发展水平对经济的阻碍作用。由表 7-4 第 5 列可以看出，在 1%的显著性水平下，可再生能源发展水平对经济增长的影响系数为−0.458，表示可再生能源产出每增加 1%，全国经济增长将下降 0.458 个百分点。这主要因为可再生能源产业开发和技术研发的初始成本较高。大力发展可再生能源不仅需要投入大量研发资金和研发人员，还需要投入大量资金建设相关配套基础设施。与此同时，可再生能源的发展水平需要政府部门进行补贴。这不仅会对政府其他支出有挤出效应，还会对私人部门的投资和消费有挤出效应。因而，可再生能源的发展水平对经济增长的影响为负。

表 7-4　全国总体 FMOLS 回归结果

变量	模型 1	模型 2	模型 3	模型 4
lnREG	−0.313*** (−41.032)	−0.320*** (−40.164)	−0.283*** (−79.919)	−0.458*** (−177.218)
lnTE		−0.008 (−1.236)	−0.022*** (−7.359)	−0.023*** (−12.517)
lnCA			0.879*** (19.424)	5.354*** (165.675)
lnLA				−1.094*** (−102.942)

***表示在 1%显著性水平下拒绝原假设

由表 7-5 可知，在 10%的显著性水平下，天津、浙江、海南和四川的可再生能源发展水平对经济增长的影响不显著，表明这四个省份的可再生能源发展水平未能促进经济增长。数据显示，天津、海南和四川在 2005～2018 年的可再生能源开发利用的平均水平分别为 6.14 亿 kW·h、25.21 亿 kW·h、1775.57 亿 kW·h，在全国 30 个省区市中分别排第 30、27 和 1 名。这说明除了四川以外，天津和海南的可再生能源开发利用水平均较低。因此，导致天津和海南的可再生能源开发利用对经济增长影响不显著的主要原因可能是可再生能源的开发利用不充足。一方面，是因为可再生能源发展初期需要大量资金投入，如大型水电站、光伏电厂和核电站建设，较高的开发利用成本使得很多企业无力承担。另一方面，是因为这些地区可开发利用的可再生能源资源储量有限。因此，可再生能源对常规能源的替代作用有限，对经济增长的作用不明显。云南的可再生能源开发利用对经济增长影响不显著的主要原因可能是该地区可再生能源利用效率较低，存在大量弃电现象。与 2005 年相比，2018 年四川水电累计装机容量增加了 5.23 倍。但也造成了严重的“弃水”问题。例如，2018 年四川电网水电“弃水”电量高达 122 亿 kW·h，占同年全国废弃的可再生能源电力的 12%，导致电力成本损失约 36.6 亿元。

表 7-5　可再生能源开发对经济增长额 FMOLS 估计结果

区域	地区	lnREG	
东部	北京	−0.023***	(−9.292)
	天津	−0.005	(−0.691)
	河北	0.119***	(96.408)
	辽宁	−0.063***	(−24.579)
	上海	−0.028***	(−35.444)

续表

区域	地区	lnREG	
东部	江苏	0.824***	（1071.220）
	浙江	0.015	（1.116）
	福建	–0.021***	（–3.038）
	山东	0.118***	（226.173）
	广东	0.390***	（313.514）
	海南	0.004	（0.419）
中部	吉林	0.199***	（17.757）
	安徽	0.019**	（2.537）
	黑龙江	0.039***	（23.986）
	江西	–0.003**	（–2.487）
	河南	–0.071***	（–3.016）
	湖北	–0.147***	（–12.661）
	湖南	–0.070***	（–18.215）
	山西	–0.116***	（–10.870）
西部	广西	–0.142***	（–9.793）
	内蒙古	0.049***	（61.940）
	重庆	0.102***	（14.580）
	四川	0.062	（0.672）
	贵州	–0.031***	（–3.523）
	云南	0.353***	（18.676）
	陕西	–0.149***	（–53.333）
	甘肃	0.129***	（6.122）
	青海	–0.062***	（–4.460）
	宁夏	0.150***	（45.921）
	新疆	–0.458***	（–177.218）

***和**分别表示在1%和5%显著性水平下拒绝原假设

河北、江苏、山东等12个省区市的可再生能源发展水平对经济增长的影响在5%及以下水平上显著且产出弹性为正数。这主要是因为这些省份的可再生能源发展具有明显的规模效应、挤出效应及产业带动效应。

首先，可再生能源发展具备良好的规模效应的省份，包括内蒙古、宁夏、安徽和黑龙江等。这些省份可再生能源规模进一步扩大，有利于人力资本积累，可再生能源技术扩散和长期平均成本降低，对经济增长产生积极影响。例如，与 2005 年相比，2018 年内蒙古可再生能源累计装机容量增加了 58.8 倍，在全国 30 个省区市中排第 5。

其次，河北、江苏、山东和广东这些省份具备大力发展可再生能源的经济优势和资源潜力，进而降低可再生能源发展的挤出效应。这些省份在 2018 年 GDP 在全国 30 个省区市中分别居前四名。同时，这些省份可再生能源资源丰富。例如，河北和广东的风电资源潜力高达 24 832 万 kW 和 13 115 万 kW，分别居全国第 4 和第 12 名。随着这些省份可再生能源产业规模不断扩大，可再生能源的生产成本和价格将持续下降，其对经济增长产生的积极影响也将进一步提高。

最后，由于吉林、重庆、云南和甘肃的可再生能源具备良好的产业带动效应，显著促进经济发展。这些省份蕴藏着的水电和风电资源丰富，且水电和风电产业发展迅速，带动了当地分布式能源、储能和电动汽车充电及机械装备制造业等高附加值产业的发展，对经济发展起到积极作用。

北京、辽宁、上海等 14 个省区市的可再生能源发展对经济增长的影响在 1%或 5%水平下显著且产出弹性为负数。这些地区的可再生能源发展在 1%或 5%水平下显著，但对经济增长出现抑制作用。原因可能是这些地区对可再生能源行业的财政资金投入和税收减免增加了经济增长的负担，从而在一定程度上阻碍了经济增长。其中，贵州、河南、湖北、湖南和山西拥有比较丰富的生物质资源。数量众多的生物质资源需要政府部门进行补贴，从而增加了地方经济增长的负担。

7.4　本 章 小 结

本章基于柯布-道格拉斯生产函数，采用中国 30 个省区市 2005～2018 年的面板数据，探究了可再生能源发展对经济增长的影响。经过面板单位根和协整检验，发现可再生能源发展与经济增长之间存在长期协整关系。为了准确估计这一关系，研究运用 FMOLS 方法得出可再生能源发展对经济增长的产出弹性。研究主要得出以下结论。

（1）从全国范围来看，可再生能源发展会抑制经济增长。主要是因为可再生能源初始开发利用成本较高，需要政府部门进行补贴，形成一定的财政负担且伴随挤出效应阻碍其他产业的发展。因此，政府可以通过税收减免和免除技术及设备进口关税等手段减轻财政投入带来的经济增长负担，进而避免可再生能源产业发展的“挤出效应”，实现对经济增长的积极贡献。

（2）天津、浙江、海南和四川等省份的可再生能源发展水平未能促进经济增长。一方面是因为可再生能源的开发利用不充足，导致可再生能源对常规能源的替代作用有限，对经济增长的作用不明显；另一方面是因为地区可再生能源利用效率较低，存在大量弃电现象，造成严重的经济损失。因此，不同省份应结合各自的资源禀赋与技术禀赋，发展具有比较优势的可再生能源，实现可持续的能源结构转变。

（3）可再生能源发展对河北、江苏、山东等 12 个省区市的经济增长呈现显著的正向影响，其主要原因是这些省份的可再生能源发展具有明显的规模效应及产业带动效应。长期来看，可再生能源规模进一步扩大，不仅有利于可再生能源技术扩散和长期平均成本降低，还带动了当地一系列相关的高附加值产业的发展，对当地经济增长产生积极影响。

第 8 章　可再生能源开发利用对能源安全的影响

8.1　能源安全的内涵

8.1.1　传统能源安全观

传统意义上能源安全仅强调保障能源的供应安全，更关注价格和能源的可获得性，即以可支付的价格获得充足的能源供应（IEA，1985），以支持国民经济的可持续发展，保障人民生活，并保卫本国领土。剑桥能源研究协会主席 Daniel Yergin 指出，能源安全的目标是指以不危及国家价值观和目标的方式，以合理的价格确保充足可靠的能源供应。也有学者指出保障能源安全的关键是减少对石油等进口能源的依赖。亚太能源研究中心（Asia Pacific Energy Research Center，APERC）提出了能源安全的四个要素，即可用性、可获得性、可负担性和可接受性。

8.1.2　现代综合能源安全观

随着对全球气候变化和空气质量等问题的关注，能源的使用与人类自身生存的可持续发展越来越受到重视，环境友好、低碳经济及可持续发展等方面的内容也被包含到现代能源安全观中。1993 年，约瑟夫 • 欧姆为能源安全的概念增加了环境保护的内容，提出 90 年代能源安全的目标是通过增加经济竞争力和减缓环境恶化，确保充足可靠的能源服务。张雷（2001）认为能源安全由能源供应的稳定性和能源使用的安全性两个维度构成，能源的供应需要满足国家生存与发展的正常需求，而能源使用不应对人类自身的生存与发展环境构成任何威胁。

除了能源的供应安全和使用安全，部分学者主张将能源带来的经济和社会福利的影响也纳入能源安全的范畴。Bohi 和 Toman（1996）将能源不安全定义为“能源价格或可用性变化可能导致的经济福利损失”。Lesbirel（2004）认为，防范与能源进口中断相关的风险可以保证在国内和国外获得维持社会福利、经济福利和国家权力所需的能源水平。能源安全的内涵逐步由以供应安全为主要出发点向着囊括能源供应、经济竞争力和环境质量等基本要素的综合能源安全的方向发展（崔民选，2008）。

考虑到能源安全形势的新变化，当今的能源安全应主要包括以下五个方面，如表 8-1 所示。

表 8-1　现代能源安全的内涵

维度	具体内容
能源供应安全	具备充足且稳定地开发和获取能源的能力，以及能源储备应急体系建设和保障能源运输通道的跨区调配能力，基础设施、供应链和贸易路线的安全及能源资产和基础设施等的应急替代
能源使用安全	能源使用不应对人类自身的生存与发展环境构成任何威胁，与应对气候变化和环境安全问题的目标保持协同一致
能源经济安全	相对稳定的能源价格（或价格预期），经济对进口能源的依赖程度相对较低，能源的供应中断不足以损害一个国家或地区的经济发展
能源技术安全	关键领域清洁高效的能源技术力量与新型能源设备国产化替代
能源机制安全	由国家政策和国际机制构成、以合作和协调的方式形成的能源保障机制，能及时对能源供应中断或价格剧烈波动做出反应

8.1.3　新时代中国能源安全观

在追求可持续发展的全球化新时代，传统的能源安全观无法适应新的能源形势需求，建立综合能源安全观已成为制定国家能源战略的一个必然趋势。中国目前仍处于工业化和城镇化“双快速”发展时期，随着经济规模进一步扩大，能源需求还会较快增加。然而能源供给的制约较多，能源技术水平总体落后，能源生产和消费对生态环境损害严重。与此同时，伴随着世界能源转型的大趋势，中国作为能源大国和负责任大国，也肩负着推动技术创新、促进地区能源转型、实现可持续发展的重任，保障中国能源安全的任务繁重且严峻。2014 年 6 月，习近平在中央财经领导小组第六次会议上强调，“能源安全是关系国家经济社会发展的全局性、战略性问题，对国家繁荣发展、人民生活改善、社会长治久安至关重要”[①]，并明确提出了“四个革命、一个合作”的重大能源安全战略思想，即推动能源消费革命、供给革命、技术革命、机制革命，同时全方位加强国际合作，实现开放条件下能源安全。2020 年 6 月，国家发展改革委与国家能源局出台《关于做好 2020 年能源安全保障工作的指导意见》（以下简称《意见》），提出应“着眼应对我国能源供应体系面临的各种风险挑战，着力增强供应保障能力，提高能源系统灵活性，强化能源安全风险管控，保障国家能源安全，为经济社会秩序加快恢复和健康发展提供坚实有力的支撑”。

新时代中国能源安全工作布局重点在实现供给安全、价格安全、技术安全及机制安全四方面目标。

① 《习近平主持召开中央财经领导小组会议强调 积极推动我国能源生产和消费革命 加快实施能源领域重点任务重大举措 李克强张高丽出席》，http://www.xinhuanet.com//politics/2014-06/13/c_1111139161.htm，2021 年 9 月 24 日。

能源供给安全的主要目标在于保障清洁绿色、优质高效及调度有序的产能供应，确保实现到 2025 年底能源综合生产能力达到 46 亿 t 标准煤的“十四五”规划目标。优化传统能源领域煤炭产能供应，同时科学有序、因地制宜地发展可再生能源，构造协同有序的多元化产能供应体系以提高能源资源开发利用效率、深入推进能源生产革命。

能源价格安全的目标是完善能源金融体系和期货市场的建设，提高中国在国际能源市场中的交易定价能力与影响力，降低能源价格波动引发的经济风险。当前国际能源命脉仍然掌握在西方发达国家手中，在日趋激烈的国际能源竞争中，中国长期以来处于劣势。中国是石油消费大国，已成为世界上第二大石油消费市场，但对国际石油市场及能源供应产地缺乏足够的影响力和控制力。中国迫切需要主动参与到国际能源秩序与全球能源金融体系的构建中，推进国内能源金融市场与国际接轨。鼓励有条件的企业积极参与国际石油期货市场规避价格风险，完善国内合理有效的油价形成机制，同时谋求国际石油定价的话语权。

能源技术安全的目标是攻克现阶段制约中国能源安全的技术难点与设备制造短板。中国能源技术虽然已经取得很大进步，但与世界先进国家比较，在能源高新技术和前沿技术领域还有较大的差距。能源技术作为新时代高质量经济发展的核心内容，积极推进关键清洁高效技术的研发与推广，提升新型能源设备制造的自主创新能力，降低国内能源清洁利用成本，进一步改善新一轮能源科技革命中中国的被动处境，将为保障中国的能源安全提供重要支撑。

能源机制安全的目标是参与完善以市场机制调节为前提的国内能源监管机制及国际能源安全机制。能源安全是市场和政府资源配置的混合领域，对能源市场的有效治理是政府确保能源安全的基础性工作。应建立以市场机制为能源资源流动和优化配置的基础调节杠杆同时辅以政府主管部门或监管机构有力的监管。充分发挥政策激励与规范引导作用，最终达到用最小的政府干预解决能源问题的外部性问题。同时，能源安全作为一个全球性问题，不同形式的协调与合作成为大势所趋，维护能源安全的多边主义使得国际机制的建立成为一种必然。在全球层面上中国应以完善全球性国际制度的基本规则为着眼点，积极主动地倡议或主导国际机制的修缮和新机制的制定。

8.2　能源安全评估方法

8.2.1　能源安全评价指标体系

能源安全的本质是多义和多维的（Vivoda，2010）。Chester（2010）指出能源安全的概念本质上是模糊的，因为它可以包含多个维度，并根据不同的国家或地区、时间段或能源来源体现不同的特征。能源安全的内涵随着社会意识形态的发展发生了显著的改变，使其包含的概念更为复杂。能源安全是一个涉及能源供应、加工、传输及开发利用等多个方面的复杂问题（史丹和薛钦源，2021）。因此，用单一的指标难以反映能源安全涵盖的不同属性信息，大多数研究通过构建综合评价体系的复合指数对其进行衡量。区域能源安全评价指标体系的构建需要从多个维度选取指标。APERC 从能源可获得性、经济可承受性、贸易可获得性和环境可接受性等四个维度构建了能源安全评价指标体系（Intharak et al.，2007）。此外，能源价格、政府政策、能源分配、能源传输及利用等因素也对能源安全具有重要影响（Wang and Zhou，2017；林伯强和牟敦国，2008）。本节综合考虑能源安全的影响因素及指标数据的可得性和可信度，从能源可获得性、能源可负担性、社会性和公平性、能源基础设施建设、技术和效率、环境可持续性、政府治理等 7 个维度选取了 22 个指标，对中国区域能源安全水平进行了评价。

1. 能源可获得性

能源可获得性是指区域能源的自我供给能力和可以供给的潜力，是能源安全的基本保障（史丹和薛钦源，2021）。该维度包含人均一次能源产量、化石能源储量、能源自给率和能源生产多样性等四个指标。具体来看，人均一次能源产量是对能源需求的反映，能源人均需求的增加会给能源安全带来压力（Zhang et al.，2021）；化石能源储量衡量区域能源的自我供给的潜力，能源供给潜力越大，能源安全程度越高（Wang and Zhou，2017）；能源自给率反映了区域在没有外部能源输入的情况下的自我供给能力，这一供给能力越强，能源安全程度越高（孙涵等，2018）；能源生产多样性衡量能源生产对各类能源的依赖程度，当能源生产过度依赖某一类能源时，能源风险会增加（孙贵艳和王胜，2019）。

2. 能源可负担性

能源可负担性是指能源利用的经济成本，由于能源产品和服务是按照市场定价体系向消费者提供的，因此考虑经济成本是十分必要的（Zhang et al.，2017b）。该维度包括平均销售电价和煤电上网电价两个指标。平均销售电价是居民用电所要付出的成本；煤电上网电价是售电公司销售电力的成本。这两个成本的增加都会增加居民和经济发展的负担，影响区域的能源安全。

3. 社会性和公平性

社会性和公平性是为了反映区域能源的消费情况和能源分配是否均衡（Zhang et al.，2021）。该维度包括人均能源消费量和采用天然气人口的百分比。人均能源消费量反映了居民的能源消费水平和需求水平，高能源消费水平将会带来高能源供给压力（孙涵等，2018）；采用天然气人口的百分比衡量了区域间天然气资源分配的公平性问题，能源分配不均衡会威胁区域的能源安全（Sovacool，2013）。

4. 能源基础设施建设

能源基础设施是能源传输和使用的必备条件，该维度反映了能源基础设施的可靠性和建设情况（Zhang et al.，2021）。这一维度主要包括电力供应的可靠性、用户平均停电时间、人均输电线路长度和人均天然气管道长度。电力供应的可靠性和用户平均停电时间是反映能源基础设施的可靠性，可靠的基础设施可以保障能源持续、稳定的传输和供给（La Viña et al.，2018）；人均输电线路长度和人均天然气管道长度反映了当前能源基础设施的建设情况，完善的基础设施可以保障能源传输（Wang and Zhou，2017）。

5. 技术和效率

技术和效率维度反映能源开发利用技术对能源安全的影响，能源技术发展有助于提高能源生产、转换、传输和消费的效率，从而保障能源安全（Matsumoto et al.，2018）。该维度包括能源加工转换效率、发电设备利用程度、电网企业线损率、能源强度和政府科研投入等五个指标。能源加工转换效率衡量能源的投入产出效率，提高此效率可以更加高效地利用现有能源以缓解能源的供给压力（国家统计局，2020）；发电设备利用程度反映发电设备的运转时间，运转时间越长说明电厂的利用率越高（La Viña et al.，2018）；电网企业线损率衡量电网的传输效率，线损率越高说明能源在传输过程中的损失越大，越不利于能源安全（Sovacool，2013）；能源强度反映地区的能源利用效率，单位 GDP 能耗越少，说明该区域的能源效率越高；政府科研投入是某一区域对科学技术的投资量，科技投资有利于提高能源利用技术水平，缓解能源供给压力（孙涵等，2018）。

6. 环境可持续性

环境可持续性反映能源利用过程中对环境的影响程度，环境污染不利于能源的使用安全。该维度主要包括人均烟尘排放、人均二氧化硫排放和人均氮氧化物排放。能源利用对空气的污染最大，烟尘、二氧化硫和氮氧化物排放量越大，空气污染的程度越大，这将会限制能源的开发利用（Zhang et al.，2021）。

7. 政府治理

政府治理反映政府调控对能源市场和环境保护程度的影响（Sovacool，2013）。该维度包括能源行业投资和环保支出占政府总支出的比重。能源行业投资反映政府对能源行业发展的支持程度，投资越高，越有利于能源行业的发展和能源安全（Zhang et al.，2021）。环保支出占政府总支出的比重反映政府对环境保护的重视程度，环保支出的增加有利于能源行业的可持续发展（孙贵艳和王胜，2019）。

具体指标衡量方式及计算如表 8-2 所示。

表 8-2　区域能源安全评价指标体系

维度层	指标层	指标衡量及计算方式	属性
A_1：能源可获得性	I_1：人均一次能源产量	（原煤产量＋原油产量＋天然气产量＋发电量）/常住人口数	+
	I_2：化石能源储量	石油储量＋煤炭储量＋天然气储量	+
	I_3：能源自给率	（原煤产量＋原油产量＋天然气产量＋发电量）/能源消费总量	+
	I_4：能源生产多样性	能源生产多元化指数衡量：$\mathrm{SWI}=-\sum_{i=1}^{m}p_i\ln(p_i)$ p_i是第 i 种能源占一次能源生产总量的比重	+
A_2：能源可负担性	I_5：平均销售电价	《中国电力年鉴》中电网企业平均销售电价	−
	I_6：煤电上网电价	《中国电力年鉴》发电企业平均上网电价情况统计中的燃煤发电指标值	−
A_3：社会性和公平性	I_7：人均能源消费量	能源消费总量/常住人口数	−
	I_8：采用天然气人口的百分比	城市用气人口数/常住人口数	+
A_4：能源基础设施建设	I_9：电力供应的可靠性	《中国电力年鉴》各省电力公司供电可靠性指标中披露的供电可靠率	+
	I_{10}：用户平均停电时间	《中国电力年鉴》各省电力公司供电可靠性指标中披露的用户平均停电时间	−
	I_{11}：人均输电线路长度	《中国电力年鉴》35kV 及以上输电线路回路长度中的合计量/常住人口	+
	I_{12}：人均天然气管道长度	天然气管道长度/常住人口数	+
A_5：技术和效率	I_{13}：能源加工转换效率	（能源加工转换产出量/能源加工转换投入量）×100%	+
	I_{14}：发电设备利用程度	《中国电力年鉴》分地区 6000kV 及以上电厂发电技术经济指标中的利用小时数	+
	I_{15}：电网企业线损率	《中国电力年鉴》电网企业线损率	−
	I_{16}：能源强度	能源消费总量/GDP	−
	I_{17}：政府科研投入	科学技术支出/一般公共预算支出	+
A_6：环境可持续性	I_{18}：人均烟尘排放	烟尘排放量/常住人口数	−
	I_{19}：人均二氧化硫排放	二氧化硫排放量/常住人口数	−
	I_{20}：人均氮氧化物排放	氮氧化物排放量/常住人口数	−
A_7：政府治理	I_{21}：能源行业投资	《中国统计年鉴》中报告的能源工业固定资产投资（不含农户）	+
	I_{22}：环保支出占政府总支出的比重	节能环保支出/一般公共预算支出	+

注：指标中所涉及的各类能源均根据《中国能源统计年鉴》中各类能源折标准煤系数折算成标准煤，SWI 指 Shannon-Weiner index

“+”“−”分别表示指标是正向或负向

本书指标计算所涉及的各地区的一次能源产量（原煤、原油、天然气产量和一次能源发电量）、能源消费总量、城市用气人口数和能源加工转换投入量与产出量等数据来自《能源统计年鉴》（2014～2019 年）；GDP、常住人口数量、化石能源储量、节能环保支出、科学技术支出、一般公共预算支出和能源行业投资等数据来自《中国统计年鉴》（2014～2019 年）；天然气管道长度数据来自国家统计局统计数据；各地区电力供应的可靠性、用户平均停电时间、输电线路回路长度、电厂利用小时数、电网企业线损率等数据来自《中国电力年鉴》（2014～2019 年）；电网企业平均销售电价和煤电上网电价数据来自《中国电力年鉴》（2014～2019 年）和国家能源局《全国电力价格情况监管通报》（2006～2011 年），缺漏值采用插值法得到。人均烟尘排放、人均二氧化硫排放、人均氮氧化物排放指标中涉及的排放量数据来自《中国环境统计年鉴》和 2019 年《中国统计年鉴》。

8.2.2　熵权-GRA-TOPSIS 综合评价方法

本章首先利用熵值法对指标进行客观赋权，随后运用 GRA 和逼近理想解排序（technique for order preference by similarity to an ideal solution，TOPSIS）法确定评价单元与最优解的相对接近程度，得出一个综合的评价结果。熵值法是根据样本数据的信息量，客观确定评价指标的权重。在信息论中，熵是对不确定性的一种度量。信息量越大，不确定性就越小，熵也就越小；反之，熵越大。根据熵的特性，可以通过计算熵值来判断一个事件的随机性及无序程度，也可以用熵值来判断某个指标的离散程度，熵值越小时，指标的离散程度越大，该指标对综合评价的影响（权重）越大。GRA 是通过比较各个序列和参考序列的几何位置接近度来评判序列的关联度，如果参考序列是最优方案，就能得到各比较方案的优劣程度，灰色关联度越大，评价单元与最优解的几何相似程度越高（罗诚祖和周岚，2016）。TOPSIS 的思想是借助评价对象的正理想解和负理想解来测度各个评价单元与最优方案的接近程度，到理想解距离越近的样本评价结果越优秀（夏勇其和吴祈宗，2004）。由于 GRA 考虑了样本的位置信息，和 TOPSIS 结合耦合距离和位置信息，能够更好地用于综合评价（周亚，2009）。该评价方法完全利用评价单元的样本数据，以及评价单元之间的灰色关联度和 Euclid 距离（欧氏距离）进行 TOPSIS 排序，不需要主观权重信息，减少了人为影响，可以给出更加合理的评价结果。假设有 n 个样本、m 个指标组成 $m \times n$ 维的指标数据矩阵，评价的具体步骤如下。

1. 指标数据标准化

考虑到各指标的量纲、数量级、指标的正负取向有所差异，采用极差法对数据进行标准化处理，对第 i 个地区第 j 项正向（或负向）指标，其计算公式如式（8-1）所示：

正向指标

$$x_{ij} = \frac{x_{ij} - \min(x_j)}{\max(x_j) - \min(x_j)} \tag{8-1}$$

负向指标

$$x_{ij} = \frac{\max(x_j) - x_{ij}}{\max(x_j) - \min(x_j)} \tag{8-2}$$

2. 确定熵值权重

采用熵值法确定各项指标的权重可以有效消除评价的内外部环境变化带来的影响，使得评价结果更为客观且具备可比性。

先计算信息熵，如式（8-3）所示：

$$e_j = -k\sum_{i=1}^{m}(y_{ij} \times \ln y_{ij}) \tag{8-3}$$

其中，y_{ij} 是第 i 个地区第 j 项指标值的比重，计算式如式（8-4）所示：

$$y_{ij} = x_{ij} \Big/ \sum_{i=1}^{m} x_{ij} \tag{8-4}$$

令 $k = 1/\ln m$，$0 \leqslant e_j \leqslant 1$。则信息熵冗余度为

$$d_j = 1 - e_j \tag{8-5}$$

第 j 项指标的权重确定为

$$W_j = d_j \Big/ \sum_{j=1}^{n} d_j \tag{8-6}$$

计算标准化后的指标得分

$$Y_{ij} = W \cdot x_{ij} \tag{8-7}$$

3. 确定正负理想解

正理想解是由正向指标在所有评价对象中的最大值和负向指标在所有评价对象中的最小值构成，负理想解则是由正向指标在所有评价对象中的最小值和负向指标在所有评价对象中的最大值构成。若指标都为正向指标，则正负理想解可分别表示为

$$S^+ = \{S_1^+, S_2^+, \cdots, S_m^+\}, \quad S_j^+ = \max_i Y_{ij} \tag{8-8}$$

$$S^- = \{S_1^-, S_2^-, \cdots, S_m^-\}, \quad S_j^- = \min_i Y_{ij} \tag{8-9}$$

4. 计算各评价对象到正负理想解的距离

各评价对象到正理想解和负理想解的欧氏距离为

$$D_i^+ = \sqrt{\sum_{j=1}^{m}(S_j^+ - Y_{ij})^2}, \quad i = 1,2,\cdots,n \tag{8-10}$$

$$D_i^- = \sqrt{\sum_{j=1}^{m}(Y_{ij} - S_j^-)^2}, \quad i = 1,2,\cdots,n \tag{8-11}$$

5. 确定各评价对象与正负理想解的灰色关联度

先计算第 i 个地区第 j 项指标与正负理想解的绝对差，即

$$D_{ij}^+ = |S_j^+ - Y_{ij}|, \quad i = 1,2,\cdots,n; \ j = 1,2,\cdots,m \tag{8-12}$$

$$D_{ij}^- = |Y_{ij} - S_j^-|, \quad i = 1,2,\cdots,n; \ j = 1,2,\cdots,m \tag{8-13}$$

与正负理想解的灰色关联系数的计算公式为

$$G_{ij}^+ = \frac{\min_i \min_j D_{ij}^+ + \rho \max_i \max_j D_{ij}^+}{D_{ij}^+ + \rho \max_i \max_j D_{ij}^+} \tag{8-14}$$

$$G_{ij}^- = \frac{\min_i \min_j D_{ij}^- + \rho \max_i \max_j D_{ij}^-}{D_{ij}^- + \rho \max_i \max_j D_{ij}^-} \tag{8-15}$$

其中，ρ 是分辨系数，能够调节灰色关联系数的大小，取值范围是[0, 1]，一般取 0.5，则各评价对象到正负理想解的灰色关联度：

$$R_i^+ = \frac{1}{m}\sum_{j=1}^{m} G_{ij}^+ \tag{8-16}$$

$$R_i^- = \frac{1}{m}\sum_{j=1}^{m} G_{ij}^- \tag{8-17}$$

6. 无量纲化处理

$$d_i^+ = \frac{D_i^+}{\max_i D_i^+}, \quad d_i^- = \frac{D_i^-}{\max_i D_i^-} \tag{8-18}$$

$$r_i^+ = \frac{R_i^+}{\max_i R_i^+}, \quad r_i^- = \frac{R_i^-}{\max_i R_i^-} \tag{8-19}$$

7. 计算综合距离

在 TOPSIS 及 GRA 中，距离正理想解越近，D_i^+ 的值越小，灰色关联度 R_i^+ 的值越大，因而结合两种方法进行评价时需要计算一个综合的距离为

$$T_i^+ = \lambda d_i^- + \mu r_i^+ \tag{8-20}$$

$$T_i^- = \lambda d_i^+ + \mu r_i^- \tag{8-21}$$

其中，$\lambda+\mu=1$，λ 和 μ 分别是对距离和形状的偏好程度，本章令 $\lambda=\mu=0.5$。

8. 计算相对贴近度

样本的相对贴近度越大，则评价对象距离正理想解越近、距离负理想解越远，评价个体表现越优秀。相对贴近度的计算公式为

$$C_i=\frac{T_i^+}{T_i^+ + T_i^-} \tag{8-22}$$

也就是说，相对贴近度的取值区间在（0, 1），当相对贴近度越高时，地区的能源状况越安全。

8.3 中国能源安全现状分析

8.3.1 能源进口与消费结构

除电力外，我国能源进口呈逐年上升趋势。中国的化石燃料能源（煤炭、石油和天然气）进口量从2000年的1.38亿t标准煤增至2019年的10.66亿t标准煤，年均增速为11.36%。如图8-1（a）所示，期间石油进口总量增幅最大，从2000年的1.36亿t标准煤迅速增至2019年的8.17亿t标准煤，年均增长9.9%。从进口年均增速上看，天然气最高。中国自2006年起进口天然气，进口量以年均35.2%的速度稳步增长，2019年达到6395万t标准煤，并在2018年首次超越日本成为世界最大的天然气进口国。煤炭进口量从2000年的155.63万t标准煤增至2019年

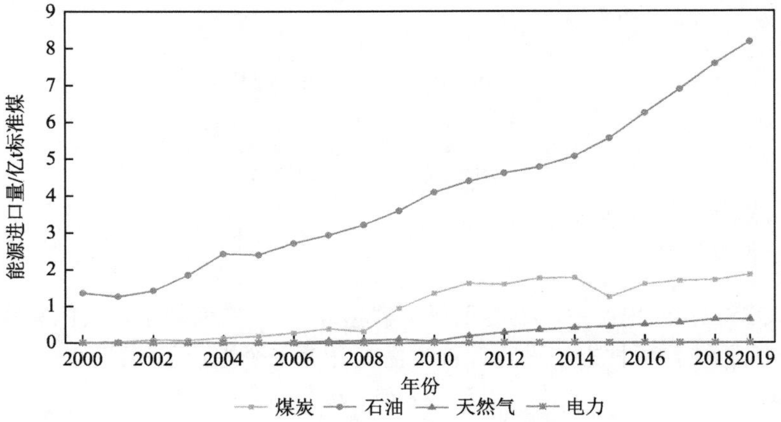

（a）化石能源和电力进口量

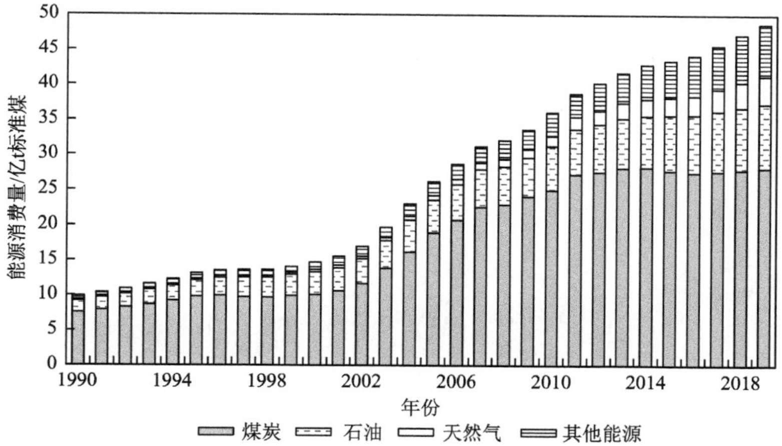

（b）能源消费结构

图 8-1 能源进口和消费结构

的 18 563.86 万 t 标准煤，年均增速为 28.6%。电力年进口量一直维持较低水平，不超过 60 万 t 标准煤。中国正在加速向清洁能源转型。图 8-1（b）表明，煤炭长期以来一直处于能源消费结构的主导地位，但是自 2010 年以来年均增速仅为 0.6%。清洁能源（天然气和其他能源）消费迅速增长，从 1990 年的 0.71 亿 t 标准煤增至 2019 年的 11.4 亿 t 标准煤，年均增速为 15.7%。石油消费量呈稳步上升趋势，年均增长 15.4%，2019 年达到 9.2 亿 t 标准煤。

8.3.2 省际综合能源安全水平

基于计算得到的综合能源安全指数我们发现，总体上，中国能源安全程度在样本期间呈现上升趋势，但能源安全状况改善有限。如图 8-2 所示，相对于 2013 年，所有地区在 2018 年的综合能源安全指数均有所提高。其中，陕西是 30 个省区市中综合能源安全指数上升最快的省份（增幅为 7.501%），云南则是上升幅度最小的省份，仅有 0.413%。整体上，中国平均综合能源安全指数由 2013 年的 0.403 增长至 2018 年的 0.413，增幅仅为 2.49%。中国总体能源安全状况的改善可能与能源供给能力和基础设施的完善程度持续提高有关。六年间，中国化石能源储量和人均天然气管道长度分别增加了 11.77%和 2.317km/万人。相较于 2013 年，2018 年煤炭上网电价和用户平均停电时间分别下降了 52.860 元/MWh 和 6.71h/户，人均输电线路长度增加了 2.629km/万人，电力利用成本稳步下降，供电基础设施不断改善。

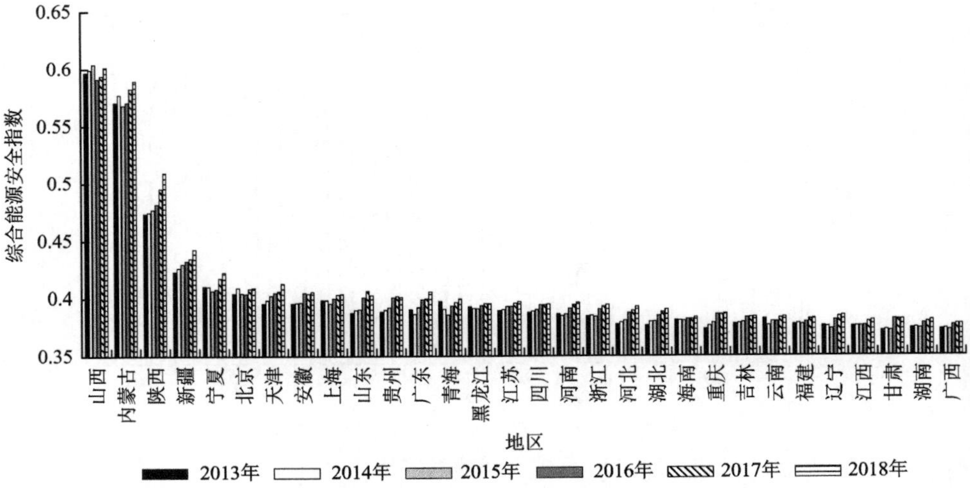

图 8-2　中国省域能源安全水平

尽管各省区市能源安全水平有不同程度的提高，但中国区域能源安全程度普遍偏低，处于中下水平。如图 8-2 所示，除山西、内蒙古、陕西三个省区，绝大部分省份的综合能源安全指数都要小于 0.45，尤其是福建、辽宁、江西、甘肃、湖南、广西，2013～2018 年均综合能源安全指数均要小于 0.38。广西的能源安全水平最低，平均综合能源安全指数为 0.3745。除了平均化石能源储量不足 1 亿 t 标准煤外，广西的能源生产多元化指数降低了 21.1%。而山西和内蒙古的能源表现较为安全，排名分列全国第一位和第二位，综合能源安全平均值为 0.598 和 0.576。这主要归功于这两个省区丰富的化石能源蕴藏，为当地及周边地区提供了充足的能源供应，样本期间山西和内蒙古的化石能源储量分别为 653 亿 t 标准煤和 373 亿 t 标准煤。

8.4　可再生能源开发利用对能源安全影响实证模型

8.4.1　面板回归模型设计

1. *基础回归模型*

在 8.1.2 节的理论机制分析中，可再生能源可能从能源供给总量及替代传统化石能源两个方面对能源安全产生潜在影响，为进一步验证上述理论推导，本节将可再生能源发电量及可再生能源的发电量占比作为核心解释变量分别探讨两种影响机制的差异，所构建的计量模型基础形式如下：

$$\ln\mathrm{ES}_{it} = \beta_1 \ln\mathrm{REG}_{it} + \beta_2 \ln\mathrm{REGs}_{it} + \eta\mathrm{Control} + u_i + \gamma_t + \varepsilon_{it} \tag{8-23}$$

其中，$i(i=1,2,\cdots,30)$ 是地区，表征样本包含的 30 个省区市；$t(t=2013,2014,\cdots,2018)$ 为时期；ES 是能源安全水平；REG 和 REGs 分别是可再生能源的发电量及可再生能源发电量占总发电量的比重；Control 是控制变量的集合。考虑到能源安全在供给、经济、环境、技术等方面的内涵，也可能受到能源基础设施、市场流动性等省域异质性因素的影响，模型分别选取了能源自给率（ESR）、人均 GDP（PGDP）、人均二氧化硫排放（PSO_2）、能源强度（EI）、人均输电线路长度（PTL）、市场化程度（MAR）等作为控制变量。β_1、β_2 和 η 对应变量前的估计系数；u_i 和 γ_t 分别是个体异质性特征和时间效应项；ε_{it} 是随机扰动项。为避免极端观测值和可能的异方差影响，所有变量均采取了自然对数形式。

2. 内生性问题

由于经济系统的复杂性，逆向因果、遗漏变量偏差、测量误差等都可能引致解释变量与扰动项相关，使得系数估计产生偏差。因此，内生性在计量经济学模型中是一个普遍存在且无法忽视的问题，也已引起应用计量和理论计量学家的广泛关注。

分析内生性的来源是解决内生性问题的首要条件。模型设计过程中，本章尽可能地考虑到了多种影响能源安全的异质性因素以排除遗漏变量带来的内生性问题。模型计算用到的原始数据均来自中国官方的统计出版物，具体可见 8.2.1 节，数据处理过程有据可依、有理可循，最大程度地避免测量误差对结果的影响。本章将人均 GDP 视为潜在的内生性变量，这是由于能源安全与人均 GDP 之间可能会存在双向因果关系。一方面，经济发展水平的提升带来规模效应、结构效应及技术效应，支撑能源行业更好地发展，有利于保障能源安全。另一方面，能源作为经济增长的重要驱动力因素，能源消耗与经济发展息息相关。在能源安全革命的背景下，能源生产与消费结构及能源总量的变化也可能给经济增速带来影响。在 8.4 节实证分析部分将进一步通过内生性检验对人均 GDP 的内生性进行验证。

解决内生性问题的常见方法，主要包括工具变量[①]（instrumental variable，IV）、固定效应模型、倾向值匹配（propensity score matching，PSM）、实验及准实验（experiments and quasi-experiments，EQ）等。这里将主要介绍工具变量法。工具变量的方法就是引入一个外生变量 Z，且 Z 必须满足以下两个条件：①相关性，即工具变量应该与内生性变量具有较强的相关性，即该工具变量应该能够代替或者表达原内生变量的信息；②外生性，即工具变量应该是外生的（如历史/自然/气候/地理之类），也即工具变量与扰动项无关。如果第一个条件不满足，我们认为

① 工具变量个数等于内生解释变量个数。

这个工具变量是弱工具变量，如果第二个条件得不到满足，我们认为该工具变量不具备足够的外生性。这样将导致工具变量失效，估计结果依旧会出现类似于 OLS 估计的回归偏误。总而言之，一个有效的工具变量应该在理论上对被解释变量没有直接影响，但应该通过影响被工具的内生变量而间接影响被解释变量。

工具变量法仅在方程恰好识别时有效，而当结构方程过度识别时，两阶段最小二乘（two stage least square，TSLS）法也能提供有效的估计。在球形扰动项[①]的假定下，TSLS 是最有效的，但当扰动项存在异方差时，GMM 的效率则会优于 TSLS。因而在实证分析部分，我们主要呈现了 TSLS 和 GMM 估计的结果。

8.4.2 数据管理与变量的预期影响

1. 因变量

能源安全水平（ES）利用 8.2 节中描述的熵权-GRA-TOPSIS 综合评价方法计算得到的能源安全指数进行衡量。

2. 核心解释变量

可再生能源发电量（REG）通过总发电量减去火电和核电的部分得到，数据均来自《中国电力年鉴》。因而本章考察的可再生能源主要包括水、风、光、生物质、潮汐、地热等种类的能源，中国主要的可再生能源形式为前四种。通过 1.6.2 节的概述，尽管从理论上可再生能源能提供充足的能源供给，但中国仍处于可再生能源初期阶段，解决可再生能源间歇性、保证电力系统高比例接纳可再生电力的技术不够成熟，调度成本较高，潜力丰富的可再生能源没有得到充分的利用。与此同时，可再生能源受到政策激励快速扩张对传统电厂带来了巨大压力和经济损失，总的能源供给可能受到影响，因而我们推测可再生能源发电量对能源安全的影响预期为负。

可再生能源发电量占总发电量比重（REGs）等于可再生能源发电量与总的发电量的比值，发电量原始数据同样来自《中国电力年鉴》。可再生能源的开发利用提高了能源使用组合的多样性，其在总发电量中的比重提高意味着可再生能源对传统火电进行了有效替代，可以减少国家经济发展依靠单一耗竭性能源资源的风险和对进口能源的依赖，促进能源供给安全，同时，可再生能源在减

① 球形扰动项（spherical disturbance）是指扰动项的协方差矩阵与单位矩阵成正比，意味着同时满足同方差和无自相关假定。

少温室气体排放和保护环境方面发挥重要作用，保障能源的使用安全。因此该变量对能源安全的期望影响为正。

3. 控制变量

能源自给率（ESR）是地区能源产量与能源消费量的比值，产量和消费量均来自《中国能源统计年鉴》。当地区能源自给率越高时，对能源进口及外省调入的依存度越低，能源表现越安全，综合能源安全指数越高，因而该变量对因变量的预期影响为正。

人均 GDP（PGDP），总人口数据和 GDP 数据均来自《中国统计年鉴》。GDP 调整为以 2010 年为基期的不变价。经济发展水平的提升带来规模效应、结构效应及技术效应，支撑能源行业更好地发展，有利于保障能源安全，因而人均 GDP 可能对能源安全产生正向影响。

人均二氧化硫（PSO_2）中二氧化硫排放数据来自《中国环境统计年鉴》。能源使用不应对人类自身的生存与发展环境构成任何威胁。环境污染不利于能源的使用安全，极大地限制了能源的开发和利用，因此该变量的期望影响为负。

能源强度（EI）为单位 GDP 能源消费量，能源消费量数据来源于《中国能源统计年鉴》，GDP 也调整为以 2010 年为基期的不变价。本章利用能源强度来反映能源的技术水平，创造单位生产总值所消耗的能源量越低时，认为能源的利用效率越高，能源技术水平越高。能源技术发展有助于提高能源生产、转换、传输和消费的效率，从而保障能源安全（Matsumoto et al.，2018），因而能源强度可能对能源安全产生负向影响。

人均输电线路长度（PTL）采用《中国电力年鉴》中披露的 35kV 及以上输电线路的长度与地区总人口的比值，该变量用于反映能源基础设施的建设程度。能源基础设施是能源传输和使用的必备条件，完善的基础设施可以保障能源传输（Wang and Zhou，2017），因而能源强度可能对能源安全产生负向影响。

市场化程度（MAR）选用了王小鲁等（2019）所著《中国分省份市场化指数报告（2018）》中的市场化指数，该指数反映政府与市场的关系、非国有经济的发展、要素市场的发育程度、市场中介组织的发育和法律制度环境五个方面的因素，是用来分析各地区市场化改革进展情况的有效经济分析工具。报告披露了 1997～2016 年数据，本章所需 2017 年和 2018 年的数据通过历年平均增长率推算得到。当市场化程度越高时，政府对能源市场的干预越少，资源可通过市场机制自动调节，更灵活地实现资源的优化配置过程，进一步提高能源安全水平。基于此，我们认为市场化程度与能源安全正向相关。

描述性统计量如表 8-3 所示。

表 8-3 描述性统计量

变量	观测值	均值	标准差	最小值	最大值	单位
ES	180	0.413	0.063	0.371	0.604	
REG	180	474.238	641.891	3.789	3239.530	万 kW
REGs	180	28.430	46.403	0.478	406.246	亿 kW·h
ESR	180	87.132%	107.292%	9.098%	448.525%	
PGDP	180	5.282	2.384	1.931	12.421	万元/人
PSO_2	180	120.529	115.077	1.240	595.698	t/万人
EI	180	0.796	0.427	0.295	2.105	t 标准煤/万元
PTL	180	14.836	9.569	3.769	52.584	km/万人
MAR	180	6.857	1.914	2.530	10.674	

8.5 中国可再生能源开发利用对能源安全实证分析

分别应用不同的估计方法对 8.4 节所构建的模型进行回归，其中模型 1 为混合回归，模型 2～模型 4 为分别利用面板固定效应、随机效应和双重固定效应模型的回归结果。模型 5 和模型 6 都考虑了内生性问题，前者采用 TSLS 进行估计，后者则使用 GMM 法，具体结果如表 8-4 所示。我们采用允许异方差存在的 Hausman 检验，结果显示拒绝个体特征 u_i 与解释变量不相关的原假设，即选用固定效应模型更佳。而以人均 GDP 作为内生变量，采用其滞后一期和滞后两期作为工具变量进行 TSLS 和 GMM 估计时，进行了识别不足检验、弱 IV 检验、过度识别检验及内生性检验。这些检验的结果证实人均 GDP 内生，而工具变量外生且与内生变量高度相关。

表 8-4 实证回归结果

模型	模型 1	模型 2	模型 3	模型 4	模型 5	模型 6
	混合回归	固定效应	随机效应	双重固定效应	TSLS	GMM
lnREG	0.027 （0.023）	-0.009^{**} （0.004）	-0.010^{**} （0.004）	-0.010^{***} （0.004）	-0.010^{***} （0.003）	-0.010^{***} （0.003）
lnREGs	−0.036 （0.029）	0.008^{***} （0.001）	0.008^{***} （0.001）	0.008^{***} （0.001）	0.008^{***} （0.002）	0.008^{***} （0.002）
lnESR	0.071^{*} （0.035）	0.022^{**} （0.009）	0.027^{***} （0.009）	0.025^{***} （0.008）	0.028^{***} （0.006）	0.028^{***} （0.006）
lnPGDP	0.105 （0.065）	0.072^{**} （0.029）	0.076^{***} （0.029）	0.074 （0.056）	0.123^{***} （0.040）	0.123^{***} （0.040）
$lnPSO_2$	−0.015 （0.019）	-0.005^{*} （0.003）	-0.005^{*} （0.003）	0.001 （0.003）	0.001 （0.002）	0.001 （0.002）

续表

模型	模型 1	模型 2	模型 3	模型 4	模型 5	模型 6
	混合回归	固定效应	随机效应	双重固定效应	TSLS	GMM
lnEI	0.119 (0.121)	0.021 (0.019)	0.029 (0.019)	0.020 (0.018)	0.030* (0.015)	0.030* (0.015)
lnPTL	−0.029 (0.045)	−0.009 (0.024)	0.002 (0.022)	−0.008 (0.019)	−0.006 (0.017)	−0.006 (0.017)
lnMAR	−0.007 (0.145)	0.027** (0.012)	0.027** (0.013)	0.029** (0.012)	0.029*** (0.010)	0.029*** (0.010)
常数项	−1.196*** (0.235)	−1.063*** (0.077)	−1.112*** (0.073)	−1.108*** (0.114)		
个体效应	否	是	是	是	是	是
时间效应	否	否	否	是	是	是
N	180	180	180	180	180	180
R^2	0.413	0.675		0.720	0.713	0.713
稳健的 Hausman 检验		11.462**				
识别不足检验（Kleibergen-Paap rk LM 统计量）					21.437***	21.437***
弱 IV 检验（Kleibergen-Paap rk Wald F 统计量）					246.654***	246.654***
过度识别检验（Hansen J 统计量）					0.000	0.000
内生性检验（χ^2 统计量）					9.276***	9.276***

注：括号内为稳健标准误。识别不足检验、弱 IV 检验、过度识别检验和内生性检验的原假设分别是：工具变量是不可识别的、工具变量与内生解释变量不相关、所有工具变量都是外生的、选定的潜在内生变量是外生的

*表示 $p<0.1$，**表示 $p<0.05$，***表示 $p<0.01$

可再生能源发电量对能源安全产生显著的负向影响，而可再生能源发电量占总发电量的比重则相反。如表 8-4 所示，在 1%显著性水平下，可再生能源发电量和可再生能源发电占比每增加 1%，综合能源安全指数将分别下降 0.010%和上升 0.008%。这一发现与我们的预期相符，由于中国可再生能源发展仍不够成熟，解决可再生能源间歇性及电力系统高比例接纳可再生电力需要高昂的成本，火电仍是电力稳定供应的主要电源，因而在一定程度上，可再生能源的快速扩张将使总的能源供给可能受到影响，导致能源安全水平降低，而当可再生能源可以得到充分地开发利用，有效地、稳定地替代传统化石燃料的比例时，将有助于进一步提高能源供给及使用安全水平。同时我们发现，关注变量的估计系数要远小于其他变量，可再生能源发展在现阶段仅对能源安全水平产生微弱的影响，并不是能源安全的关键影响因素。

经济发展水平是促进区域综合能源安全最重要的因素，能源自给率和市场化程度也能显著提高能源安全水平。如表 8-4 所示，在 1%显著性水平下，人均 GDP

每增加 1%，将使能源安全指数提升 0.123%，弹性系数分别是能源自给率（0.028）和市场化程度（0.029）的 4.393 倍和 4.241 倍。经济增长可以带来规模效应、结构效应和技术效应，这将为能源行业的发展提供的良好的宏观环境，回归结果与我们的预期相符。而当地区能源自给自足的能力越高，对能源进口及外省调入的依存度越低时，能源表现也越安全。市场化意味着政府对经济的放松管制，即能源市场能通过市场机制自由灵活地配置要素资源，能源的使用效率将越高，进一步确保能源安全。

然而，能源强度对能源安全水平的正向影响则与预期不符。能源技术水平的提高（能源强度的下降）有助于提升能源生产、转换、传输和消费的效率，从而保障能源安全（Matsumoto et al.，2018）。但这与我们的发现相悖，如表 8-4 所示，能源强度在 10%的显著性水平下对能源安全有显著的正向影响，能源强度每上升 1%，综合能源安全指数将上升 0.030%。这可能是由于中国能源技术虽然已经取得很大进步，但与世界先进国家比较，在能源高新技术和前沿技术领域还有相当差距，缺乏对核心技术和关键设备国有化的科技理论，在能源科技革命中处于被动地位，最终给能源安全带来了消极的影响。

此外，环境质量和能源基础设施也不是综合能源安全的关键影响因素。如表 8-4 所示，人均二氧化硫排放和人均输电线路长度对能源安全没有产生显著的影响，但这并不意味着环境和基础设施不会影响中国的能源安全，只是相对其他的因素而言，综合能源安全指数对它们的变化不敏感。

当不满足球型扰动项假定时，GMM 的效率会优于 TSLS，而表 8-4 中结果显示两种估计下得出的结论表现一致，即不论异方差是否存在，我们最终都可以得出一个相对稳健的结论。同时由表 8-4 还可以发现，当采用不同的估计方法进行回归时，我们感兴趣的核心变量（可再生能源发电量及可再生能源发电量占总发电量比重）与能源安全之间的关系始终保持一致，即可再生能源发电量对能源安全负向显著，而可再生能源发电量占总发电量的比重则与能源安全显著正相关，这也证实了模型的回归结果的稳健性。

8.6　本 章 小 结

本章在梳理传统能源安全观、现代综合能源安全观和新时代中国能源安全观等内容的基础上，构建了能源安全的熵权-GRA-TOPSIS 综合评价模型，科学客观地分析了中国区域能源安全现状。随后，将得到的能源安全指数作为因变量，可再生能源发电量作为自变量构建计量回归模型。本章利用中国 30 个省区市 2013～2018 年数据进行实证分析得出以下几点。

（1）尽管中国省域能源安全程度在样本期间（2013～2018 年）均有所提高，但总体水平仍普遍偏低，除化石能源资源禀赋较高的山西、内蒙古和陕西三个省区，其余省区市能源安全指数均低于 0.45。

（2）可再生能源发展有助于保障能源安全，但前提是对化石能源进行了有效的替代，可再生能源在电源结构中的比重得到显著提高。

（3）经济发展是影响能源安全最重要的因素，能源自给率和市场化程度也能显著提高能源安全水平。

第9章　可再生能源开发利用对能源强度的影响

9.1　中国能源强度现状

能源强度通常被视为单位GDP的能源消费量，是一个评估国家或地区能源效率的重要指标。降低能源强度是控制能源消费和减少碳排放的重要途径之一。作为世界上最大的能源消费国，中国政府已经制定了降低能源强度的目标。例如，“十二五”规划旨在将能源强度在2010年的基础上降低16%；《中国制造2025》提出到2020年制造业能源强度比2015年降低18%，到2025年降低34%。在过去30年，中国能源强度出现了较大的下降，从1990年的1.758t标准煤/万元降至2019年的0.624t标准煤/万元，降幅为64.5%。这在很大程度上得益于强劲的经济增长。中国不断提高的生产力改善了能源利用效率。如图9-1所示，GDP增长1%将需要投入约0.675%的能源消费量。然而，近年来能源强度下降速度放缓。2019年，中国能源强度相对2018年下降2.8%，低于2010年以来的3.7%的平均水平（图9-2）。这一结果从侧面反映出已有能源强度控制措施的作用出现弱化。

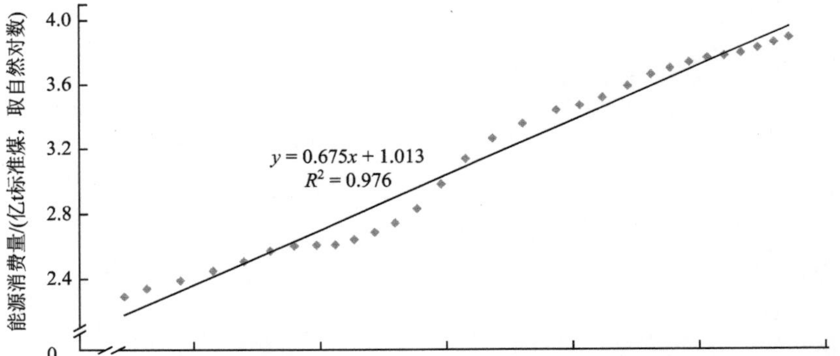

图9-1　中国GDP和能源消费量（1990～2019年）

图9-2表明1990～2019年中国能源强度呈现下降趋势。1990～2002年，能源强度年均下降5.02%，从1990年的1.758t标准煤/万元下降到2002年的0.948t标准煤/万元。然而，2002年后能源强度开始上升，并在2005年达到1.083t标准煤/万元

的峰值。随后，能源强度重新出现下降，2005～2019 年以年均 3.862%速度下降，2019 年达到 0.624t 标准煤/万元的低值。

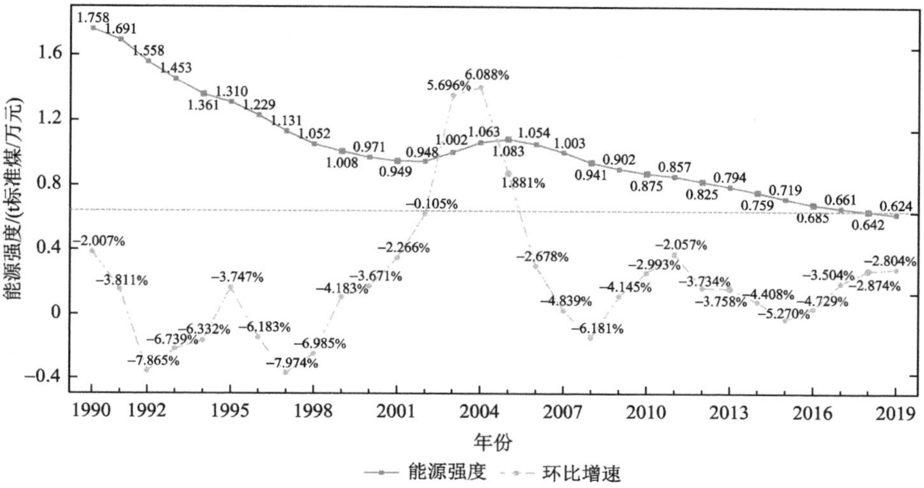

图 9-2　中国能源强度及环比增速

能源强度由能源消费总量和 GDP 共同决定（Han et al.，2007）。能源强度下降的过程就是在其他条件不变的情况下降低能源消费或者增加 GDP 的过程。虽然中国的能源强度自 1990 年以来有所下降，但能源消费和生产普遍上升，如图 9-2 和图 9-3 所示，2003～2005 年，中国能源消费量的年均增速为 15.5%，高于 GDP

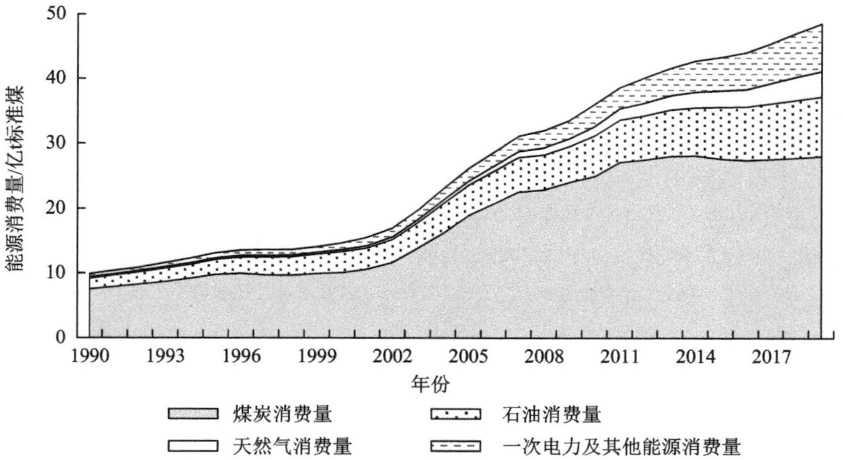

图 9-3　中国能源消费量变化

（2010 年不变价）的 10.5%，主要原因是煤炭消费量平均增长了 17.7%。2005 年后，能源消费量的增长主要来源于天然气消费量和一次电力及其他能源消费量，其年均增速分别为 14.2%和 10.3%，同时煤炭消费量增速稳步降低，2019 年仅增长 0.9%。

9.2 可再生能源降低能源强度理论机制与假设

随着全球能源结构低碳化转型，可再生能源将从发电、供热/供冷、交通燃料及偏远地区的能源供应等途径替代传统能源，对能源和经济系统产生重要影响。从这个角度，我们将探究可再生能源发展影响能源强度改善的理论机制，如图 9-4 所示。

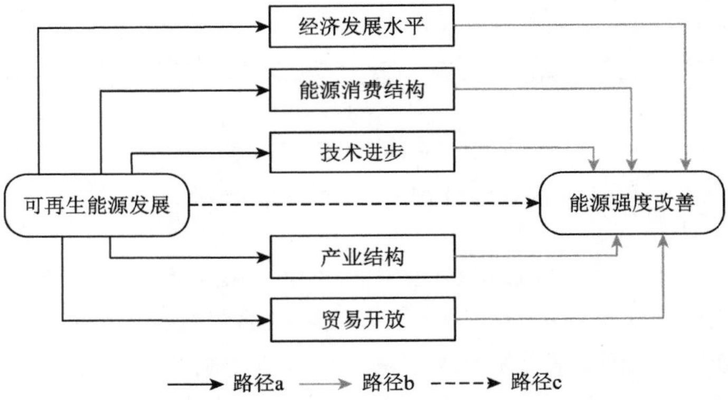

图 9-4 可再生能源发展对能源强度的影响机制

大部分地区都在努力通过提高可再生能源消费加速推动从粗放型发展模式转向集约型增长模式（Miao et al.，2018），缓解高能源强度和高污染发展模式与能源、环境保护之间的矛盾。可再生能源具有清洁、分布广泛、可循环利用的优势，能够降低化石能源消费导致的高昂的环境成本和经济损失，实现可持续经济发展（Apergis and Payne，2010；Wang Q and Wang L，2020b）。尽管可再生能源的生产贡献较低，当前在能源组合中所占份额低（Tugcu and Tiwari，2016），但随着可再生能源技术进步，升级现有的工业基础设施，提高生产效率，增加经济产出，对降低能源强度起到积极作用（Wang et al.，2019a）。形成涵盖可再生能源装备制造、技术研发、检测认证、配套服务的完整产业链，有助于建立清洁、高效、低碳的现代产业体系，推动产业结构调整，促进能源强度下降（Boyd and Pang，2000）。此外，可再生能源发展还可以通过低效率的化石能源的替代和能源密集型产品贸易影响能源强度（Domac et al.，2005）。因而，我们提出了假设 1。

假设 1：可再生能源发展对能源强度下降有显著正向影响。

可再生能源部署和创新被视为塑造未来经济体系的重要推动力（Narayan and Doytch，2017）。可再生能源发展能够实现可持续经济发展，创造绿色就业，从而促进经济产出增长（Lehmann et al.，2019）。在欧洲，可再生能源产业提供了超过 220 万个全职工作（Narayan and Doytch，2017）。环境库兹涅茨曲线理论认为，随着经济发展至一个临界值，清洁技术的使用和人们对提高环境质量的意愿将导致环境成本下降。只有可再生能源才能实现人类福利和生态的平衡（Rafindadi and Ozturk，2017）。可再生能源作为化石燃料能源的重要替代品，还可以在不影响经济产出的情况下，减少甚至消除化石能源燃烧导致的高额环境成本（Wang H and Wang M，2020a）。可再生能源发展推动建立在过度开发化石燃料资源的能源消费结构模式转向能源部门更可持续的模式，有效保障能源安全（Alvarez-Herranz et al.，2017；Kahia et al.，2017）。可再生能源不仅可以直接从当地自然资源中获得，能够提高能源供应，而且有助于制定稳定、合理的国际能源市场价格，缓解能源价格急剧变化对能源进口国经济的冲击。

除了经济绩效和能源结构因素，可再生能源还与技术进步、产业结构和贸易开放等因素存在密切联系。可再生能源迅速发展的同时，也为技术创造了有利的进步条件。可再生能源良好的发展前景激励能源企业积极进行关键工艺、设备和原材料等方面的技术研发，会减少设备生产过程的能耗。Hotelling 法则认为只要未来价格的上涨速度小于市场贴现率，管理者就有动力开采可耗竭资源。发电是主要的可再生资源利用方式。水电成本接近火电，而风能、光能、生物质能和废弃物能、地热能和海洋能需要大量政府补贴降低高额的成本（Lin and Chen，2019）。可再生能源引入发电结构导致不断增长的电力价格意味着未来更高的利润。这将进一步推动可再生能源技术创新。世界部分地区利用现有的各项技术，已使可再生能源发电成本达到或低于化石燃料发电的水平（IRENA，2015）。现代工业化阶段，可再生能源发展成为产业结构去重工业化的关键途径，而且创造了更多产业发展的潜在机会（Chang et al.，2003；Cosmi et al.，2003；Song et al.，2015）。可再生能源已经被广泛应用于居民和工业部门。工业可再生能源在不同收入水平国家的可再生能源消费总量中所占的份额正在增加，其中，中高收入国家增长最快（Narayan and Doytch，2017）。依托高端装备制造技术构建的可再生能源产业体系推动高碳产业结构向绿色产业结构调整（Yu et al.，2016；Zhu et al.，2019a）。可再生能源发展还会促进贸易开放。由于有限的国内融资能力和资本市场规模难以满足巨大的可再生能源投资需求，政府会降低能源市场准入标准，并且扩大贸易开放（Alam and Murad，2020）。

可见，从理论上而言，可再生能源的发展将通过增加经济效益、优化能源结构和产业结构升级、促进技术创新和贸易开放进一步降低能源强度。

不同经济发展水平的国家可再生能源项目融资潜力的巨大差异将导致可再生能源发展对能源强度的不同影响。可再生资源提供战略价值，但是初始投资大，成本回收期长，投资风险高（Chen et al.，2021）。由于可再生能源投资具有高度不确定性，并且受到外部融资约束，当地政府补贴和资金支持对可再生能源行业发展起着关键作用（Masini and Menichetti，2013）。经济发达地区不仅融资能力强，而且政府财政对可再生能源产业提供全方位的补贴激励和资金支持。此外，这些地区有更加先进和全面的可再生能源技术和产业供应体系，可再生能源利用成本低，更有可能制订雄心勃勃的可再生能源发展规划和目标。这会吸引更多的民间资本和金融机构的可再生能源投资，并且通过加大科研投入和研发人员激励力度、加速传输通道和装备更新等途径促进可再生能源产业发展。因此，面对日益增长的能源需求和气候变化威胁，经济发达地区的可再生能源部署规模比低收入地区更大，这将加速能源结构转型，从而显著降低能源强度。相比之下，经济落后地区财政资金短缺，资本市场规模小，不能为可再生能源技术研发、电网和储能设施建设、人才培养等提供足够的政府补贴和投资。这些地区没有资金能力支持大规模的可再生能源部署，而且能源和环境法律体系不完善，激励更多的高耗能、高排放的产业发展，挤占了可再生能源应用范围和产业空间。因此可再生能源发展不能显著抑制能源强度增长。我们可以提出假设 2。

假设 2：随着经济发展水平提高，可再生能源发展降低能源强度的作用将加强。

9.3　可再生能源开发利用对能源强度的影响理论模型

9.3.1　基准回归模型

为了探究可再生能源发展对能源强度的影响，本节先建立如式（9-1）所示的基本线性模型。我们对变量取自然对数，以避免可能的极端观测值：

$$\ln \mathrm{EI}_{it} = \beta \ln \mathrm{RED}_{it} + \eta X_{it} + \alpha_i + u_t + \varepsilon_{it} \tag{9-1}$$

其中，$i(i=1,2,\cdots,n)$ 和 $t(t=1,2,\cdots,T)$ 分别是省份和年度；EI 则是 t 年 i 省份的能源强度，定义为单位 GDP 的能源消费量；RED 是可再生能源发展，采用可再生能源装机容量衡量；X_{it} 是包括模型中 5 个控制变量的向量，经济发展水平（PGDP）可以用人均 GDP 代表，技术进步（TP）以专利授权数衡量，能源消费结构（ECS）将煤炭占能源消费总量的比例作为代理变量，第二产业增加值占 GDP 的比例可以表示产业结构（IS），CO_2 是二氧化碳排放量；β 和 η 指的是待估计的回归系数；α_i 和 u_t 分别是不可观测的个体固定效应和时间固定效应；ε_{it} 是随机误差项。变量的定义见表 9-1。

表 9-1　变量的定义

变量类型	符号	名称	定义
被解释变量	EI	能源强度	单位 GDP（2010 年不变价）的能源消费量
核心解释变量	RED	可再生能源发展	可再生能源装机容量
控制变量	PGDP	经济发展水平	人均 GDP（2010 年不变价）
	TP	技术进步	专利授权数
	ECS	能源消费结构	煤炭占能源消费总量的比例
	IS	产业结构	第二产业增加值占 GDP 的比例
	CO_2	二氧化碳排放量	CO_2 排放量

在不同的经济发展水平下，可再生能源发展对能源强度的影响可能存在差异。我们在式（9-1）中添加人均 GDP 交互项，检验不同经济发展水平下可再生能源发展对能源强度的异质效应。具体地说，我们假设可再生能源发展对能源强度的影响是经济发展水平的一个简单的线性函数。具有交互项的模型如式（9-2）所示：

$$\ln \mathrm{EI}_{it} = \beta_1 \ln \mathrm{RED}_{it} + \beta_2 (\ln \mathrm{RED}_{it} \times \ln \mathrm{PGDP}_{it}) + \eta X_{it} + \alpha_i + u_t + \varepsilon_{it} \quad (9\text{-}2)$$

其中，$\ln \mathrm{RED}_{it} \times \ln \mathrm{PGDP}_{it}$ 是可再生能源发展和经济发展水平对能源强度的综合影响。因此，$\ln \mathrm{RED}_{it}$ 的影响可以计算为 $\beta_1 + \beta_2 \ln \mathrm{PGDP}_{it}$。

9.3.2　部分线性泛函系数面板模型

我们进一步使用部分线性泛函系数面板模型（partially linear functional-coefficient panel-data model）检验可再生能源发展对能源强度的非线性影响。该模型假设可再生能源发展的回归系数是一个收入水平的函数，允许某些回归变量的线性和其他回归变量的非线性，并且在捕捉非线性和异质性关系方面具有明显优势（Du et al.，2020a；Du et al.，2020b）。我们可以得到式（9-3）：

$$\begin{aligned} \ln \mathrm{EI}_{it} = {} & \phi_0 + G(\ln \mathrm{PGDP}_{it}) \ln \mathrm{RED}_{it} + \phi_1 \ln \mathrm{TP}_{i,t-1} + \phi_2 \ln \mathrm{IS}_{it} + \phi_3 \ln \mathrm{ECS}_{it} \\ & + \phi_4 \ln \mathrm{CO}_{2it} + \alpha_i + \varepsilon_{it} \end{aligned} \quad (9\text{-}3)$$

其中，$G(\ln \mathrm{PGDP}_{it})$ 是一个用于测量可再生能源发展边际效应的未知函数系数。Kernel 回归方法被广泛用于估计半参数模型，但是不能方便地估计包含固定效应的模型。Zhang 和 Zhou（2018）提出一种序列估计方法用于估计固定效应的部分线性函数系数模型。具体步骤如下。

首先，基于筛分函数的线性组合用于估计可变系数函数$G(\ln \mathrm{PGDP}_{it})$，如式（9-4）所示：

$$h(\ln \mathrm{PGDP}_{it})'\eta = [h_1(\ln \mathrm{PGDP}_{it}),\cdots,h_p(\ln \mathrm{PGDP}_{it})]\begin{bmatrix}\eta_1\\ \vdots \\ \eta_p\end{bmatrix} \quad (9\text{-}4)$$

令$h(\ln \mathrm{PGDP}_{it}) = [h_1(\ln \mathrm{PGDP}_{it}),\cdots,h_p(\ln \mathrm{PGDP}_{it})]'$是一个$p\times 1$序列的基础函数，并且$\eta=[\eta_1,\cdots,\eta_p]'$是相应的系数向量。式（9-3）可以转换为式（9-5）：

$$\ln \mathrm{EI}_{it} = \eta_0 + h(\ln \mathrm{PGDP}_{it})'\eta_1 \ln \mathrm{RED}_{it} + \phi X_{it} + \mu_i + \tau_{it} \quad (9\text{-}5)$$

其中，$\tau_{it}=\varepsilon_{it}+v_{it}$；$v_{it}=G(\ln \mathrm{PGDP}_{it})-h(\ln \mathrm{PGDP}_{it})'\eta$是筛分估计误差。

其次，为了消除固定效应，式（9-5）通过序列回归方法进行了如下差分变换：

$$\Delta \ln \mathrm{EI}_{it} = \Delta \ln \mathrm{RED}_{it} h(\ln \mathrm{PGDP}_{it})'\eta + \phi \Delta X_{it} + \Delta \tau_{it} \quad (9\text{-}6)$$

如果全部解释变量是外生的，我们可以使用 OLS 计算式（9-7）：

$$(\hat{\phi},\hat{\eta}) = [\Delta\tilde{X}'\Delta\tilde{X}]^{-1}\Delta\tilde{X}'\Delta Y \quad (9\text{-}7)$$

其中，$\Delta Y = \begin{bmatrix}\Delta \ln(\mathrm{EI}_{12})\\ \vdots \\ \Delta \ln(\mathrm{EI}_{NT})\end{bmatrix}$且

$$\Delta\tilde{X} = \begin{bmatrix}\Delta X_{12}', \ln(\mathrm{RED}_{12})h(\ln \mathrm{PGDP}_{12}) - \ln(\mathrm{RED}_{11})h(\ln \mathrm{PGDP}_{11})\\ \vdots \\ \Delta X_{NT}', \ln(\mathrm{RED}_{NT})h(\ln \mathrm{PGDP}_{NT}) - \ln(\mathrm{RED}_{N(T-1)})h(\ln \mathrm{PGDP}_{N(T-1)})\end{bmatrix}。$$

最后，估计的函数系数$G(\ln \mathrm{PGDP}_{it})$如式（9-8）所示：

$$\hat{G}(\ln \mathrm{PGDP}_{it}) = h(\ln \mathrm{PGDP}_{it})'\hat{\eta} \quad (9\text{-}8)$$

9.3.3 数据管理

基于数据的可得性，研究采用 2000～2018 年中国 30 个省区市的平衡面板数据集。GDP、第三产业增加值占比和贸易额数据收集自《中国统计年鉴》（2006～2019 年）；各类能源消费量和发电量数据来自《中国能源统计年鉴》（2006～2019 年）；研发强度数据来源于《中国科技统计年鉴》（2006～2019 年）；22 个省区市的非化石能源消费占比来源于各省统计年鉴。浙江省非化石能源数据来源于《浙江省能源与利用现状》（白皮书），其余 7 个省市（北京、天津、山西、上海、江苏、安徽和湖北）的数据均来自省级政府网站，缺失值基于政府网站公布的已知数据进行插值和趋势拟合。本节涉及变量的描述性统计如表 9-2 所示。

表 9-2　变量的描述性统计

变量	单位	观察值	平均值	标准差	最小值	最大值
EI	t 标准煤/万元	570	1.066	0.527	0.295	2.769
RED	万 kW	570	930.173	1 236.661	0.010	8 258.000
PGDP	万元/人	570	3.289	2.330	0.417	12.406
TP	万项	570	2.519	5.093	0.007	47.808
ECS		570	45.530%	0.081%	18.630%	66.420%
IS		570	65.810%	0.187%	2.770%	99.320%
CO_2	万 t	570	24 235.400	18 241.300	870.000	91 220.400

9.4　可再生能源开发利用对能源强度的实证证据

9.4.1　面板单位根检验与协整检验

我们首先通过面板单位根检验确定数据的稳定性，避免出现伪回归。LLC 检验（Levin et al.，2002）、IPS 检验（Im et al.，2003）、Fisher 类型检验（Choi，2001）等第一代单位根检验假定面板中的个体时间序列是截面独立分布的。这是一个主观且强限制性的假设，特别是在跨地区回归的情况下。如果忽略了截面单位存在的显著相关关系而采用第一代方法进行单位根检验，可能导致结论产生显著偏差。在进行面板单位根检验之前，我们先采用 LM 检验、scaled LM 检验和 Pesaran 的 CD 检验个体时间序列的截面独立性。结果如表 9-3 所示。

表 9-3　截面相关检验结果

变量	LM 检验	CD 检验	scaled LM 检验
lnEI	4.478	-5.285^{***}	15.220
lnRED	6367.887^{***}	72.863^{***}	201.144^{***}
lnPGDP	6683.877^{***}	81.447^{***}	211.8568^{***}
lnTP	8209.957^{***}	90.608^{***}	263.596^{***}
lnECS	7797.062^{***}	88.273^{***}	249.597^{***}
lnIS	3163.829^{***}	26.000^{***}	92.516^{***}
ln CO_2	2805.161^{***}	38.510^{***}	80.356^{***}

***表示在 1%的显著水平下拒绝原假设

截面相关检验显示在 1%的显著水平上所有变量均拒绝不存在截面相关的原假设，这意味着面板单位根检验必须考虑截面个体间的相关性。

因而我们采用 Pesaran（2007）提出的 CIPS 单位根检验方法处理截面相关问题。该方法通过引入截面均值水平变量及其对应的差分变量，将传统的 ADF 回归方程式拓展成为“截面 ADF 回归式”（CADF），并分别对各单位的个体进行 CADF 回归。在此基础上，Pesaran（2007）对 IPS 检验（Im et al.，2003）及 Fisher 类型检验（Choi，2001）进行相应修正，构造出 CIPS 检验统计量，以在面板框架下进行单位根检验的同时，克服现实中存在的截面相关问题，从而增强结论的可靠性。CIPS 单位根检验的结果展示在表 9-4 所示。当考虑截距和趋势时，在水平上的CIPS检验结果显示除了 ln EI 和 $\ln CO_2$ 在 5%显著性水平下拒绝存在单位根的原假设，其他变量均不显著。我们对变量取一阶差分后进行面板单位根检验，发现所有变量均在 1%的显著水平上拒绝存在单位根的原假设。此外，还进行了第一代单位根检验。我们采用被普遍认可的同质根的 LLC 检验（Levin et al.，2002）和异质根的 IPS 检验（Im et al.，2003）。对于 LLC 检验，ln PGDP、ln ECS、ln IS 和 $\ln CO_2$ 在水平上不显著，但是取一阶差分后均显著。IPS 检验结果显示在水平上只有 ln TP 显著，进一步取一阶差分后，变量均在 1%的显著水平下拒绝原假设。因此，所有变量是一阶单整的。结果如表 9-4 所示。

表 9-4　面板单位根检验结果

变量	LLC 检验		IPS 检验		CIPS 检验	
	水平	一阶差分	水平	一阶差分	水平	一阶差分
lnEI	–5.152***	–8.895***	0.217	–7.658***	–2.811**	–4.066***
lnRED	–2.090**	–11.217***	–0.555	–12.233***	–1.499	–3.276***
lnPGDP	4.884	–6.758***	8.278	–2.368***	–2.146	–2.915***
lnTP	–6.819***	–11.677***	–4.604***	–7.970***	–2.379	–3.923***
lnECS	2.969	–14.610***	1.650	–13.924***	–2.599	–3.774***
lnIS	1.480	–8.921***	4.644	–10.950***	–2.571	–3.720***
$\ln CO_2$	1.675	–11.765***	6.692	–10.934***	–2.805**	–4.119***

注：滞后项选取基于 SIC 准则

***、**分别表示在 1%、5%的显著水平下拒绝原假设

为了检验变量之间的长期均衡关系，我们进一步采用 Pedroni（2004）面板协整检验。该检验允许面板的个体成员之间的异质性存在，并且以协整方程的回归残差为基础构造了检验面板变量之间协整关系的两种类型的统计量。第一类为组内检验，主要检验同质面板数据的协整关系，包括面板方差率统计量（Panel v-Statistic）、面板 ρ 统计量（Panel rho-Statistic）、面板 PP 统计量（Panel PP-Statistic）和面板 ADP 统计量（Panel ADF-Statistic）四个基本的检验统计量；第二类为组间检验，主要检验异质面板数据的协整关系，包括组间 ρ 统计量（Group rho-Statistic）、组间 PP 统计量（Group PP-Statistic）和组间 ADF 统计量（Group ADF-Statistic）三组检验统计量。如表 9-5 所示，Pedroni（2004）面板协整检验结果均在 1%的显著水平上拒绝了原假设，说明面板变量之间存在协整关系。此外，为了保证检验结果的稳健性，我们也进行了 Kao（1999）面板协整检验，进一步确认了这些变量之间存在的协整关系。

表 9-5　面板协整检验结果

项目		统计量	p 值
Pedroni 检验	Panel v 统计量	−6.763	0.000
	Panel rho 统计量	5.323	0.000
	Panel PP 统计量	−6.570	0.000
	Panel ADF 统计量	−7.713	0.000
	Group rho 统计量	7.315	0.000
	Group PP 统计量	−6.894	0.000
	Group ADF 统计量	−6.695	0.000
Westerlund 检验	Variance ratio 统计量	3.419	0.000

注：基于 SIC 准则选择滞后阶数；截距项和趋势被考虑在内

9.4.2　基准模型回归结果

我们首先采用普通的面板数据模型（模型Ⅰ～模型Ⅲ）初步验证了可再生能源发展与能源强度的关系。Hausman 检验结果在 1%水平显著。因此，我们采用固定效应面板数据模型来估计收入的影响。在此基础上，通过增加交互项，初步分析了可再生能源发展影响的异质性，如表 9-6 的模型Ⅳ所示。ln RED 的系数显著为正，而 ln RED × ln PGDP 的系数为−0.015，且在 1%水平上显著。这意味着只有在高经济发展群体中，可再生能源发展对能源强度有改善作用。具体来说，可再生能源发展每提高 1%，能源强度就会下降 0.015%。随着经济发展水平提高，可再生能源发展与能源强度的关系由正向相关转变为负向相关。上述结果初步为验证假设 1 和假设 2 提供了证据。

表 9-6　基准模型回归结果

变量	模型Ⅰ	模型Ⅱ	模型Ⅲ	模型Ⅳ
	混合回归	固定效应	随机效应	双重固定效应
lnRED	0.025*** （0.008）	0.042*** （0.010）	0.041*** （0.010）	0.054*** （0.011）
lnPGDP	0.026 （0.029）	−0.366*** （0.044）	−0.321*** （0.041）	−0.304*** （0.050）
lnTP	−0.295*** （0.016）	−0.089*** （0.014）	−0.108*** （0.014）	−0.088*** （0.014）
lnIS	0.320*** （0.076）	0.292*** （0.057）	0.278*** （0.056）	0.288*** （0.056）
lnECS	0.120* （0.065）	0.241*** （0.047）	0.212*** （0.046）	0.190*** （0.051）
$\ln CO_2$	0.208*** （0.033）	0.237*** （0.030）	0.213*** （0.029）	0.245*** （0.030）
lnRED×lnPGDP				−0.015*** （0.006）
常数项	1.616*** （0.135）	−0.076 （0.154）	0.149 （0.154）	−0.215 （0.161）
F 统计量		97.670***		
Hausman 检验		27.730***		
个体固定效应	否	是	是	是
时间固定效应	否	否	是	是
R^2	0.724	0.855	0.854	0.857
样本量	570	570	570	570

注：标准误位于括号内

***、*分别表示 1%、10%的显著水平下拒绝原假设

根据交互效应分析，我们发现不同的经济发展水平导致可再生能源发展对能源强度产生了相当不同的影响。这种不一致性反映了传统的线性函数模型可能无法捕获关键变量之间的真实交互作用。

9.4.3　部分线性泛函系数面板模型回归结果

1. 国家水平

考虑到不同经济发展水平的异质性，交互项构造的局限性可能导致估计偏差和模型误用，本节采用部分线性函数系数面板数据模型估计可再生能源发展

响应函数。图 9-5 报告了可再生能源发展的非参数函数系数，估计结果的线性部分见表 9-7。

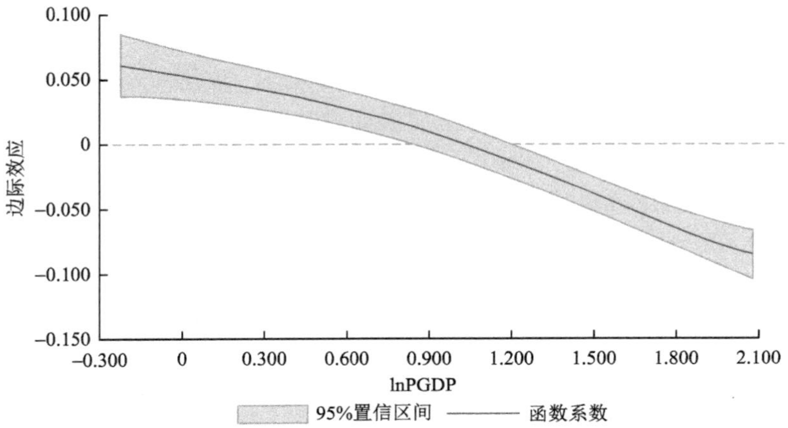

图 9-5　国家水平上 lnRED 的函数系数

表 9-7　部分线性函数模型的线性部分回归结果

变量	模型Ⅵ	模型Ⅶ	模型Ⅷ	模型Ⅸ
	国家水平	东部地区	中部地区	西部地区
lnTP	−0.032*** (0.011)	−0.089*** (0.015)	−0.015 (0.018)	−0.022 (0.015)
lnIS	0.173*** (0.055)	0.218*** (0.076)	0.051 (0.092)	0.265** (0.122)
lnECS	0.019 (0.043)	0.039 (0.024)	−0.030 (0.108)	−0.013 (0.065)
$\ln CO_2$	0.190*** (0.028)	0.125** (0.049)	0.236*** (0.055)	0.199*** (0.043)
R^2	0.425	0.475	0.586	0.368
样本量	570	209	152	209

注：括号内为标准误

***、**分别表示在 1%、5%的显著水平下拒绝原假设

从图 9-5 可以看出，随着经济发展水平的上升，可再生能源发展的函数系数呈现一条向右下的曲线。考虑到经济发展的不同阶段，边际效应的趋势可以分为 3 个时期。当 lnPGDP 小于 0.854（等价于 2010 年不变价格的 PGDP 是 2.350 万元）时，可再生能源发展的边际效应曲线和 95%置信区间保持在 0 以上，说明可再生能源发展的边际效应为显著的正向效应。可再生能源发展对能源强度降低产生了

不利影响。在经济发展水平低的地区，政府的财政补贴少，难以满足可再生能源发展初期的巨大投资需求，导致企业的生产成本提高，削弱可再生能源的竞争力。这些地区的技术落后，而且可再生能源利用成本增加将使得企业缺乏动力开展研发活动。因此，经济发展水平低的地区会使用更多的成本相对低廉的非可再生能源。然而，非可再生能源储量有限，地理分布不均，而且容易受到战争、金融危机、技术等意外事件的影响，不能确保长期稳定的能源供应。此外，非可再生能源燃烧会排放大量污染物，环境成本高，不能维持可持续的经济发展，从而非可再生能源消费持续增加提高了能源强度。当 lnPGDP 位于 0.854 和 1.198 之间（等价于 PGDP 高于 2.350 万元，但低于 3.313 万元）时，估计的函数系数的 95%置信区间包含零，表明可再生能源发展对能源强度的影响不显著。与经济发展落后地区相比，经济发展水平有了一定的增长，但是仍然不能提供足够的财政补贴，技术人才和研发投入等资源扩大可再生能源部署规模。在这个阶段，可再生能源部署规模小，不能显著促进经济增长和能源结构转型。相比之下，当 lnPGDP 大于 1.198 时，可再生能源发展的边际效应曲线和 95%置信区间保持在 0 以下，意味着可再生能源发展的估计效应在 5%显著水平上显著。当经济发展水平超过这一门槛值时，可再生能源发展将对能源强度增长产生抑制效应。结论与基准模型估计结果的分析一致。上述结果进一步验证了假设 1 和假设 2。

对于剩余解释变量的结果（表 9-7 的模型Ⅵ），技术进步的系数为负，且在 1%水平上显著，说明技术进步对降低能源强度具有积极作用。技术进步通过增加产出因素的边际生产率和间接改善能源配置效率降低能源强度（Peng et al.，2019；Zhu et al.，2019b）。先进的技术和管理制度可以促进依靠增加生产要素量的投入驱动经济增长的粗放型发展模式转向集约型经济增长方式，注重提高生产要素的质量和使用效率，将起到显著的节能作用。产业结构和碳排放的系数均为正向显著，产业结构和碳排放都促进了能源强度提高。2000～2019 年我国第二产业占 GDP 的比例平均为 45.5%，在产业结构中仍然占据优势。第二产业包括制造业、采掘业、建筑业等技术含量低、能耗和污染高的行业，因此，第二产业规模扩张将导致能源消费量的增加。现有文献已经认为碳排放是全球气候变暖的主要原因。全球气温不断攀升将会导致南北极冰盖的加速融化、森林火灾、病虫害等更加频繁和更具破坏性的自然灾害，严重威胁人类生存发展（Roca and Alcántara，2001）。高碳排放量意味着消耗大量的石油、煤炭等不可再生的化石燃料能源，对环境造成巨大的破坏，导致高昂的环境治理成本，不利于可持续经济增长（Shahbaz et al.，2015；Wu et al.，2016）。能源消费结构系数不显著，意味着能源消费结构与能源强度不存在显著关系。这可能归咎于能源消费结构变化幅度小，不能对能源强度起到明显的影响。中国的煤炭消费占能源消费总量的比例从 2000 年的 68.5%降至 2018 年的 59.0%，降低了 9.5 个百分点。

2. 区域水平

由于资源禀赋、地理位置、历史等原因，我国各省之间的经济发展水平差异较大。根据国家统计局，我国大陆区域划分为东、中、西部经济带。三个地区自然条件和资源状况不同，具有各自的发展特点。东部地区经济发达，人口密集，但是自然资源贫乏；中部地区自然资源和劳动力丰富，但区域发展不平衡问题突出；西部地区经济落后，地广人稀，但是自然资源丰富。接下来，我们计算了东、中、西部地区可再生能源发展对能源强度改善的边际效应。

（1）东部地区。图 9-6（a）显示东部地区可再生能源发展水平的函数系数表现为一条接近倒“U”形的曲线。当 lnPGDP 小于 0.587（等价于 2010 年不变价格的 GDP 是 1.799 万元）时，95%的置信区间包括 0，表明在经济发展水平较低时，可再生能源发展与能源强度之间不存在显著关系。随着 lnPGDP 增至 0.587 和 1.474 之间（等价于 PGDP 高于 1.822 万元，但低于 4.365 万元）时，可再生能源发展对能源强度表现出正向影响，且在 5%水平上显著。在此经济发展区间，推动可再生能源发展将导致能源强度提高。然而，随着东部地区经济快速发展，可再生能源装机量的持续提高，可再生能源发展的函数系数曲线逐步向下方倾斜。当 lnPGDP 位于 1.474 和 1.725 之间（等价于 PGDP 高于 4.365 万元，但低于 5.615 万元）时，95%置信区间包含 0，表明可再生能源发展还处在相对较低阶段，不能显著降低能源强度。当 lnPGDP 大于 1.725 时，可再生能源发展的边际效应为显著的负向效应，意味着能源强度的变化将随着可再生能源发展的增加而下降。

（2）中部地区。如图 9-6（b）所示，中部地区可再生能源发展的函数系数是一条向右下方倾斜的曲线。当 lnPGDP 小于−0.271（等价于 2010 年不变价格的 PGDP 是 0.763 万元）时，可再生能源发展对能源强度有显著正向影响。中部经济发展水平较低地区没有足够的政府财政和企业融资能力进行大规模的可再生能源

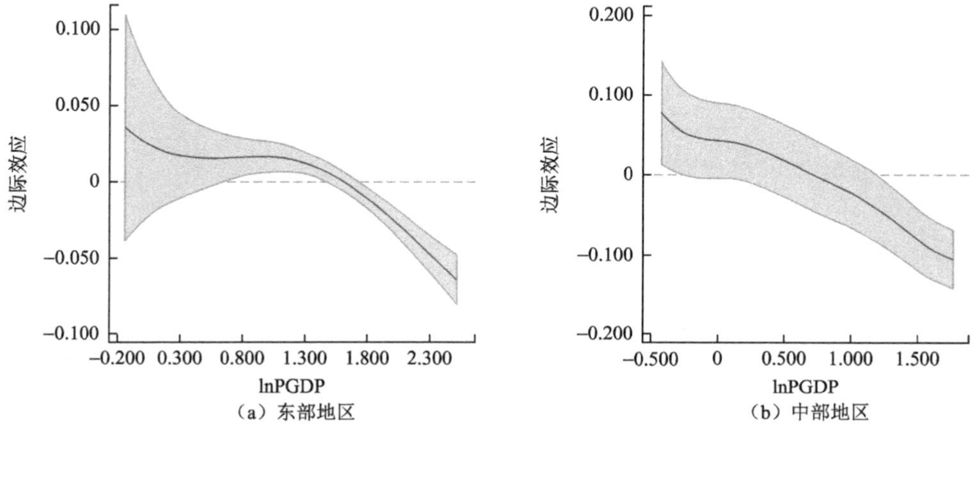

（a）东部地区　（b）中部地区

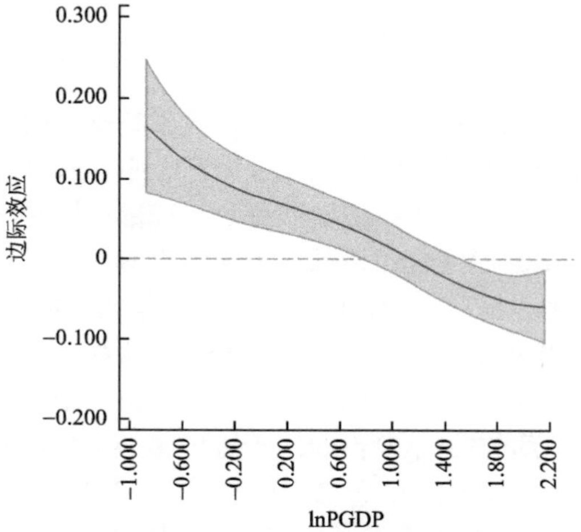

（c）西部地区

图 9-6　东、中、西部地区 ln RED 的函数系数

部署，而且巨大的可再生能源投资会加重财政负担，挤占了经济发展投资，不利于提高经济产出。当 lnPGDP 增至−0.271 与 1.154（等价于 2010 年不变价格的 PGDP 处在 0.741 万元与 3.170 万元之间，即图 9-6（b）中部地区的灰色标出的置信区间包含 0 的曲线部分）时，可再生能源发展对能源强度没有显著影响。但是在 ln PGDP 超过 1.154 后，可再生能源发展对能源强度有显著负向影响，意味着可再生能源发展能够有效抑制能源强度增长。

（3）西部地区。图 9-6（c）报告的西部地区的可再生能源发展的函数系数，可以看出，随着经济发展，可再生能源发展的函数系数曲线向右下方倾斜。当 lnPGDP 小于 0.738（等价于 2010 年不变价格的 PGDP 是 2.091 万元）时，可再生能源发展的边际效应为显著的正向效应，意味着促进可再生能源发展将导致能源强度增长。当 lnPGDP 增至 0.738 和 1.552 之间（等价于 2010 年不变价格的 PGDP 位于 2.091 万元和 4.722 万元之间）时，可再生能源发展与能源强度没有显著相关关系。当 lnPGDP 大于 1.552 时，可再生能源发展对能源强度有显著负向影响，表明可再生能源发展将有效促进能源强度改善。

9.4.4　稳健性检验

为了考察模型的稳健性，我们通过 Seo 和 Shin（2016）提出的考虑 kink 斜率的面板门槛回归模型分析可再生能源发展与能源强度的非线性关系。根据确定的门槛值，将 30 个省区市的样本客观划分为低和高经济发展水平区制，以比较可再生能源发展对能源强度的影响差异。探究可再生能源发展与能源强度关系的面板门槛回归模型如式（9-9）所示：

$$\begin{aligned}\ln(\mathrm{EI}_{it}) = {} & (\beta_1 \ln \mathrm{RED}_{it} + \beta_2 \ln \mathrm{PGDP}_{it} + \beta_3 \ln \mathrm{TP}_{it} + \beta_4 \ln \mathrm{ECS}_{it} + \beta_5 \ln \mathrm{IS}_{it} \\ & + \beta_6 \ln \mathrm{CO}_{2it}) 1 \cdot (\ln \mathrm{PGDP}_{it} \leqslant \gamma) + (\lambda_1 \ln \mathrm{RED}_{it} + \lambda_2 \ln \mathrm{PGDP}_{it} + \lambda_3 \ln \mathrm{TP}_{it} \\ & + \lambda_4 \ln \mathrm{ECS}_{it} + \lambda_5 \ln \mathrm{IS}_{it} + \lambda_6 \ln \mathrm{CO}_{2it}) 1 \cdot (\ln \mathrm{PGDP}_{it} > \gamma) + \alpha_i + \varepsilon_{it}\end{aligned} \tag{9-9}$$

我们通过面板门槛回归模型探讨了可再生能源发展对能源强度的门槛影响，以检验结果稳健性。具体结果如表 9-8 所示。采用经济发展水平作为门槛变量，门槛值 γ 估计为 1.249（等价于 2010 年不变价格的 PGDP 是 3.487 万元），并且通过了 1%显著水平的 bootstrap 线性检验，验证了式（9-9）存在门槛效应。门槛值与国家水平下对产生负影响的门槛值 1.249 较为接近。61.9%的观察值处在较低区制，而 38.1%的观察值落入较高区制。当 lnPGDP 小于门槛值时，lnRED 的系数显著为正。然而，当 lnPGDP 大于 1.249 时，lnRED 的系数为–0.826［由表 9-8 中 lnRED 的估计系数（0.011）和 kink 斜率估计系数（–0.837）相加得到］，且在 1%水平显著，意味着可再生能源发展提高 1%将导致能源强度下降 0.826%。上述结论验证了实证结果的稳健性。

表 9-8　稳健性检验结果

变量	估计系数
lnRED	0.011*** （0.003）
lnPGDP	–0.697*** （0.078）
lnTP	0.027*** （0.013）
lnECS	0.049 （0.120）
lnIS	–0.803*** （0.084）
$\ln\mathrm{CO}_2$	1.076*** （0.077）
kink 斜率	–0.837*** （0.126）
门槛值（γ）	1.249*** （0.044）
线性检验的 bootstrap p 值	0.000
矩条件个数	126
样本量	570

注：括号内为标准误

***表示在 1%的显著水平下拒绝原假设

9.5 本章小结

本章采用涵盖2000～2018年的中国30个省区市的面板数据集，旨在探究可再生能源发展在降低能源强度中的作用。采用动态面板门槛回归方法探究可再生能源发展对能源强度的门槛效应，得到以下发现。

（1）可再生能源发展在经济发展水平较高地区能显著地促进能源强度的下降，而在经济发展水平相对落后的地区，这种作用并不明显甚至会促进能源强度上升。具体而言，当人均GDP低于2.350万元时，可再生能源发展导致能源强度增长。大多数低经济发展水平地区不能提供足够的财政补贴、技术人才和研发投入等资源扩大可再生能源部署规模，主要依靠消耗更多的非可再生能源扩大生产，不能缓解能源危机和环境衰退对GDP的负面影响，而且可再生能源技术积累不足，生产率尚未得到明显的改善。当人均GDP位于2.350万元和3.313万元之间时，可再生能源发展对能源强度的影响不显著。在这个阶段，可再生能源部署规模相对较小，仍然不能显著促进经济增长和能源结构转型。当超过人均GDP 3.313万元时，可再生能源发展将对能源强度增长产生抑制效应。随着经济发展至更高水平，政府能够进行大规模的可再生能源部署，而且可再生能源技术和产业供应链更加健全，逐步淘汰高能耗、高排放产业，有效促进可持续经济增长。

（2）由于我国各地区之间的社会经济发展不平衡，东、中、西部经济带的可再生能源发展与能源强度的关系存在显著差异。东部地区的可再生能源发展函数系数是一条接近倒“U”形的曲线，而中部和西部地区的可再生能源发展函数系数呈现向右下方倾斜的曲线。当东、中、西部地区省份的人均GDP分别高于5.615万元、3.170万元、4.722万元时，可再生能源发展将有效抑制能源强度增长。

（3）技术进步是降低能源强度不可缺少的因素。先进的技术和管理制度促进经济发展模式转向集约型增长方式，注重提高生产要素的质量和使用效率，将起到显著的节能作用。然而，产业结构和碳排放都促进了能源强度提高。包括制造业、采掘业、建筑业等技术含量低、能耗和污染高的行业在内的第二产业规模扩张将导致能源消费量的增加。过量消耗的石油、煤炭等不可再生能源排放的大量CO_2将对环境造成巨大的破坏，导致高昂的环境治理成本，不利于可持续经济发展。2010～2019年煤炭占能源消费总量的比例仅下降9.5%，能源消费结构的较小变化幅度不能对能源强度起到显著影响。

第 10 章　可再生能源开发利用对碳排放的影响

10.1　碳减排与可再生能源发展

为落实巴黎气候大会全球实现 1.5℃控制升温的目标，各国都将发展可再生能源作为减缓温室气体（greenhouse gas，GHG）排放的一个重要选择（Bloch et al.，2015；IPCC，2011；Panwar et al.，2011）。这一选择导致了全球可再生能源投资和装机容量的迅猛增长。2019 年，全球可再生能源投资达 3017 亿美元，相对 2005 年增长近 3.4 倍（UNEP，2020）。2020 年全球可再生能源发电装机容量达到了 2799GW，其中水电 1331GW，太阳能和风能分别新增装机容量 127GW 和 111GW（IRENA，2021）。

作为全球最大的碳排放国，中国近十年来一直将发展可再生能源作为改善能源消费结构和降低碳强度的重要措施之一（Yu et al.，2020）。在《可再生能源法》《可再生能源发展“十三五”规划》等一系列政策和规划的引导下，我国可再生能源发电量由 2005 年 0.35 万亿 kW·h 增长到 2020 年的 2.2 万亿 kW·h，增加了近 5.3 倍，占全社会用电量的 29.5%（国家能源局，2021）。而我国碳强度在 2017 年就相对 2005 年下降了 46%，提前且超额完成到 2020 年的碳强度约束目标[①]。现有研究表明，中国碳强度大幅度下降最主要的原因是能源强度下降，即能源利用技术的进步导致的能源效率的提高（Dong et al.，2018a；Fan et al.，2007；Su and Ang，2015；Wang et al.，2016a；Wang et al.，2017a；Yan et al.，2018；Zhang et al.，2016b；Zhang and Da，2015）。其他因素，如产业结构的调整（Chang，2015；Cheng et al.，2018）、居民行为节约（Li et al.，2019）及能源结构低碳化改善（Lu et al.，2017；Wang et al.，2011）等也是碳强度下降的重要因素。中国可再生能源迅猛发展，但区域发展不平衡，且碳强度下降幅度也有较大差异。因此，中国不同区域可再生能源发展对碳强度下降是否有显著性影响及影响程度如何仍需进一步探讨。这种探讨一方面有利于揭示在不同区域经济水平、资源潜力下，可再生能源开发对碳减排的异质性影响机理。另一方面，也有利于为制定区域精准碳减排政策和可再生能源开发政策提供决策支持。

---

①《国新办：2017 年我国碳强度比 2005 年下降约 46%》，http://tv.people.com.cn/n1/2018/1126/c61600-30422955.html[2021-12-30]。

10.2 碳排放空间分布现状及演化特征分析

10.2.1 碳排放及强度估算

对碳强度（CI）在历史期间的演化及当前现状进行分析前，需要先对全国及省域 CO_2 的排放总量（C）及碳强度进行合理的估算。碳强度，即单位 GDP 的 CO_2 排放量，其计算公式如式（10-1）所示：

$$\mathrm{CI} = C / \mathrm{GDP} \tag{10-1}$$

研究在对 CO_2 排放进行估算时采用了 Yu 等（2014）中的测算方法。其原理在于 CO_2 的主要来源是化石能源的燃烧，因而可将不同种类化石能源消费量数据与对应的碳排放系数相乘后加总最终得出中国及各省区市历年的碳排放总量，具体公式如式（10-2）所示：

$$C_i = \sum \left(E_{ij} h_j c_j O_j \times \frac{44}{12} \right) \tag{10-2}$$

其中，

$$E_{ij} = E_{ij}^{\text{final}} + E_{ij}^{\text{trans}} - E_{ij}^{\text{loss}} - E_{ij}^{\text{non}} \tag{10-3}$$

其中，j 是化石能源的种类；E_{ij} 是 i 省第 j 种能源的实际消费量，其中包含第 j 种能源的终端能源消费量 E_{ij}^{final}，用于加工转换与投入的燃料使用 E_{ij}^{trans}，以及减去中间损失 E_{ij}^{loss} 和非燃烧使用的部分 E_{ij}^{non}，它们之间的关系如式（10-3）所示，数据可从《中国能源统计年鉴》各省区市能源平衡表获得；h_j 和 c_j 分别是 j 能源的平均低位发热值和单位热值含碳量；O_j 是第 j 种能源的氧化率，式（10-2）中 $h_j c_j O_j \times (44/12)$ 计算所得即为 j 能源的碳排放系数。各能源对应的 h、c 和 O 取值如表 10-1 所示。

表 10-1 各种能源平均低位发热值、含碳量及氧化率

能源类型	平均低位发热值 h/[kJ/kg(kJ/m^3)]	单位热值含碳量 c/(kgC/GJ)	氧化率 O
原煤	20 908	25.8	90%
洗精煤	26 344	25.8	90%
其他洗煤[1)]	15 300	25.8	90%
型煤[1)]	17 700	26.6	90%
焦炭	28 435	29.2	90%
焦炉煤气	16 726	12.1	97%

续表

能源类型	平均低位发热值 h/[kJ/kg(kJ/m^3)]	单位热值含碳量 c/(kgC/GJ)	氧化率 O
其他煤气	7 810	12.1	97%
原油	41 816	20.0	98%
汽油	43 070	18.9	98%
煤油	43 070	19.5	98%
柴油	42 652	20.2	98%
燃料油	41 816	21.1	98%
液化石油气	50 179	17.2	98%
炼厂干气	45 998	15.7	98%
其他石油制品 1)	40 200	20.0	98%
天然气	38 931	15.3	99%

注：h 数据来自《中国能源统计年鉴》，c 和 O 数据来源于联合国政府间气候变化专门委员会（Intergovernment Panel on Climate Change，IPCC）2013 年的报告

1）表示该能源品种的相关数据参考自《能源经济与环境系统建模——软计算方法及应用》（於世为等，2014）

GDP 数据可由国家统计局发布的《中国统计年鉴》得到，而为了消除通货膨胀的影响，使经济数据具有可比性，研究将 GDP 统一调整为以 2010 年为基期的不变价。

10.2.2　中国碳排放现状

面对生存环境受到全球变暖问题的威胁，应对全球气候变化目前已经刻不容缓。作为责任大国，中国近年来越发重视和强调节能减排政策的实施和低碳经济发展。碳强度作为减排的一项重要的约束性指标因而受到了广泛关注。

我国碳排放总体呈现上升趋势，在 2013 年后上涨幅度放缓。从图 10-1 可知，中国碳排放量不断增长，由 2000 年的 30.03 亿 t 增至 2013 年的 95.34 亿 t，年均增速达 9.3%。CO_2 排放主要来源于煤炭、石油和天然气等传统能源。14 年间，中国的化石能源消费由 13.62 亿 t 标准煤迅速增至 41.25 亿 t 标准煤，增幅为 202.9%。2013 年后，碳排放量开始下降，降幅为 3.3%，2016 年达到 92.17 亿 t。这主要归功于煤炭消费份额的下降，清洁能源结构转型及能源利用效率提高。在此期间，煤炭消费比重由 67.4%降至 62.2%，同时非化石能源消费比重增加 2.8%。随后，碳排放量继续增长，2018 年，碳排放量增至 96.21 亿 t，2016～2018 年年均增速 2.2%。其主要原因在于中国经济发展导致能源消费量增加，以及能源强度下降速度趋缓。2000～2018 年，电力、热力的生产和供应行业（S25）、金属冶炼和压延

加工品行业（S14）和非金属矿物制品行业（S13）的碳排放量在所有行业中排名前三，其碳排放量的平均比重分别为 41.5%、16.8%和 13.4%。

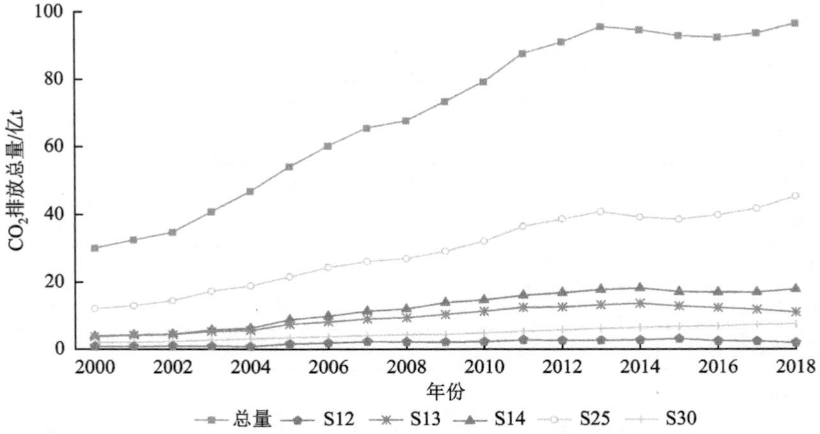

图 10-1　中国及主要行业的碳排放量

资料来源：CEADs 数据库

根据《中国统计年鉴》公布的分行业代码，S12、S13、S14、S25 和 S30 分别指化学产品行业；非金属矿物制品行业；金属冶炼和压延加工品行业；电力、热力的生产和供应行业；交通运输、仓储和邮政行业

尽管我国碳排放总体呈现上升趋势，但碳强度总体呈下降趋势。如图 10-2 所示，全国碳排放由 2005 年的 52.83 亿 t 增加至 2018 年的 96.57 亿 t，而同期，碳强度由 2005 年的 2.19t/万元到 2018 年下降至 1.31t/万元，年均下降率约 3.88%。碳强度的明显降低意味着，随着各项节能减排政策的逐步实施和技术水平的不断提高，中国在减排方面整体上取得成效显著，碳排放效率得到了一定程度的提高。

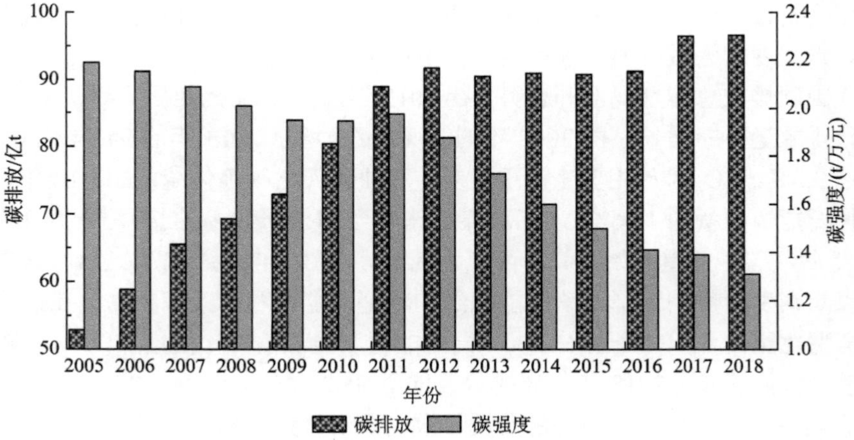

图 10-2　碳排放与碳强度历年变化趋势（2005～2018 年）

10.2.3　地区碳强度演化特征分析

碳强度在中国各地区的分布状况有较大差异。如图 10-3 所示，除新疆和宁夏两自治区，其余省份的碳强度较期初均出现了不同程度的下降。这意味着，随着各项节能减排政策的逐步实施和技术水平的不断提高，中国在减排方面整体上取得成效显著。但在宁夏、山西、内蒙古、贵州和新疆等能源资源较为丰富的地区，较高的能源禀赋可能导致了能源密集型的经济发展模式，因而碳强度仍处于较高水平，2005～2018 年五个地区的平均碳强度分别为 5.45t/万元、3.95t/万元、3.85t/万元、3.74t/万元和 3.49t/万元，均远高于全国的碳强度平均水平 1.80t/万元。得益于良好的经济发展效益，北京和广东在所有地区中碳强度水平最低，样本期间碳强度平均值都要小于 1t/万元。2018 年，北京和广东的碳强度仅分别为宁夏的 6.9%和 12.1%。而大多数省域碳强度分布在 1～3t/万元。

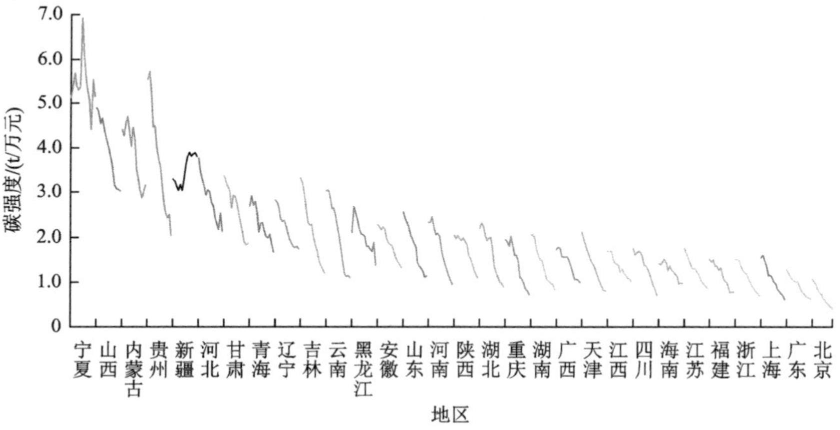

图 10-3　地区碳强度历年变化趋势（2005～2018 年）

除新疆和宁夏外，其余省份的碳强度较期初均出现了不同程度的下降，且差异较大。图 10-4 进一步展示了各省区市 2018 年相对 2005 年的碳强度增长率情况。如图 10-4 所示，新疆在样本期间碳强度增加了 15.8%，具体由 3.29t/万元上升至 3.81t/万元。而在碳强度下降的省区市中，下降幅度最大的地区是北京，其 2018 年碳强度相对 2005 年下降 66.8%，约为降幅最小的地区（内蒙古）的 2.34 倍。

综合图 10-3 和图 10-4 可知，北京市不仅碳强度整体水平较低，样本期间的平均碳强度在所有省区市中最低，同时碳强度下降幅度也最快，2018 年相对期初下降了 66.8%。尽管贵州也具有较高的碳强度水平，但在研究期间相对下降了

63.1%，表现出较好的减排成效。与之相反，新疆和宁夏的平均碳强度水平位列所有省份前两位，其碳强度相对于期初不减反增。

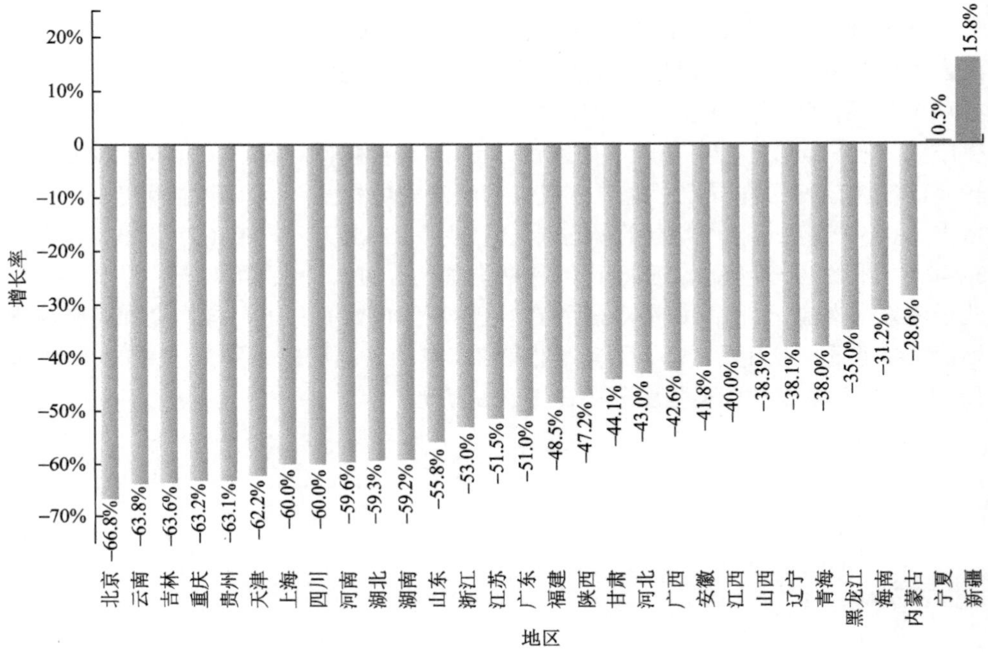

图 10-4　各地区 2018 年相对 2005 年的碳强度增长率

10.3　可再生能源开发对碳强度的理论实证模型

中国的可再生能源发电量在样本期间呈现了显著的上升趋势，由 2005 年的 4007 亿 kW·h 增至 2018 年的 17 748 亿 kW·h，同期，碳强度得到显著的下降，由 2005 年的 2.19t/万元到 2018 年下降至 1.31t/万元，这说明，可再生能源开发效果及碳排放绩效均得到显著提高。本节将通过面板分位回归模型对两者之间的关系进行实证分析。

10.3.1　面板分位回归模型简介

分位回归模型是以“最小化残差绝对值”建立的目标函数来估计不同分位点上解释变量对被解释变量的影响效果（Koenker and Bassett，1978）。Koenker（2004）首次将分位回归应用到面板数据研究中，并通过引入惩罚函数来消除个体固定效应，并被 Lamarche（2010）、Canay（2011）和 Kato 等（2012）等广泛应用于面板分位估计。但在这些估计中，均包含了可加性固定效应，使得分位点的含义发生改变①。为了解决该问题，Powell（2022）提出非可加性固定效应面板分位回归模型。他通过使用组间个体变异作为识别目的，放松可加性固定效应模型中参数仅随随机扰动项时移部分变化的假设。此外，这种估计方法在短面板中也可以得到一致的估计，计算也更为简便。

为探讨可再生能源发展对中国碳减排在不同碳强度分位水平下的影响，本节构建了碳强度与可再生能源发电量的省际面板分位回归模型。考虑到上述优点，以及本节所使用的短面板数据（$T=12$），研究选择采用 Powell（2022）方法来进行结果估计。对于给定的自变量 X_{it}，假设：

$$Y_{it}=q(X_{it},U_{it}^{*})\text{，}\quad U_{it}^{*}\sim \text{Uniform}(0,1) \tag{10-4}$$

其中，i 和 t 分别是地区和时期；$U_{it}^{*}=f(\alpha_i,U_{it})$ 是以某种未知形式存在的关于截距项 α_i 和未观察到的随机变量 U_{it} 的函数。

当 $U_{it}^{*}=\tau$ 时，

$$P[Y_{it}\leqslant q(X_{it},\tau)]=\tau\text{，}\quad \tau\in(0,1) \tag{10-5}$$

此时，$q(X_{it},\tau)$ 严格随着 τ 增加，且 $E[I(Y_{it}\leqslant q(X_{it},\tau))-I(Y_{it}>q(X_{it},\tau))]=0$。$I(\cdot)$ 是示性函数，括号中条件成立时等于 1，否则为 0。

因而我们考虑如式（10-6）所示的条件分位函数式：

$$Q_{Y_{it}}(\tau\mid X_{it})=X_{it}\beta(\tau) \tag{10-6}$$

X_{it} 与 Y_{it} 的关系系数 β 依赖于 τ 的取值。

面板分位回归的目标函数为残差绝对值的最小化。因而我们可以通过 Powell（2022）提出的简化 GMM 的辅助估计得到参数的估计值，如式（10-7）所示：

$$\hat{\beta}_{\tau}=\arg\min_{\beta\in B}\hat{g}(\beta)'W\hat{g}(\beta) \tag{10-7}$$

其中，W 是权重矩阵，且

$$\hat{g}(\beta)=\frac{1}{N}\sum_{i=1}g_i(\beta) \tag{10-8}$$

$$g_i(\beta)=\frac{1}{T}\sum_{t=1}[(Z_{it}-\bar{Z}_i)I(Y_{it}\leqslant X_{it}\beta)] \tag{10-9}$$

Z_{it} 是工具变量②。此外，对所有时期 t 参数集合 B 满足：

$$B\equiv\left\{\beta\mid\tau-\frac{1}{N}<\frac{1}{N}\sum_{i=1}^{N}I(Y_{it}\leqslant\beta x_{it})\leqslant\tau\right\} \tag{10-10}$$

---

① 可加性固定效应模型是基于 $(Y-\alpha)\mid X$ 而非 $Y\mid X$ 的分布进行的估计，因而分位点 τ 所代表的含义发生变化，不能解释为因变量的分位水平（Powell，2022）。

② 本章并未考虑工具变量的使用，外生性解释变量作为自身的工具变量进入模型。

与 OLS 目标函数残差平方和最小不同的是，分位数回归的目标函数为最小化残差绝对值。因目标函数中包含的表达式不可微分，故使用线性规划的方法来估计参数。又由于包含的解释变量超过了两个，网格搜索（grid search）的优化方法不再适用，因而本节选择马尔可夫链蒙特卡罗方法（Markov chain Monte Carlo methods，简写为 MCMC）进行面板数据的广义分位数回归估计。

10.3.2 变量选取与数据管理

本节应用的面板分位回归模型除了包含可再生能源发电量（REG）用来表征可再生能源的开发水平，还包含能源强度（EI）、能源结构（ES）、产业结构（IS）、人均 GDP（PGDP）及城镇化率（UR）等变量以消除这些因素的地区差异带来的回归偏误，同时在模型中加入了可再生能源发电量分别与能源强度和人均 GDP 的交互项。此外，为了赋予变量弹性的含义，本研究对模型中所包含的变量均进行了自然对数处理。具体方程如式（10-11）所示，对于碳强度在第 τ 分位点的面板分位函数为

$$
\begin{aligned}
Q_{\ln \mathrm{CI}_{it}}(\tau \mid x_{it}) = {} & \beta_{1\tau} \ln \mathrm{REG}_{it} + \beta_{2\tau} \ln \mathrm{EI}_{it} + \beta_{3\tau} \ln \mathrm{ES}_{it} + \beta_{4\tau} \ln \mathrm{IS}_{it} + \beta_{5\tau} \ln \mathrm{PGDP}_{it} \\
& + \beta_{6\tau} \ln \mathrm{UR}_{it} + \beta_{7\tau} \mathrm{inter1} + \beta_{8\tau} \mathrm{inter2} + u_{\mathrm{it}}
\end{aligned}
\tag{10-11}
$$

因而解释变量集合 x_{it} 包含 lnREG、lnEI、lnES、lnIS、lnPGDP、lnUR 及两个交互项（inter1 和 inter2），其中，inter1 = lnREG×lnEI，inter2 = lnREG×lnPGDP。

1. 可再生能源发电量

可再生能源受到区域及气候等条件的限制极大，也仅能依靠转化为电力的形式实现跨区域传输。鉴于中国较为严重的可再生电力弃电和窝电现象（北极星太阳能光伏网，2018b），可再生能源的发电量相较于装机容量而言更适合用来表征其发展水平。从电力的供给与生产视角来看，可再生能源发电量越多，意味着可再生能源的开发水平越高。

2. 能源强度

能源强度是 GDP 的能源消费量，是衡量能源利用效率的重要指标。同时能源效率的提高是生产、节能技术在不同区域和部门间的扩散导致，因而能源强度在一定程度上也能反映技术效应，与技术进步成反比。由于 CO_2 排放主要是化石能源的燃烧引起的，碳排放与能源消费总量有着密切的联系，因此能源强度的下降也被学者普遍认为是导致碳强度下降的重要原因之一（Dong et al.，2018a; Fan et al.，2007； Yan et al.，2018）。

3. 能源结构

不同能源品种在资源潜力、污染排放及经济效益等方面的异质性，导致能源组合的形式，即能源结构也成为影响碳排放和碳强度的重要因素之一（Lu et al.，2017）。本节选取非化石能源消费的比重表征能源结构。

4. 产业结构

不同产业生产特性存在巨大差异。例如，石油炼焦等行业属于能源密集型工业，其生产过程需要消耗大量的能源同时伴随着较高的排放，而第三产业中的服务业属于劳动力密集型产业，对能源需求小，排放相对较少，因此，产业结构的调整也可能引起碳强度的显著变化。

5. 人均 GDP

经济增长是影响碳强度的关键原因之一（Fan et al.，2007；Jorgenson，2014；Pan et al.，2019；Zhang et al.，2014b）。经济的发展增加了人类对能耗的需求，给环境保护及温室气体减排带来了巨大压力。

6. 城镇化率

在某种程度上，城市化是社会和经济结构转型的载体，与能源消耗及碳排放也有紧密的联系（Wang et al.，2019c）。人类社会从农业型社会转向以工业和服务业为主的现代社会，其主要经济活动从农村逐步转移到城镇，出现了人口从农村到城镇的大量迁移和现代化的生产经营形式。在城市化建设进程中，经济通过生产要素的不断扩张得到快速增长，因而引起了能源和碳排放的变化。

各变量定义如表 10-2 所示，描述性统计分析见表 10-3。

表 10-2　解释变量与其含义

变量	名称	定义
CI	碳强度	单位 GDP 的 CO_2 排放量
REG	可再生能源发电量	总发电量减去火电和核电的部分
EI	能源强度	单位 GDP 的能源消费量
ES	能源结构	非化石能源消费比重
IS	产业结构	第二产业占 GDP 比重
PGDP	人均 GDP	GDP 除以总人口（常住口径）
UR	城镇化率	城镇人口占总人口比重（常住口径）

表 10-3　描述性统计结果

变量	平均值	标准差	最小值	最大值	单位
CI	2.04	1.18	0.36	6.92	t/万元
REG	327.57	493.77	0	3239.53	亿 kW·h
EI	1.00	0.50	0.29	2.73	t 标准煤/万元
ES	12.64%	12.64%	0	57.7%	
IS	46.12%	8.26%	18.63%	61.5%	
PGDP	3.95	2.32	0.68	12.42	万元/人
UR	53.53%	13.89%	26.87%	89.6%	

由于西藏与能源相关的数据缺失，故本节选取的研究对象将其排除在外，仅包含中国 30 个省区市。其中，可再生能源的发电量相关数据来自《中国电力统计年鉴》。测算能源强度所需要的分省能源消费总量、GDP 数据、第二产业比重、人均 GDP 及城镇化率均来自国家统计局发布的《中国统计年鉴》。需要注意的是 GDP 数据也都相应调整为 2010 年不变价。

由于国家并未统一给出各省区市非化石能源消费量及比重的数据，因而数据来源口径较为复杂。有 22 个地区的非化石能源消费比重数据来源于各省的统计年鉴。浙江省的非化石能源数据来源于《浙江省能源与利用状况》（白皮书），剩下北京、天津、山西、上海、江苏、安徽、湖北 7 个地区则是根据各自省市人民政府网站或年鉴公布的已知数据通过插值法和趋势拟合对缺失值进行补充。例如，《北京统计年鉴 2020》给出了 2010～2019 年的能源消费构成，非化石能源比重由 0.71%增长到 5.17%，再通过趋势拟合估算 2005～2009 年的缺失数据。

CO_2 排放进行估算时采用了 10.1.1 节说明的测算方法，即通过将不同种类化石能源消费量数据与对应的碳排放因子相乘后加总最终得出中国及各省区市历年的碳排放总量。

10.4　可再生能源开发对碳强度影响的实证证据

10.4.1　面板单位根检验与面板协整检验

1. 截面相关与面板单位根检验

序列的非平稳性可能导致最终结果出现伪回归，降低估计的可信度（Granger and Newbold，1974）。截面的相互依赖可能会导致严重尺寸扭曲和信力下降（Pesaran，2007）。因而在进行正式回归之前，研究首先采用 Pesaran（2004）的检验模型中包含的各项变量（碳强度、可再生能发电量、能源强度、能源结构、产业结构、人均 GDP、城镇化率）检验是否存在截面相关；其次进行面板的单位根检验，确定序列的平稳性。

截面相关检验的结果如表 10-4 所示。我们可以发现每个变量都在 1%的显著性水平下拒绝截面相互独立的原假设，这意味着面板在进行单位根检验时，截面相关是一个不容忽视的问题。

表 10-4　截面相关检验与面板单位根检验结果

变量	Pesaran CD 检验	CIPS 单位根检验	
		水平	一阶差分
lnCI	61.92***	−0.516	−3.195***
lnREG	60.43***	−1.038	−4.196***
lnEI	69.66***	0.254	−2.052***
lnES	50.37***	−0.996	−3.249***
lnIS	46.60***	−1.623*	−2.216***
lnPGDP	77.75***	−0.051	−2.176***
lnUR	69.18***	−1.439	−2.630***
inter1	55.15***	0.132	−3.142***
inter2	71.94***	−1.720**	−3.069***

注：截面相关检验的原假设为不存在截面相关，CIPS 单位根检验原假设存在单位根。CIPS 统计量在 1%、5%和 10%显著性水平下对应的临界值分别为−1.87、−1.65 和−1.53

***、**和*分别表示在 1%、5%和 10%显著性水平下拒绝原假设

由于每个变量都表现出截面相互依赖的特质，本节通过允许截面相关存在的 CIPS 面板单位根检验（Pesaran，2007）对各序列的平稳性进行检验。CIPS 检验是在面板 IPS 检验的基础上，首先考虑将截面均值滞后项及差分项代入到第一步的 CADF 回归中，并得到每个截面的 CADF 统计量 $t_i(N,T)$，再将各个截面的 t_i 进行平均则进一步得到 CIPS 统计量。CIPS 检验的原假设为面板包含单位根，拒绝原假设意味着序列平稳，检验结果展示在表 10-4 中。如表 10-4 所示，所有变量的原始序列不平稳，但对数据进行一阶差分处理后都在 1%显著性水平下拒绝了不平稳的原假设，也就是说模型中包含的各变量均为一阶单整。

2. 面板协整检验

为了消除非平稳可能带来的影响，本节对序列进一步进行了面板协整检验（Pedroni，1999，2004）。统计量及对应的 p 值如表 10-5 所示。

表 10-5　面板协整检验结果

项目	检验方式	统计量	p 值
组内统计量	Panel v 统计量	–8.041	0.000
	Panel rho 统计量	–17.530	0.000
	Panel PP 统计量	–1.655	0.049
	Panel ADF 统计量	–2.261	0.012
组间统计量	Group rho 统计量	8.518	0.000
	Group PP 统计量	–4.896	0.000
	Group ADF 统计量	–4.159	0.000

由表 10-5 可知，除了组内 PP 统计量和组内 ADF 统计量在 5%显著性水平下拒绝了不协整的原假设，组间统计量及前两种组内统计量均在 1%的显著性水平下拒绝了原假设。我们可以得出这些变量之间是存在协整关系的。

10.4.2　结果分析与讨论

1. 可再生能源发展的影响

单位根检验和协整检验结果认为模型中各（非平稳）变量之间存在长期的均衡关系，因而直接基于 Powell（2022）的方法进行面板分位回归，在碳强度第 10%～90%分位时的回归结果如表 10-6 所示。

表 10-6　面板分位回归结果

变量	分位点								
	10%	20%	30%	40%	50%	60%	70%	80%	90%
lnREG	–0.068*** （–140.954）	–0.070*** （–3.535）	–0.063** （–2.572）	–0.087*** （–11.561）	–0.088*** （–118.070）	–0.077*** （–62.963）	–0.077*** （–25.820）	–0.118*** （–331.592）	–0.137*** （–743.804）
lnEI	0.987*** （128.605）	0.813*** （14.565）	0.726*** （9.968）	0.555*** （10.425）	0.780*** （113.888）	0.845*** （71.693）	0.967*** （38.895）	0.782*** （404.348）	0.804*** （723.812）
lnES	–0.004*** （–34.854）	–0.002 （–1.264）	0.001 （1.003）	–0.005 （–1.274）	0.001*** （8.305）	0.003*** （24.181）	–0.007*** （–4.373）	–0.003*** （–35.275）	–0.002*** （–39.507）
lnIS	0.141*** （25.031）	0.283*** （12.920）	0.377*** （19.678）	0.335*** （43.860）	0.281*** （124.722）	0.173*** （43.346）	0.056*** （3.565）	0.165*** （73.396）	0.155*** （120.493）
lnPGDP	0.018*** （3.835）	–0.123*** （–3.794）	–0.091 （–1.414）	–0.103* （–1.920）	–0.148*** （–203.638）	–0.063*** （–15.184）	–0.068*** （–6.785）	–0.153*** （–105.916）	–0.186*** （–191.640）
lnUR	–0.453*** （–108.939）	–0.129 （–1.491）	–0.148*** （–2.681）	–0.427*** （–4.461）	–0.290*** （–59.105）	–0.329*** （–45.436）	–0.309*** （–19.253）	–0.449*** （–300.263）	–0.502*** （–196.106）

续表

变量	分位点								
	10%	20%	30%	40%	50%	60%	70%	80%	90%
inter1	−0.059*** （−42.963）	0.046*** （4.040）	0.085*** （6.455）	0.112*** （10.714）	0.072*** （50.374）	0.077*** （39.161）	0.069*** （19.442）	0.102*** （274.231）	0.082*** （501.079）
inter 2	0.008*** （19.105）	0.045*** （5.285）	0.040** （2.342）	0.064*** （17.407）	0.060*** （103.596）	0.055*** （57.737）	0.057*** （24.270）	0.088*** （394.647）	0.096*** （1135.053）
N	420	420	420	420	420	420	420	420	420

注：采用自适应 MCMC 优化程序来估计广义面板分位数回归

***、**和*分别表示在 1%、5%和 10%显著性水平下拒绝原假设

可再生能源发电量对碳强度产生显著的负向作用，且影响程度在碳强度低水平的地区稍弱。由表 10-6 可知，在 1%的显著性水平下，可再生能源发电量每增加 10%，将导致碳强度下降 0.63%～1.37%。这表明可再生能源开发将直接起到抑制碳强度增长的作用，有利于促进碳强度下降目标的实现。此外，我们发现，ln REG 的估计系数绝对值在碳强度第 10%～70%分位点都要小于 0.1，而在第 80%和 90%分位点的系数绝对值相对最大，分别为 0.118 和 0.137。这意味着可再生能源发电量对碳强度的影响会随着碳强度的不同分布而变化。相对于碳强度较低水平的区域，可再生能源的开发抑制碳强度的作用在碳强度较高区域相对更强。由 10.1.3 节我们发现，碳强度较高的地区则多是能源资源丰富的省区市，这些地区本身具备较大的减排潜力，通过发展可再生能源也可能带来碳强度更明显的变化。因而可再生能源在碳强度高位分布相对于低位分布对碳强度的影响更加敏感。

然而，可再生能源开发对碳强度的抑制作用有限。在同等分位下，可再生能源开发对碳强度的影响系数要远低于除能源结构之外的其他变量。这与 Chen 和 Lei（2018）的结论类似。这可能是可再生能源装机所在地电力消纳能力不足且电力外输通道不畅，导致发出的电无法被消纳及外输。这使得可再生能源发展对降低能源强度作用有限，导致其对碳减排作用远不如能源强度、城镇化率等其他因素。如表 10-6 所示，在 1%显著性水平下，可再生能源发电量与能源强度交互项的估计系数仅为−0.059～0.112。

为进一步探究可再生能源开发对碳强度的影响强度历年变化的情况，我们采用相同的变量和模型，对样本期间（2005～2018 年）30 个截面的逐年数据进行 Koenker 和 Bassett（1978）分位回归。结果如表 10-7 所示。由表 10-7 可知，在大多数分位下，可再生能源发电量并没有对碳强度产生显著影响。再次证实发展可再生能源对样本期间内中国碳强度下降的作用极其有限，但可再生能源的减排作用在影响程度上逐渐明显。如表 10-7 所示，在碳强度水平较高地区（80%分位），可再生能源发电量的回归系数由 2005 年不显著，到 2008 年开始显著，且显著系

数绝对值由 0.099 上升至 2016 年的 0.288 和 2017 年的 0.256。在 60%分位水平下，可再生能源的系数也由最初的负向不显著变为 2018 年的–0.232。

表 10-7 历年分位回归可再生能源发电量估计系数

年份	20%	40%	60%	80%	年份	20%	40%	60%	80%
2005	–0.077 (–0.52)	–0.069 (–0.47)	–0.077 (–0.26)	–0.070 (–0.33)	2012	–0.092 (–0.77)	–0.044 (–0.30)	–0.157 (–0.99)	–0.184 (–0.61)
2006	–0.122 (–0.59)	–0.060 (–0.58)	–0.031 (–0.16)	–0.075 (–0.43)	2013	0.053 (0.39)	–0.041 (–0.31)	–0.157 (–0.60)	**–0.203*** **(–1.84)**
2007	–0.090 (–0.41)	–0.060 (–0.26)	–0.014 (–0.12)	–0.057 (–0.54)	2014	0.097 (0.48)	–0.105 (–0.74)	–0.153 (–1.37)	**–0.213**** **(–2.20)**
2008	–0.095 (–1.57)	–0.106 (–0.90)	–0.042 (–0.71)	**–0.099**** **(–2.24)**	2015	–0.015 (–0.03)	**–0.196**** **(–2.29)**	**–0.219***** **(–3.41)**	–0.269 (–1.05)
2009	–0.094 (–1.21)	–0.105 (–0.80)	**–0.096**** **(–2.14)**	–0.088 (–0.64)	2016	0.005 (0.01)	**–0.161**** **(–2.12)**	–0.170 (–0.97)	**–0.288**** **(–2.13)**
2010	–0.092 (–0.78)	–0.109 (–0.54)	–0.097 (–0.72)	**–0.117**** **(–2.29)**	2017	0.082 (0.06)	–0.144 (–1.22)	–0.139 (–1.13)	**–0.256*** **(–1.95)**
2011	–0.149 (–0.93)	–0.053 (–0.42)	–0.028 (–0.11)	–0.130 (–0.91)	2018	0.066 (0.03)	–0.127 (–0.85)	**–0.232*** **(–1.89)**	–0.235 (–1.61)

注：括号内为 t 统计量，加粗为可再生能源发电量系数显著

***、**和*分别表示在 1%、5%和 10%显著性水平下拒绝原假设

2. 控制变量的影响

（1）相较于其他影响因素，碳强度对能源强度的变化始终最为敏感。在碳强度越高的地区，影响越大。由表 10-6 可知，能源强度对碳强度的弹性系数在 1%的显著性水平下始终显著为正，且大于其他变量。能源强度每下降 10%，将导致碳强度水平下降 5.55%～9.87%。我们的结果与 Fan 等（2007）、Ma 等（2019）的研究结论一致。同时，能源强度的估计系数总体上在碳强度分位双尾地区要高于其他地区。如表 10-6 所示，系数绝对值在 10%和 70%分位上最高为 0.987 和 0.967，大于其他地区 0.555～0.845。

（2）对碳强度水平不同的地区而言，非化石能源消费比重对碳强度的影响几乎不变。如表 10-6 所示，碳强度对非化石能源消费比重的变化并不敏感，弹性系数在各个分位下都接近于 0。在碳强度较低的区域是负显著。这一方面可能与非化石能源本身在能源总量中所占比例较低，在历史期间的变化也并不明显有关，相较其他能源发展缓慢。另一方面也间接说明了可再生能源在减排行动中的有限作用。

（3）总体而言，人均 GDP 和城镇化率对碳强度有显著的负向影响，而产业结构影响相反。如表 10-6 所示，人均 GDP 和城镇化率每上升 1%，将分别带来碳强度

–0.018%～0.186%和 0.148%～0.502%的下降。整体上经济水平的提高有助于抑制碳强度的增长与 Wang 等（2016b）的研究结论一致。而城镇化率对碳强度的负向影响，可能是由于城市化带来经济增长的积极作用超过了其带来生产要素扩张导致的排放等消极作用。另外，产业结构与碳强度的正向联系也与工业部门是中国 CO_2 的主要来源有关，因而当第二产业比重越高时，越不利于碳强度下降目标的实现。此外，随着碳强度下降，城镇化率的影响程度将先下降后上升，城镇化率在碳强度 20%和 30%分位点对碳强度的影响效应最弱。与之相反，产业结构的影响程度先上升后下降，产业结构在碳强度 30%分位点对碳强度的影响效应最强。而人均 GDP 对碳强度的影响在碳强度水平更高的地区更为敏感，在 90%的分位点，人均 GDP 弹性影响程度最高，斜率为–0.186。

3. 稳健性分析

本节通过将衡量可再生能源开发水平的指标分别替换成可再生能源的装机容量 REC 和可再生能发电量占比 REGs 后重新回归，对模型进行稳健性的检验。具体的检验结果如表 10-8 和表 10-9 所示。

表 10-8　稳健性检验（一）

变量	分位点								
	10%	20%	30%	40%	50%	60%	70%	80%	90%
lnREC	–0.125*** （–114.973）	–0.096*** （–2.712）	–0.112*** （–21.838）	–0.108*** （–306.790）	–0.100*** （–155.499）	–0.109*** （–256.491）	–0.083*** （–38.935）	–0.131*** （–252.509）	–0.083*** （–11.447）
lnEI	0.587*** （100.276）	0.463*** （12.694）	0.521*** （40.195）	0.350*** （261.286）	0.517*** （181.718）	0.459*** （61.288）	0.614*** （34.862）	0.449*** （95.223）	0.887*** （12.492）
lnES	–0.008*** （–17.828）	–0.002** （–2.138）	–0.009*** （–6.248）	–0.005*** （–68.288）	–0.001* （–1.754）	0.003*** （42.338）	–0.014*** （–10.927）	–0.016*** （–279.063）	–0.035*** （–28.831）
lnIS	0.265*** （123.340）	0.247** （2.542）	0.270*** （16.985）	0.339*** （652.744）	0.282*** （217.420）	0.261*** （136.501）	0.158*** （22.029）	0.243*** （184.073）	0.110*** （10.445）
lnPGDP	–0.414*** （–90.189）	–0.170 （–0.943）	–0.348*** （–23.207）	–0.327*** （–206.519）	–0.275*** （–85.817）	–0.284*** （–83.045）	–0.183*** （–17.478）	–0.279*** （–225.759）	0.021 （0.719）
lnUR	–0.389*** （–196.920）	–0.336*** （–3.430）	–0.163*** （–17.732）	–0.330*** （–573.893）	–0.323*** （–113.581）	–0.383*** （–80.509）	–0.356*** （–19.352）	–0.563*** （–253.411）	–0.738*** （–17.977）
inter1	0.019*** （25.353）	0.107*** （17.836）	0.101*** （46.536）	0.120*** （624.663）	0.097*** （233.198）	0.110*** （93.481）	0.095*** （42.408）	0.117*** （214.614）	0.043*** （4.402）
inter2	0.069*** （97.648）	0.079*** （6.039）	0.077*** （23.507）	0.076*** （347.030）	0.069*** （169.402）	0.075*** （267.536）	0.064*** （65.612）	0.091*** （343.517）	0.053*** （18.379）
N	360	360	360	360	360	360	360	360	360

注：inter1 和 inter2 表示 lnEI、lnPGDP 分别与 lnREC 的交互项

***、**和*分别表示在 1%、5%和 10%显著性水平下拒绝原假设

表 10-9 稳健性检验（二）

变量	分位点								
	10%	20%	30%	40%	50%	60%	70%	80%	90%
lnREGs	−0.043*** （−3.974）	0.134 （1.392）	−0.067*** （−18.526）	−0.060*** （−18.721）	−0.071*** （−111.068）	−0.094*** （−358.271）	−0.103*** （−1100）	−0.104*** （−445.728）	−0.043*** （−3.974）
lnEI	1.084*** （34.904）	1.256*** （16.475）	1.146*** （108.971）	1.064*** （86.449）	1.113*** （178.891）	0.998*** （1162.897）	0.908*** （3070.434）	1.018*** （451.933）	1.084*** （34.904）
lnES	0.009 （1.534）	−0.001 （−0.175）	0.005*** （12.685）	0.001** （2.305）	0.004*** （10.583）	0.005*** （64.299）	−0.014*** （−347.368）	−0.023*** （−309.528）	0.009 （1.534）
lnIS	0.198*** （5.597）	0.260*** （3.380）	0.219*** （29.290）	0.120*** （18.186）	0.097*** （33.751）	0.108*** （167.276）	0.128*** （416.418）	0.060*** （50.766）	0.198*** （5.597）
lnPGDP	−0.076** （−2.557）	0.198** （2.570）	0.099*** （8.775）	0.082*** （15.957）	0.056*** （25.974）	−0.029*** （−49.151）	−0.084*** （−357.880）	0.036*** （22.761）	−0.076** （−2.557）
lnUR	−0.021 （−0.939）	−0.106 （−1.265）	−0.318*** （−26.949）	−0.299*** （−45.995）	−0.266*** （−70.931）	−0.254*** （−289.337）	−0.226*** （−234.679）	−0.469*** （−248.546）	−0.021 （−0.939）
inter1	−0.103*** （−11.242）	−0.147*** （−8.399）	−0.027*** （−5.499）	0.042*** （9.567）	0.029*** （14.795）	0.066*** （234.392）	0.099*** （630.245）	0.057*** （101.963）	−0.103*** （−11.242）
inter2	−0.006 （−0.815）	−0.124*** （−2.688）	0.013*** （4.643）	0.031*** （10.635）	0.040*** （65.297）	0.057*** （296.413）	0.073*** （919.920）	0.071*** （423.389）	−0.006 （−0.815）
N	420	420	420	420	420	420	420	420	420

***、**分别表示在 1%、5%显著性水平下拒绝原假设

由表 10-8 可知，当可再生能源装机容量、人均 GDP 和城镇化率增加 1%时，将分别导致碳强度将下降 0.083%～0.131%、0.183%～0.414%和 0.163%～0.738%。而能源强度和产业结构占比分别下降 1%时，碳强度将下降 0.350%～0.887%和 0.110%～0.339%。而非化石能源比重对碳强度的弹性影响几乎为 0。此外，对比表 10-6 可以发现，作为衡量可再生能源开发水平的指标，装机容量相较于发电量对碳强度的弹性影响更大。可能是发电机组通常不会满负荷运转，尤其是存在一定的弃电时，可再生能源装机容量的值往往要大于发电量的值，最终导致碳强度本身对装机容量的变化将更为敏感。

表 10-9 显示可再生能源发电量、人均 GDP 和城镇化率增加 1%，能源强度和产业结构占比下降 1%时，将分别导致碳强度下降 0.043%～0.104%、−0.198%～0.084%、0.226%～0.469%、0.908%～1.256%和 0.060%～0.260%。同样地，碳强度对非化石能源比重的变化并不敏感。

通过将变量替换后得到的回归结果（表 10-8 和表 10-9）与表 10-6 的结果进行对比，我们发现对于核心解释变量而言，估计系数大小、方向均未发生明显的变化，说明本节的模型结果是较为稳健的。

10.5 本章小结

本章利用中国 30 个省区市的 2005～2018 年的数据，通过面板分位回归模型检验了在不同碳强度分布水平下，碳强度对可再生能源开发的敏感程度差异。研究发现以下几点。

（1）中国可再生能源开发水平的提高有利于促进碳强度的进一步下降，但其抑制作用相对有限。这种有限的减排作用可能与地方电力消纳能力不足且电力外输通道不畅导致的可再生电力窝电使得能源结构及效率的改善不明显有关。

（2）相对于碳强度低等水平（尤其是碳强度 30%分位）的地区，碳强度较高地区的可再生能源开发对碳减排的响程度更大。碳强度水平较高的地区一般能源资源丰富，减排潜力大，发展可再生能源对于能源组合变化及碳减排的作用将更为明显。因此，其可再生能源发展对碳强度下降的作用相较于其他地区更大。

（3）2005～2018 年，虽然能源强度仍是碳强度下降的最主要因素，但可再生能源的减排作用逐年明显。

参 考 文 献

安慧昱. 2019. 我国可再生能源替代化石能源的发展现状及问题研究[J]. 北方经济，（4）：52-54.

白俊红，吕晓红. 2017. FDI 质量与中国经济发展方式转变[J]. 金融研究，（5）：47-62.

北极星太阳能光伏网. 2018a. 2018 年我国多晶硅行业产量及发展趋势预测[EB/OL]. http://guangfu.bjx.com.cn/news/20180517/898460.shtml?security_verify_data = 3336302c363430[2021-04-10].

北极星太阳能光伏网. 2018b. 以美为鉴 解决中国可再生能源弃电问题.[EB/OL]. https://guangfu.bjx.com.cn/news/20180523/899977.shtml[2021-04-18].

北京大学国家发展研究院能源安全与国家发展研究中心，中国人民大学经济学院能源经济系联合课题组，王敏. 2018. 关于中国风电和光伏发电补贴缺口和大比例弃电问题的研究[J]. 国际经济评论，（4）：6，67-85.

产业信息网. 2017. 2017 年中国风力发电量产量分析（图）[EB/OL]. https://www.chyxx.com/industry/201710/570523.html[2021-05-13].

崔民选. 2008. 中国能源发展报告[M]. 2 版. 北京：社会科学文献出版社.

郭文凯. 2020. 可再生能源消费的经济增长效应研究[J]. 经济研究导刊，（2）：1-2，4.

国家电力公司战略规划部. 2002. 中国能源五十年[M]. 北京：中国电力出版社.

国家能源局. 2013. 我国中长期发电能力及电力需求发展预测[EB/OL]. http://www.nea.gov.cn/2013-02/20/c_132180424_3.htm[2021-06-03].

国家能源局. 2018. 国家能源局新闻发布会介绍 2017 年度相关能源情况等[EB/OL]. http://www.nea.gov.cn/2018-01/24/c_136921015.htm[2021-12-30].

国家能源局. 2019. 2018 年可再生能源并网运行情况介绍[EB/OL]. http://www.nea.gov.cn/2019-01/28/c_137780519.htm[2021-05-08].

国家能源局. 2021. 国新办举行中国可再生能源发展有关情况发布会[EB/OL]. http://www.nea.gov.cn/2021-03/30/c_139846095.htm[2021-04-13].

国家统计局. 2009. 中国统计年鉴[M]. 北京：中国统计出版社.

国家统计局. 2018. 统计上大中小微型企业划分办法（2017）[EB/OL]. http://www.stats.gov.cn/tjsj/tjbz/201801/t20180103_1569357.html[2021-05-27].

国家统计局. 2020. 中国能源统计年鉴 2019[M]. 北京：中国统计出版社.

国务院. 2009. 国务院批转发展改革委等部门关于抑制部分行业产能过剩和重复建设引导产业健康发展若干意见的通知[EB/OL]. http://www.gov.cn/zwgk/2009-09/29/content_1430087.htm[2021-07-21].

湖北省发展和改革委员会. 2019. 超 6.2 亿！湖北新能源发电项目省级电价补贴金额（2016—2017 年）公示[EB/OL].https://guangfu.bjx.com.cn/news/20190103/953876.shtml[2021-07-05].

赖明东，刘益东. 2016. 中国风电产业发展的历史沿革及其启示[J]. 河北师范大学学报（哲学社会科学版），39（3）：20-26.

李登伟，张烈辉，郭了萍，等. 2006. 中国 21 世纪可替代能源和可再生能源[J]. 天然气工业，（5）：

1-4，22.

李锐，杜治洲，杨佳刚，等. 2019. 中国水电开发现状及前景展望[J]. 水科学与工程技术，（6）：73-78.

林伯强，牟敦国. 2008. 能源价格对宏观经济的影响——基于可计算一般均衡（CGE）的分析[J]. 经济研究，43（11）：88-101.

刘国旺，严馨. 2019-12-17. 能源转型路径明确技术创新驱动亟待加速[N]. 中国财经报（7 版）.

罗诚祖，周岚. 2016. 基于灰色关联分析的医院物资供应商选择与评价[J]. 医疗卫生装备，37（1）：29-30，36.

齐绍洲，李杨. 2017. 可再生能源消费影响经济增长吗?——基于欧盟的实证研究[J]. 世界经济研究，（4）：106-119，136.

沈龙海，柳地. 1993. 《西藏阳光计划》实施情况调查[J]. 中国能源，（4）：43-44.

史丹. 2009. 中国可再生能源发展目标及实施效果分析[J]. 南京大学学报（哲学 • 人文科学 • 社会科学版），46（3）：29-36，142.

史丹，薛钦源. 2021. 中国一次能源安全影响因素、评价与展望[J]. 经济纵横，（1）：2，31-45.

水电水利规划设计总院. 2018. 中国可再生能源发展报告 2017[EB/OL]. https://news.bjx.com.cn/html/20181019/935389.shtml[2021-12-30].

孙贵艳，王胜. 2019. 基于熵权 TOPSIS 法的我国区域能源安全评价研究[J]. 资源开发与市场，35（8）：1025-1030.

孙涵，聂飞飞，胡雪原. 2018. 基于熵权 TOPSIS 法的中国区域能源安全评价及差异分析[J]. 资源科学，40（3）：477-485.

孙立，张晓东. 2011. 生物质发电产业化技术[M]. 北京：化学工业出版社.

孙一琳. 2019. 海上风电：创新合作赢未来[J]. 风能，（11）：40-43.

王兰体，蔡国田，赵黛青. 2015. 基于专利视角的中国可再生能源技术创新分析[J]. 科技管理研究，35（20）：161-165.

王卫. 2013. 2005～2012 年中国可再生能源利用情况回顾[J]. 太阳能，（10）：37-41.

王文静. 2004. 中国光伏项目评述[C]. 深圳：第八届全国光伏会议暨中日光伏论坛.

王小鲁，樊纲，胡李鹏，等. 2019. 中国分省份市场化指数报告（2018）[M]. 北京：社会科学文献出版社.

王宇，罗悦. 2018. 外需引导与政府补贴下战略性新兴产业的产能过剩研究——以光伏产业为例[J]. 现代经济探讨，（3）：78-87.

韦生安，魏丽蓉，李良华. 2016. 我国生物质能发电现状分析与展望[J]. 大科技，（5）：76-77.

温忠麟，张雷，侯杰泰，等. 2004. 中介效应检验程序及其应用[J]. 心理学报，（5）：614-620.

吴创之，马隆龙. 2003. 生物质能现代化利用技术[M]. 北京：化学工业出版社.

吴春雅，吴照云. 2015. 政府补贴、过度投资与新能源产能过剩——以光伏和风能上市企业为例[J]. 云南社会科学，（2）：59-63.

夏勇其，吴祈宗. 2004. 一种混合型多属性决策问题的 TOPSIS 方法[J]. 系统工程学报，19（6）：630-634.

夏云峰. 2018. 我国企业参与海外风电市场情况分析[J]. 风能，（8）：42-46.

谢治国. 2006. 新中国能源政策研究——对新中国能源政策发展过程的考察分析[D]. 中国科学技术大学博士学位论文.

辛欣. 2005. 生物质能——未来全球能源的新亮点[J]. 节能与环保，（10）：15-17.
许秀德. 1987. 修正指数增长曲线在经济预测中的应用[J]. 预测，（2）：50-53.
於世为，魏一鸣，孙涵. 2014. 能源经济与环境系统建模——软计算方法及应用[M]. 武汉：中国地质大学出版社.
张博庭. 2017. “十三五”规划与我国水电的发展[J]. 中国电力企业管理，（1）：20-24.
张军，吴桂英，张吉鹏. 2004. 中国省际物质资本存量估算：1952—2000[J]. 经济研究，（10）：35-44.
张雷. 2001. 中国能源安全问题探讨[J]. 中国软科学，（4）：7-12.
张禹祺. 2018. 能源税收对可再生能源发展的促进分析[J]. 节能，37（11）：120-121.
智研咨询. 2020. 2019 年中国风机产量及风机行业发展趋势分析[EB/OL]. https://www.sohu.com/a/418285848_775892#:~:text=2019%E5%B9%B4%E4%B8%AD%E5%9B%BD%E9%A3%8E,%E6%AF%94%E5%A2%9E%E9%95%BF5.2%25%E3%80%82[2022-06-09].
中国金融信息网. 2022. 布局半导体硅料国产化 大全能源逆势替代进口晶体硅材料依赖[EB/OL]. https://finance.sina.com.cn/jjxw/2022-06-08/doc-imizirau7273831.shtml#:~:text=2020%E5%B9%B4%E4%B8%AD%E5%9B%BD%E5%A4%9A,7.3%25%E7%9A%84%E4%BA%A7%E9%87%8F%E3%80%82[2022-06-09].
中华人民共和国中央人民政府. 2005. 中华人民共和国可再生能源法[M]. 北京：中国法制出版社.
中华人民共和国中央人民政府. 2009. 关于抑制部分行业产能过剩和重复建设引导产业健康发展的若干意见[EB/OL]. http://www.gov.cn/zwgk/2009-09/29/content_1430087.htm[2021-06-15].
周亚. 2009. 多属性决策中的 TOPSIS 法研究[D]. 武汉理工大学硕士学位论文.
朱敏. 2018. 实施可再生能源“绿证”制度是大势所趋[J]. 中国物价，（12）：70-72.
壮仁清. 1984. 八达岭风力发电试验站简介[J]. 电力技术，（11）：10，81.
《中国电力年鉴》编辑委员会. 2018. 中国电力年鉴[M]. 北京：中国电力出版社.
《中国电力年鉴》编辑委员会. 2020. 中国电力年鉴[M]. 北京：中国电力出版社.
Acheampong A O，Adams S，Boateng E. 2019. Do globalization and renewable energy contribute to carbon emissions mitigation in Sub-Saharan Africa?[J]. Science of the Total Environment，677：436-446.
Afgan N H，Carvalho M G. 2002. Multi-criteria assessment of new and renewable energy power plants[J]. Energy，27（8）：739-755.
Agha H. 2014. Impact of working capital management on profitability[J]. European Scientific Journal，10（1）：374-381.
Ahmad S，Tahar R M. 2014. Selection of renewable energy sources for sustainable development of electricity generation system using analytic hierarchy process：a case of Malaysia[J]. Renewable Energy，63：458-466.
Ajmi A N，Inglesi-Lotz R. 2020. Biomass energy consumption and economic growth nexus in OECD countries：a panel analysis[J]. Renewable Energy，162：1649-1654.
Akinyele D O，Rayudu R K. 2016. Comprehensive techno-economic and environmental impact study of a localised photovoltaic power system（PPS）for off-grid communities[J]. Energy Conversion and Management，124：266-279.
Alam M J，Begum I A，Buysse J，et al. 2012. Energy consumption，carbon emissions and economic

growth nexus in Bangladesh：cointegration and dynamic causality analysis[J]. Energy Policy，45：217-225.

Alam M M，Murad M W. 2020. The impacts of economic growth，trade openness and technological progress on renewable energy use in organization for economic co-operation and development countries[J]. Renewable Energy，145：382-390.

Aldstadt J，Getis A. 2006. Using AMOEBA to create a spatial weights matrix and identify spatial clusters[J]. Geographical Analysis，38（4）：327-343.

Al-Mulali U，Ozturk I，Lean H H. 2015. The influence of economic growth，urbanization，trade openness，financial development，and renewable energy on pollution in Europe[J]. Natural Hazards，79（1）：621-644.

Al-Sharafi A，Yilbas B S，Sahin A Z，et al. 2017. Performance assessment of hybrid power generation systems：economic and environmental impacts[J]. Energy Conversion and Management，132：418-431.

Alvarez-Herranz A，Balsalobre-Lorente D，Shahbaz M，et al. 2017. Energy innovation and renewable energy consumption in the correction of air pollution levels[J]. Energy Policy，105：386-397.

Ameyaw B，Li Y，Ma Y K，et al. 2021. Renewable electricity generation proposed pathways for the US and China[J]. Renewable Energy，170：212-223.

Ang B W，Liu F L. 2001. A new energy decomposition method：perfect in decomposition and consistent in aggregation[J].Energy，26（6）：537-548.

Anselin L. 1988. Spatial Econometrics：Methods and Models[M]. Berlin：Springer Science & Business Media.

Antonietti R，Fontini F. 2019. Does energy price affect energy efficiency? Cross-country panel evidence[J]. Energy Policy，129：896-906.

Apergis N，Payne J E. 2010. Renewable energy consumption and economic growth：evidence from a panel of OECD countries[J]. Energy Policy，38（1）：656-660.

Apergis N，Payne J E，Menyah K，et al. 2010. On the causal dynamics between emissions，nuclear energy，renewable energy，and economic growth[J]. Ecological Economics，69（11）：2255-2260.

Arfa C，Leleu H，Goaïed M，et al. 2017. Measuring the capacity utilization of public district hospitals in Tunisia：using dual data envelopment analysis approach[J]. International Journal of Health Policy and Management，6（1）：9-18.

Atalla T，Blazquez J，Hunt L C，et al. 2017. Prices versus policy：an analysis of the drivers of the primary fossil fuel mix[J]. Energy Policy，106：536-546.

Atmaca E，Basar H B. 2012. Evaluation of power plants in Turkey using analytic network process（ANP）[J]. Energy，44（1）：555-563.

Bai C，Feng C，Du K，et al. 2020. Understanding spatial-temporal evolution of renewable energy technology innovation in China：evidence from convergence analysis[J]. Energy Policy，143：111570.

Balsalobre-Lorente D，Shahbaz M，Roubaud D，et al. 2018. How economic growth，renewable electricity and natural resources contribute to CO_2 emissions?[J]. Energy Policy，113：356-367.

Baltagi B H. 2008. Econometric Analysis of Panel Data[M]. New York：John Wiley & Sons Inc.

Batlle C. 2011. A method for allocating renewable energy source subsidies among final energy consumers[J]. Energy Policy，39（5）：2586-2595.

Bayer P，Dolan L，Urpelainen J. 2013. Global patterns of renewable energy innovation，1990—2009[J]. Energy for Sustainable Development，17（3）：288-295.

Bhattacharya M，Paramati S R，Ozturk I，et al. 2016. The effect of renewable energy consumption on economic growth：evidence from top 38 countries[J]. Applied Energy，162：733-741.

Bilgili F，Koçak E，Bulut Ü. 2016. The dynamic impact of renewable energy consumption on CO_2 emissions：a revisited environmental kuznets curve approach[J]. Renewable and Sustainable Energy Reviews，54：838-845.

Bilgili F，Koçak E，Bulut Ü，et al. 2017. Can biomass energy be an efficient policy tool for sustainable development?[J]. Renewable Sustainable Energy Reviews，71：830-845.

Bird L，Bolinger M，Gagliano T，et al. 2005. Policies and market factors driving wind power development in the United States[J]. Energy Policy，33（11）：1397-1407.

Bloch H，Rafiq S，Salim R. 2015. Economic growth with coal，oil and renewable energy consumption in China：prospects for fuel substitution[J]. Economic Modelling，44：104-115.

Boccard N. 2009. Capacity factor of wind power realized values vs. estimates[J]. Energy Policy，37（7）：2679-2688.

Bohi D R，Toman M A. 1996. The Economics of Energy Security[M]. Berlin：Springer-Verlag.

Boyd G A，Pang J X. 2000. Estimating the linkage between energy efficiency and productivity[J]. Energy policy，28（5）：289-296.

BP. 2019. BP statistical review of world energy[R]. London：British Petroleum Company.

BP. 2021. BP statistical review of world energy[R]. London：British Petroleum Company.

Bulut U，Muratoglu G. 2018. Renewable energy in Turkey：great potential，low but increasing utilization，and an empirical analysis on renewable energy-growth nexus[J]. Energy Policy，123：240-250.

Büyüközkan G，Güleryüz S. 2016. An integrated DEMATEL-ANP approach for renewable energy resources selection in Turkey[J]. International Journal of Production Economics，182：435-448.

Canay I A. 2011. A simple approach to quantile regression for panel data[J]. The Econometrics Journal，14（3）：368-386.

Cao W，Bluth C. 2013. Challenges and countermeasures of China's energy security[J]. Energy Policy，53：381-388.

Carfora A，Romano A A，Ronghi M，et al. 2017. Renewable generation across Italian regions：spillover effects and effectiveness of European Regional Fund[J]. Energy Policy，102：132-141.

Cavallaro F，Ciraolo L. 2005. A multicriteria approach to evaluate wind energy plants on an Italian island[J]. Energy Policy，33（2）：235-244.

Chang J，Leung D Y，Wu C，et al. 2003. A review on the energy production，consumption，and prospect of renewable energy in China[J]. Renewable and Sustainable Energy Reviews，7（5）：453-468.

Chang N. 2015. Changing industrial structure to reduce carbon dioxide emissions：a Chinese application[J]. Journal of Cleaner Production，103：40-48.

Chen J，Yu J，Song M，et al. 2019a. Factor decomposition and prediction of solar energy consumption in the United States[J]. Journal of Cleaner Production，234：1210-1220.

Chen W，Chen J，Ma Y. 2021. Renewable energy investment and carbon emissions under cap-and-trade mechanisms[J]. Journal of Cleaner Production，278：123341.

Chen W，Lei Y. 2018. The impacts of renewable energy and technological innovation on environment-energy-growth nexus：new evidence from a panel quantile regression[J]. Renewable Energy，123：1-14.

Chen Y E，Fu Q，Zhao X，et al. 2019b. International sanctions' impact on energy efficiency in target states[J]. Economic Modelling，82：21-34.

Chen Y，Lin B. 2020. Decomposition analysis of patenting in renewable energy technologies：from an extended LMDI approach perspective based on three Five-Year Plan periods in China[J]. Journal of Cleaner Production，269：122402.

Cheng Z，Li L，Liu J. 2018. Industrial structure，technical progress and carbon intensity in China's provinces[J]. Renewable and Sustainable Energy Reviews，81（2）：2935-2946.

Chester L. 2010. Conceptualising energy security and making explicit its polysemic nature[J]. Energy Policy，38（2）：887-895.

Choi I. 2001. Unit root tests for panel data[J]. Journal of International Money and Finance，20（2）：249-272.

Chung J H. 1995. Studies of central-provincial relations in the People's Republic of China：a mid-term appraisal[J]. The China Quarterly，142：487-508.

Coester A，Hofkes M W，Papyrakis E. 2018. Economics of renewable energy expansion and security of supply：a dynamic simulation of the German electricity market[J]. Applied Energy，231：1268-1284.

Cosmi C，Macchiato M，Mangiamele L，et al. 2003. Environmental and economic effects of renewable energy sources use on a local case study[J]. Energy Policy，31（5）：443-457.

Cristóbal J R S. 2011. A multi criteria data envelopment analysis model to evaluate the efficiency of the renewable energy technologies[J]. Renewable Energy，36（10）：2742-2746.

Cui Q，Kuang H，Wu C，et al. 2014. The changing trend and influencing factors of energy efficiency：the case of nine countries[J]. Energy，64：1026-1034.

Dachis B，Carr J. 2011. Zapped：the high cost of Ontario's renewable electricity subsidies[R]. Toronto：C. D. Howe Institute.

Dalton G，Allan G，Beaumont N，et al. 2016. Integrated methodologies of economics and socio-economics assessments in ocean renewable energy：private and public perspectives[J]. International Journal of Marine Energy，15：191-200.

Danish U R，Khan S U D. 2020. Determinants of the ecological footprint：role of renewable energy，natural resources，and urbanization[J]. Sustainable Cities and Society，54：101996.

Danish，Zhang B，Wang B，et al. 2017. Role of renewable energy and non-renewable energy consumption on EKC：evidence from Pakistan[J]. Journal of Cleaner Production，156：855-864.

de Souza E S，de Souza Freire F，Pires J. 2018. Determinants of CO_2 emissions in the MERCOSUR：the role of economic growth，and renewable and non-renewable energy[J]. Environmental Science and Pollution Research，25：20769-20781.

Delmas M A，Montes-Sancho M J. 2011. US state policies for renewable energy：context and effectiveness[J]. Energy Policy，39（5）：2273-2288.

Diederich H，Althammer W. 2016. Environmental regulation and innovation in renewable energy technologies[J]. Social Science Electronic Publishing，13（2）：169-170.

Ding H，Zhou D，Zhou P. 2020. Optimal policy supports for renewable energy technology development：a dynamic programming model[J]. Energy Economics，92：104765.

Domac J，Richards K，Risovic S. 2005. Socio-economic drivers in implementing bioenergy projects[J]. Biomass and Bioenergy，28（2）：97-106.

Domhnaill C M，Ryan L. 2020. Towards renewable electricity in Europe：revisiting the determinants of renewable electricity in the European Union[J]. Renewable Energy，154：955-965.

Dong F，Yu B，Hadachin T，et al. 2018a. Drivers of carbon emission intensity change in China[J]. Resources，Conservation and Recycling，129：187-201.

Dong K，Sun R，Dong X. 2018b. CO_2 emissions，natural gas and renewables，economic growth：assessing the evidence from China[J]. The Science of The Total Environment，640/641：293-302.

Du K，Yu Y，Wei C. 2020a. Climatic impact on China’s residential electricity consumption：does the income level matter?[J]. China Economic Review，63：101520.

Du K，Zhang Y，Zhou Q. 2020b. Fitting partially linear functional-coefficient panel data models with stata[J]. Stata Journal，20（4）：976-998.

Eforn B. 1979. Bootstrap methods：another look at the jackknife[J]. The Annals of Statistics，7：1-26.

EI. 2019. Cost of operating existing coal-fired power plants compared with building new wind or solar within 35 miles（2025）[EB/OL]. https://energyinnovation.org/wp-content/uploads/2019/03/Coal-Risk-Map_WindSolar_2025_highres.pdf[2021-01-02].

Fan Y，Liu L C，Wu G，et al. 2007. Changes in carbon intensity in China：empirical findings from 1980—2003[J]. Ecological Economics，62（3/4）：683-691.

Fare R，Grosskopf S，Kokkelenberg E C. 1989. Measuring plant capacity，utilization and technical change：a nonparametric approach[J]. International Economic Review，30（3）：655-666.

Feng M，Yan Y，Hao R. 2018. Research on quantitative measurement and feature analysis of industrial overcapacity[J]. Journal of Scientific and Industrial Research，77（1）：11-14.

Fobissie E N. 2019. The role of environmental values and political ideology on public support for renewable energy policy in Ottawa，Canada[J]. Energy Policy，134：110918.

Gan L，Eskeland G S，Kolshus H H. 2007. Green electricity market development：lessons from Europe and the US[J]. Energy Policy，35（1）：144-155.

Geng J B，Ji Q. 2016. Technological innovation and renewable energy development：evidence based on patent counts[J]. International Journal of Global Environmental Issues，15（3）：217-234.

Granger C W J，Newbold P. 1974. Spurious regressions in econometrics[J]. Journal of Econometrics，2（2）：111-120.

Grossman G M，Krueger A B. 1991. Environmental impacts of a North American free trade agreement[J]. CEPR Discussion Papers，8（2）：223-250.

Guo X，Xiao B，Song L. 2020. Emission reduction and energy-intensity enhancement：the expected and unexpected consequences of China’s coal consumption constraint policy[J]. Journal of Cleaner Production，271：122691.

Hadian S，Madani K. 2015. A system of systems approach to energy sustainability assessment：are all renewables really green?[J]. Ecological Indicators，52：194-206.

Han Z Y，Fan Y，Jiao J L，et al. 2007. Energy structure，marginal efficiency and substitution rate：an empirical study of China[J]. Energy，32（6）：935-942.

Hausman J A. 1978. Specification tests in econometrics[J]. Econometrica，46（6）：1251-1271.

Henninger S，Jaeger J，Hofmann T. 2017. Analytical assessment of renewable energy sources and energy storage concerning their merits for the electric power system[J]. Energy Procedia，135：398-409.

Hong L，Zhou N，Fridley D，et al. 2013. Assessment of China's renewable energy contribution during the 12th Five Year Plan[J]. Energy Policy，62：1533-1543.

Hu B，Li Z，Zhang L. 2019. Long-run dynamics of sulphur dioxide emissions，economic growth，and energy efficiency in China[J]. Journal of Cleaner Production，227：942-949.

IEA. 1985. Energy technology policy[R]. Washington D. C.：OECD Publications & Information Center.

IEA. 2018. Global energy & CO_2 Status Report 2017[R]. Paris：International Energy Agency.

IEA. 2019. Renewables information：overview[R]. Paris：International Energy Agency.

Im K S，Pesaran M H，Shin Y. 2003. Testing for unit roots in heterogeneous panels[J]. Journal of Econometrics，115（1）：53-74.

Inglesi-Lotz R. 2016. The impact of renewable energy consumption to economic growth：a panel data application[J]. Energy Economics，53：58-63.

Intharak N，Julay J H，Nakanishi S，et al. 2007. A quest for energy security in the 21st century[R]. Tokyo：Asia Pacific Energy Research Centre.

IPCC. 2011. IPCC special report on renewable energy sources and climate change mitigation[R]. Cambridge：Intergovernmental Panel on Climate Change.

Irandoust M. 2016. The renewable energy-growth nexus with carbon emissions and technological innovation：evidence from the Nordic countries[J]. Ecological Indicators，69：118-125.

IRENA. 2014. Renewable energy prospects：China，REmap 2030 analysis[R]. Abu Dhabi：International Renewable Energy Agency.

IRENA. 2015. Renewable power generation costs in 2014[R]. Abu Dhabi：International Renewable Energy Agency.

IRENA. 2018. Global energy transformation：a roadmap to 2050[R]. Abu Dhabi：International Renewable Energy Agency.

IRENA. 2020a. Global renewables outlook：Energy transformation 2050[R]. Abu Dhabi：International Renewable Energy Agency.

IRENA. 2020b. Renewable power generation costs in 2019[R]. Abu Dhabi：International Renewable Energy Agency.

IRENA. 2021. Renewable energy statistics 2021[R]. Abu Dhabi：International Renewable Energy Agency.

Jebli M B，Youssef S B. 2017.The role of renewable energy and agriculture in reducing CO_2 emissions：evidence for North Africa countries[J]. Ecological Indicators，74：295-301.

Jebli M B，Youssef S B，Ozturk I. 2015. The role of renewable energy consumption and trade：environmental kuznets curve analysis for sub-saharan Africa countries[J]. African Development Review，27（3）：288-300.

Jia J，Gong Z，Xie D，et al. 2018. Analysis of drivers and policy implications of carbon dioxide emissions of industrial energy consumption in an underdeveloped city：the case of Nanchang，China[J]. Journal of Cleaner Production，183：843-857.

Jin T，Kim J. 2018. What is better for mitigating carbon emissions-renewable energy or nuclear energy? A panel data analysis[J]. Renewable and Sustainable Energy Reviews，91：464-471.

Johansen L. 1968. Production functions and the concept of capacity[J]. Economie mathématique et économétrie，2：52.

Jorgenson A K. 2014. Economic development and the carbon intensity of human well-being[J]. Nature Climate Change，4（3）：186-189.

Julong D. 1989. Introduction to grey system theory[J]. The Journal of Grey System，1（1）：1-24.

Kahia M，Aïssa M S B，Lanouar C. 2017. Renewable and non-renewable energy use-economic growth nexus：the case of MENA net oil importing countries[J]. Renewable and Sustainable Energy Reviews，71：127-140.

Kamien M I，Schwartz N L. 1972. Uncertain entry and excess capacity[J]. American Economic Review，62（5）：918-927.

Kao C. 1999. Spurious regression and residual-based tests for cointegration in panel data[J]. Journal of Econometrics，90（1）：1-44.

Karagiannis R. 2015. A system-of-equations two-stage DEA approach for explaining capacity utilization and technical efficiency[J]. Annals of Operations Research，227（1）：25-43.

Kariuki D. 2018. Barriers to renewable energy technologies development[EB/OL]. https://www.researchgate.net/publication/348936339_Barriers_to_Renewable_Energy_Technologies_Development[2022-06-09].

Kato K，Galvao A F，Montes-Rojas G V. 2012. Asymptotics for panel quantile regression models with individual effects[J]. Journal of Econometrics，170（1）：76-91.

Kaya T，Kahraman C. 2010. Multicriteria renewable energy planning using an integrated fuzzy VIKOR & AHP methodology：the case of Istanbul[J]. Energy，35（6）：2517-2527.

Khan A A，de Jong W，Jansens P J. 2009. Biomass combustion in fluidized bed boilers：potential problems and remedies[J]. Fuel Processing Technology，90（1）：21-50.

Khan S A R，Yu Z，Belhadi A，et al. 2020. Investigating the effects of renewable energy on international trade and environmental quality[J]. Journal of Environmental Management，272：111089.

Kirkley J，Paul C J M，Squires D. 2002. Capacity and capacity utilization in common-pool resource industries[J]. Environmental & Resource Economics，22（1）：71-97.

Kobos P H，Erickson J D，Drennen T E. 2006. Technological learning and renewable energy costs：implications for US renewable energy policy[J]. Energy Policy，34（13）：1645-1658.

Koenker R. 2004. Quantile regression for longitudinal data[J]. Journal of Multivariate Analysis，91（1）：74-89.

Koenker R，Bassett G. 1978. Regression quantiles[J]. Econometrica，46：33-50.

Köne A Ç，Büke T. 2007. An analytical network process（ANP）evaluation of alternative fuels for electricity generation in Turkey[J]. Energy Policy，35（10）：5220-5228.

Korsavi S S，Zomorodian Z S，Tahsildoost M. 2018. Energy and economic performance of rooftop PV panels in the hot and dry climate of Iran[J]. Journal of Cleaner Production，174：1204-1214.

Kwon D S，Cho J H，Sohn S Y. 2017. Comparison of technology efficiency for CO_2 emissions reduction among European countries based on DEA with decomposed factors[J]. Journal of Cleaner Production，151：109-120.

La Viña A G M，Tan J M，Guanzon T I M，et al. 2018. Navigating a trilemma：energy security，equity，and sustainability in the Philippines' low-carbon transition[J]. Energy Research & Social Science，35：37-47.

Lacerda J S，van den Bergh J C J M. 2016. Mismatch of wind power capacity and generation：causing factors，GHG emissions and potential policy responses[J]. Journal of Cleaner Production，128：178-189.

Lai C S，McCulloch M D. 2017. Levelized cost of electricity for solar photovoltaic and electrical energy storage[J]. Applied Energy，190：191-203.

Lamarche C. 2010. Robust penalized quantile regression estimation for panel data[J]. Journal of Econometrics，157（2）：396-408.

Lehmann P，Sijm J，Gawel E，et al. 2019. Addressing multiple externalities from electricity generation：a case for EU renewable energy policy beyond 2020?[J]. Environmental Economics and Policy Studies，21（2）：255-283.

Lehr U，Lutz C，Edler D. 2012. Green jobs? Economic impacts of renewable energy in Germany[J]. Energy Policy，47：358-364.

Lesbirel S H. 2004. Diversification and energy security risks：the Japanese case[J]. Japanese Journal of Political Science，5（1）：1-22.

Levin A，Lin C F，Chu C S J. 2002. Unit root tests in panel data：asymptotic and finite-sample properties[J]. Journal of Econometrics，108（1）：1-24.

Li J，Zhang D，Su B. 2019. The impact of social awareness and lifestyles on household carbon emissions in China[J]. Ecological Economics，160：145-155.

Liang Y，Yu B，Wang L，2019. Costs and benefits of renewable energy development in China's power industry[J]. Renewable Energy，131：700-712.

Lin B，Chen Y. 2019. Does electricity price matter for innovation in renewable energy technologies in China?[J]. Energy Economics，78：259-266.

Lin B，Jiang Z. 2011. Estimates of energy subsidies in China and impact of energy subsidy reform[J]. Energy Economics，33（2）：273-283.

Lin B，Omoju O E，Okonkwo J U. 2016. Factors influencing renewable electricity consumption in China[J]. Renewable and Sustainable Energy Reviews，55：687-696.

Lin B，Wang M. 2021. What drives energy intensity fall in China? Evidence from a meta-frontier approach[J]. Applied Energy，281：116034.

Lin B，Zhu J. 2019. Determinants of renewable energy technological innovation in China under CO_2

emissions constraint[J]. Journal of Environmental Management，247：662-671.

Lins C，Williamson L E，Leitner S，et al. 2014. The first decade：2004—2014：10 years of renewable energy progress[J]. Renewable Energy Policy Network for the 21st Century，20：1-48.

Lins M E，Oliveira L B，da Silva A C M. et al. 2012. Performance assessment of alternative energy resources in Brazilian power sector using Data Envelopment Analysis[J]. Renewable & Sustainable Energy Reviews，16（1）：898-903.

Liu C，Li N，Zha D. 2016. On the impact of FIT policies on renewable energy investment：based on the solar power support policies in China's power market[J]. Renewable Energy，94：251-267.

Liu H，Zhang Z，Zhang T，et al. 2020. Revisiting China's provincial energy efficiency and its influencing factors[J]. Energy，208：118361.

Liu J. 2019. China's renewable energy law and policy：a critical review[J]. Renewable and Sustainable Energy Reviews，99：212-219.

Liu J，Wang S，Wei Q，et al. 2014a. Present situation，problems and solutions of China's biomass power generation industry[J]. Energy Policy，70：144-151.

Liu L，Zong H，Zhao E，et al. 2014b. Can China realize its carbon emission reduction goal in 2020：from the perspective of thermal power development[J]. Applied Energy，124：199-212.

Liu W，Zhang X，Feng S. 2019. Does renewable energy policy work? Evidence from a panel data analysis[J]. Renewable Energy，135：635-642.

Lu S，Wang J，Shang Y，et al. 2017. Potential assessment of optimizing energy structure in the city of carbon intensity target[J]. Applied Energy，194：765-773.

Ma X，Wang C，Dong B，et al. 2019. Carbon emissions from energy consumption in China：its measurement and driving factors[J]. Science of The Total Environment，648：1411-1420.

Mahmood N，Wang Z H，Hassan S T. 2019. Renewable energy，economic growth，human capital，and CO_2 emission：an empirical analysis[J]. Environmental Science and Pollution Research，26（20）：20619-20630.

Maji I K. 2015. Does clean energy contribute to economic growth? Evidence from Nigeria[J]. Energy Reports，1：145-150.

Marques A C，Fuinhas J A. 2011. Do energy efficiency measures promote the use of renewable sources?[J]. Environmental Science & Policy，14（4）：471-481.

Marques A C，Fuinhas J A. 2012. Are public policies towards renewables successful? Evidence from European countries[J]. Renewable Energy，44：109-118.

Marques A C，Fuinhas J A，Pereira D S. 2019. The dynamics of the short and long-run effects of public policies supporting renewable energy：a comparative study of installed capacity and electricity generation[J]. Economic Analysis and Policy，63：188-206.

Masini A，Menichetti E. 2013. Investment decisions in the renewable energy sector：an analysis of non-financial drivers[J]. Technological Forecasting and Social Change，80（3）：510-524.

Matsumoto K，Doumpos M，Andriosopoulos K. 2018. Historical energy security performance in EU countries[J]. Renewable and Sustainable Energy Reviews，82：1737-1748.

Matsumoto K，Morita K，Mavrakis D，et al. 2017. Evaluating Japanese policy instruments for the promotion of renewable energy sources[J]. International Journal of Green Energy，14（8）：

724-736.

Maxim A. 2014. Sustainability assessment of electricity generation technologies using weighted multi-criteria decision analysis[J]. Energy Policy，65：284-297.

Menanteau P，Finon D，Lamy M. 2003. Prices versus quantities：choosing policies for promoting the development of renewable energy[J]. Energy policy，31（8）：799-812.

Menyah K，Wolde-Rufael Y. 2010. CO_2 emissions，nuclear energy，renewable energy and economic growth in the US[J]. Energy Policy，38（6）：2911-2915.

Miao C，Fang D，Sun L，et al. 2018. Driving effect of technology innovation on energy utilization efficiency in strategic emerging industries[J]. Journal of Cleaner Production，170：1177-1184.

Min D，Ryu J，Choi D G. 2018. A long-term capacity expansion planning model for an electric power system integrating large-size renewable energy technologies[J]. Computers & Operations Research，96：244-255.

Mischke P，Karlsson K B. 2014. Modelling tools to evaluate China's future energy system-a review of the Chinese perspective[J]. Energy，69：132-143.

Moutinho V，Madaleno M，Inglesi-Lotz R，et al. 2018. Factors affecting CO_2 emissions in top countries on renewable energies：a LMDI decomposition application[J]. Renewable and Sustainable Energy Reviews，90：605-622.

Narayan S，Doytch N. 2017. An investigation of renewable and non-renewable energy consumption and economic growth nexus using industrial and residential energy consumption[J]. Energy Economics，68：160-176.

Nathaniel S P，Iheonu C O. 2019. Carbon dioxide abatement in Africa：the role of renewable and non-renewable energy consumption[J]. Science of The Total Environment，679：337-345.

Nguyen K H，Kakinaka M. 2019. Renewable energy consumption，carbon emissions，and development stages：some evidence from panel cointegration analysis[J]. Renewable Energy，132：1049-1057.

Nguyen T L T，Hermansen J E，Mogensen L. 2013. Environmental performance of crop residues as an energy source for electricity production：the case of wheat straw in Denmark[J]. Applied Energy，104：633-641.

Ohler A，Fetters I. 2014. The causal relationship between renewable electricity generation and GDP growth：a study of energy sources[J]. Energy Economics，43：125-139.

Olejarnik P. 2013. World energy outlook 2013[R]. Paris：International Energy Agency.

Omri A，Daly S，Nguyen D K. 2015. A robust analysis of the relationship between renewable energy consumption and its main drivers[J]. Applied Economics，47（28）：2913-2923.

Omri A，Nguyen D K. 2014. On the determinants of renewable energy consumption：international evidence[J]. Energy，72：554-560.

Ozcan B，Ozturk I. 2019. Renewable energy consumption-economic growth nexus in emerging countries：a bootstrap panel causality test[J]. Renewable and Sustainable Energy Reviews，104：30-37.

Pan X，Uddin M K，Ai B，et al. 2019. Influential factors of carbon emissions intensity in OECD countries：evidence from symbolic regression[J]. Journal of Cleaner Production，220：1194-1201.

Panwar N L，Kaushik S C，Kothari S. 2011. Role of renewable energy sources in environmental protection：a review[J]. Renewable and Sustainable Energy Reviews，15（3）：1513-1524.

Pao H T，Fu H C. 2013. Renewable energy，non-renewable energy and economic growth in Brazil[J]. Renewable and Sustainable Energy Reviews，25：381-392.

Papież M，Śmiech S，Frodyma K. 2018. Determinants of renewable energy development in the EU countries. A 20-year perspective[J]. Renewable and Sustainable Energy Reviews，91：918-934.

Pedroni P. 1999. Critical values for cointegration tests in heterogeneous panels with multiple regressors[J]. Oxford Bulletin of Economics and Statistics，61（S1）：653-670.

Pedroni P. 2004. Panel cointegration：asymptotic and finite sample properties of pooled time series tests with an application to the PPP hypothesis[J]. Econometric theory，20（3）：597-625.

Peng J，Xiao J，Wen L，et al. 2019. Energy industry investment influences total factor productivity of energy exploitation：a biased technical change analysis[J]. Journal of Cleaner Production，237：117847.

Pesaran M H. 2004. General diagnostic tests for cross section dependence in panels[J]. Cambridge Working Papers in Economics，69（7）：1240.

Pesaran M H. 2007. A simple panel unit root test in the presence of cross-section dependence[J]. Journal of Applied Econometrics，22（2）：265-312.

Pfenninger S，Keirstead J. 2015. Renewables，nuclear，or fossil fuels? Scenarios for Great Britain's power system considering costs，emissions and energy security[J]. Applied Energy，152：83-93.

Popiolek N，Thais F. 2016. Multi-criteria analysis of innovation policies in favour of solar mobility in France by 2030[J]. Energy Policy，97：202-219.

Popp D，Hascic I，Medhi N. 2011. Technology and the diffusion of renewable energy[J]. Energy Economics，33（4）：648-662.

Popp D，Santen N，Fisher-Vanden K，et al. 2013. Technology variation vs. R&D uncertainty：what matters most for energy patent success?[J]. Resource and Energy Economics，35（4）：505-533.

Popp D. 2002. Induced innovation and energy prices[J]. The American Economic Review，92（1）：160-180.

Powell D. 2016. Quantile treatment effects in the presence of covariates[J]. RAND Labor and Population Working Paper，102（5）：994-1005.

Powell D. 2022. Quantile regression with nonadditive fixed effects[J]. Empirical Economics，62（7）：1-17.

Prakash R，Bhat I K. 2009. Energy，economics and environmental impacts of renewable energy systems[J]. Renewable and Sustainable Energy Reviews，13（9）：2716-2721.

Przychodzen W，Przychodzen J. 2020. Determinants of renewable energy production in transition economies：a panel data approach[J]. Energy，191：116583.

Rafindadi A A，Ozturk I. 2017. Impacts of renewable energy consumption on the German economic growth：evidence from combined cointegration test[J]. Renewable and Sustainable Energy Reviews，75：1130-1141.

Rafique M Z，Doğan B，Husain S，et al. 2021. Role of economic complexity to induce renewable energy：contextual evidence from G7 and E7 countries[J]. International Journal of Green Energy，18（7）：745-754.

Rath B N，Akram V，Bal D P，et al. 2019. Do fossil fuel and renewable energy consumption affect total factor productivity growth? Evidence from cross-country data with policy insights[J]. Energy Policy，127：186-199.

Raugei M，Leccisi E. 2016. A comprehensive assessment of the energy performance of the full range of electricity generation technologies deployed in the United Kingdom[J]. Energy Policy，90：46-59.

Ray S C. 2015. Nonparametric measures of scale economies and capacity utilization：an application to U.S. manufacturing[J]. European Journal of Operational Research，245（2）：602-611.

Reddy A K N. 1991. Barriers to improvements in energy efficiency[J]. Energy Policy，19（10）：953-961.

Ren J，Sovacool B K. 2014. Enhancing China's energy security：determining influential factors and effective strategic measures[J]. Energy Conversion and Management，88：589-597.

Río P D，Janeiro L，Desideri U. 2016. Overcapacity as a barrier to renewable energy deployment：the spanish case[J]. Journal of Energy，2016：1-10.

Roca J，Alcántara V. 2001. Energy intensity，CO_2 emissions and the environmental Kuznets curve. the spanish case[J]. Energy Policy，29（7）：553-556.

Saaty T L. 1996. Decision Making with Dependence and Feedback：The Analytic Network Process[M]. Pittsburgh：RWS Publisher.

Sagar A D，van der Zwaan B. 2006. Technological innovation in the energy sector：R&D，deployment，and learning-by-doing[J]. Energy Policy，34（17）：2601-2608.

Sağlam Ü. 2017. Assessment of the productive efficiency of large wind farms in the United States：an application of two-stage data envelopment analysis[J]. Energy Conversion and Management Publishing，153：188-214.

Salim R A，Rafiq S. 2012. Why do some emerging economies proactively accelerate the adoption of renewable energy?[J]. Energy Economics，34（4）：1051-1057.

Sarkodie S A，Adams S. 2018. Renewable energy，nuclear energy，and environmental pollution：accounting for political institutional quality in South Africa[J]. Science of the Total Environment 643：1590-1601.

Sarkodie S A，Strezov V. 2019. Effect of foreign direct investments，economic development and energy consumption on greenhouse gas emissions in developing countries[J]. Science of The Total Environment，646：862-871.

Seo M H，Shin Y. 2016. Dynamic panels with threshold effect and endogeneity[J]. Journal of Econometrics，195（2）：169-186.

Shafiei S，Salim R A. 2014. Non-renewable and renewable energy consumption and CO_2 emissions in OECD countries：a comparative analysis[J]. Energy Policy，66：547-556.

Shahbaz M，Solarin S A，Sbia R，et al. 2015. Does energy intensity contribute to CO_2 emissions? A trivariate analysis in selected African countries[J]. Ecological Indicators，50：215-224.

Shan Y，Guan D，Zheng H，et al. 2018. China CO_2 emission accounts 1997—2015[J]. Scientific Data，5（1）：170201.

Shan Y，Huang Q，Guan D，et al. 2020. China CO_2 emission accounts 2016—2017[J]. Scientific

Data，7（1）：54.

Shen G，Chen B. 2017. Zombie firms and over-capacity in Chinese manufacturing[J]. China Economic Review，44：327-342.

Shen Y C，Lin G T R，Li K P，et al. 2010. An assessment of exploiting renewable energy sources with concerns of policy and technology[J]. Energy Policy，38（8）：4604-4616.

Shuddhasattwa R，Ruhul S，Ingrid N. 2016. Urbanization，openness，emissions，and energy intensity：a study of increasingly urbanized emerging economies[J]. Energy Economics，56：20-28.

Silva P P，Cerqueira P A，Ogbe W. 2018. Determinants of renewable energy growth in Sub-Saharan Africa：evidence from panel ARDL[J]. Energy，156：45-54.

Silva S，Soares I，Afonso O. 2013. Economic and environmental effects under resource scarcity and substitution between renewable and non-renewable resources[J]. Energy Policy，54：113-124.

Sohag K，Begum R A，Abdullah S M S，et al. 2015. Dynamics of energy use，technological innovation，economic growth and trade openness in Malaysia[J]. Energy，90：1497-1507.

Song J，Yang W，Higano Y. 2015. Introducing renewable energy and industrial restructuring to reduce GHG emission：application of a dynamic simulation model[J]. Energy conversion and management，96：625-636.

Sovacool B K. 2009. Rejecting renewables：the socio-technical impediments to renewable electricity in the United States[J]. Energy Policy，37（11）：4500-4513.

Sovacool B K. 2013. An international assessment of energy security performance[J]. Ecological Economics，88：148-158.

Su B，Ang B W. 2015. Multiplicative decomposition of aggregate carbon intensity change using input-output analysis[J]. Applied Energy，154：13-20.

Sun H，Zhi Q，Wang Y，et al. 2014. China's solar photovoltaic industry development：the status quo，problems and approaches[J]. Applied Energy，118：221-230.

Tiwari A K. 2011. A structural VAR analysis of renewable energy consumption，real GDP and CO_2 emissions：evidence from India[J]. Economics Bulletin，31（2）：1793-1806.

Tobin J. 1958. Estimation of relationships for limited dependent variables[J]. Econometrica：Journal of the Econometric Society，26（1）：24-36.

Tseng M L，Wu W W，Lee C F. 2011. Knowledge management strategies in linguistic preferences[J]. Journal of Asia Pacific Business Innovation and Technology Managemen，1：60-73.

Tugcu C T，Tiwari A K. 2016. Does renewable and/or non-renewable energy consumption matter for total factor productivity（TFP）growth? Evidence from the BRICS[J]. Renewable and Sustainable Energy Reviews，65：610-616.

UNEP. 2019. Global trends in renewable energy investment report 2019[R]. Nairobi：United Nations Environment Programme.

UNEP. 2020. Global trends in renewable energy investment 2020[R]. United Nations Environment Programme. Nairobi.

USDE. 2021. The history of solar[EB/OL]. https://www1.eere.energy.gov/solar/pdfs/solar_timeline.pdf[2022-01-02].

Valentine S V. 2011. Emerging symbiosis：renewable energy and energy security[J]. Renewable and

Sustainable Energy Reviews，15（9）：4572-4578.
van der Zwaan B C C，Gerlagh R，Klaassen G，et al. 2002. Endogenous technological change in climate change modelling[J]. Energy Economics，24（1）：1-19.
van Ruijven B，van Vuuren D P. 2009. Oil and natural gas prices and greenhouse gas emission mitigation[J]. Energy Policy，37（11）：4797-4808.
Verdolini E，Galeotti M. 2011. At Home and Abroad：An empirical analysis of innovation and diffusion in energy-efficient technologies[J]. Journal of Environmental Economics and Management，61（2）：119-134.
Verdolini E，Vona F，Popp D. 2018. Bridging the gap：do fast-reacting fossil technologies facilitate renewable energy diffusion?[J]. Energy Policy，116：242-256.
Vivoda V. 2010. Evaluating energy security in the Asia-Pacific region：a novel methodological approach[J]. Energy Policy，38（9）：5258-5263.
Wang B，Nistor I，Murty T，et al. 2014a. Efficiency assessment of hydroelectric power plants in Canada：a multi criteria decision making approach[J]. Energy Economics，46：112-121.
Wang B，Wang Q，Wei Y，et al. 2018a. Role of renewable energy in Chin's energy security and climate change mitigation：an index decomposition analysis[J]. Renewable and Sustainable Energy Reviews，90：187-194.
Wang D，Wang Y，Song X，et al. 2018b. Coal overcapacity in China：multiscale analysis and prediction[J]. Energy Economics，70：244-257.
Wang H，Wang M. 2020a. Effects of technological innovation on energy efficiency in China：evidence from dynamic panel of 284 cities[J]. Science of the Total Environment，709：136172.
Wang J，Zhao T，Xu X，et al. 2016a. Exploring the changes of energy-related carbon intensity in China：an extended Divisia index decomposition[J]. Natural Hazards，83（1）：501-521.
Wang J，Zhao T，Zhang X. 2017a. Changes in carbon intensity of China's energy-intensive industries：a combined decomposition and attribution analysis[J]. Natural Hazards，88（3）：1655-1675.
Wang Q，Kwan M，Fan J，et al. 2019a. A study on the spatial distribution of the renewable energy industries in China and their driving factors[J]. Renewable energy，139：161-175.
Wang Q，Su M，Li R，et al. 2019b. The effects of energy prices，urbanization and economic growth on energy consumption per capita in 186 countries[J]. Journal of Cleaner Production，225：1017-1032.
Wang Q，Wang L. 2020b. Renewable energy consumption and economic growth in OECD countries：a nonlinear panel data analysis[J]. Energy，207：118200.
Wang Q，Zhang C，Cai W. 2017b. Factor substitution and energy productivity fluctuation in China：a parametric decomposition analysis[J]. Energy Policy，109：181-190.
Wang Q，Zhou K. 2017. A framework for evaluating global national energy security[J]. Applied Energy，188：19-31.
Wang R，Liu W，Xiao L，et al. 2011. Path towards achieving of China's 2020 carbon emission reduction target—a discussion of low-carbon energy policies at province level[J]. Energy Policy，39（5）：2740-2747.
Wang Y H，Luo G L，Guo Y W. 2014b. Why is there overcapacity in China's PV industry in its early

growth stage?[J]. Renewable Energy，72：188-194.

Wang Z，Cui C，Peng S. 2019c. How do urbanization and consumption patterns affect carbon emissions in China? A decomposition analysis[J]. Journal of Cleaner Production，211：1201-1208.

Wang Z，Zhang B，Liu T. 2016b. Empirical analysis on the factors influencing national and regional carbon intensity in China[J]. Renewable and Sustainable Energy Reviews，55：34-42.

Ward J. 2001. Capacity，excess capacity，and fisheries management[C]. Corvallis：International Institute of Fisheries Economics & Trade.

Westerlund J. 2005. New simple tests for panel cointegration[J]. Econometric Reviews，24（3）：297-316.

WikiMili. 2021. Geothermal power in Italy[EB/OL]. https://wikimili.com/en/Geothermal_power_in_Italy[2022-01-02].

Wu J，Zhu Q，Liang L. 2016. CO_2 emissions and energy intensity reduction allocation over provincial industrial sectors in China[J]. Applied Energy，166：282-291.

Yan J，Su B，Liu Y. 2018. Multiplicative structural decomposition and attribution analysis of carbon emission intensity in China，2002—2012[J]. Journal of Cleaner Production，198：195-207.

Yang F，Cheng Y，Yao X. 2019a. Influencing factors of energy technical innovation in China：evidence from fossil energy and renewable energy[J]. Journal of Cleaner Production，232：57-66.

Yang Q，Hou X，Zhang L. 2018. Measurement of natural and cyclical excess capacity in China's coal industry[J]. Energy Policy，118：270-278.

Yang X J，Hu H，Tan T，et al. 2016. China's renewable energy goals by 2050[J]. Environmental Development，20：83-90.

Yang X，He L，Xia Y，et al. 2019b. Effect of government subsidies on renewable energy investments：the threshold effect[J]. Energy Policy，132：156-166.

Yao X，Kou D，Shao S，et al. 2018. Can urbanization process and carbon emission abatement be harmonious? New evidence from China[J]. Environmental Impact Assessment Review，71：70-83.

Yu D，Lu Y. 2015. Government improper intervention and overcapacity of strategic emerging industries——a case study of Chinese photovoltaic industry[J]. China Industrial Economics，10：53-68.

Yu S，Hu X，Fan J，et al. 2018a. Convergence of carbon emissions intensity across Chinese industrial sectors[J]. Journal of Cleaner Production，194：179-192.

Yu S，Hu X，Li L，et al. 2020. Does the development of renewable energy promote carbon reduction? Evidence from Chinese provinces[J]. Journal of Environmental Management，268：110634.

Yu S，Lu T，Hu X，et al. 2021. Determinants of overcapacity in China's renewable energy industry：evidence from wind，photovoltaic，and biomass energy enterprises[J]. Energy Economics，97：105056.

Yu S，Wei Y，Wang K. 2014. Provincial allocation of carbon emission reduction targets in China：an approach based on improved fuzzy cluster and Shapley value decomposition[J]. Energy Policy，66：630-644.

Yu S，Zhang J，Zheng S，et al. 2015. Provincial carbon intensity abatement potential estimation in China：a PSO-GA-optimized multi-factor environmental learning curve method[J]. Energy Policy，77：46-55.

Yu S，Zheng S，Ba G，et al. 2016. Can China realise its energy-savings goal by adjusting its industrial structure?[J]. Economic Systems Research，28（2）：273-293.

Yu S，Zheng S，Li X，et al. 2018b. China can peak its energy-related carbon emissions before 2025：evidence from industry restructuring[J]. Energy Economics，73：91-107.

Yu S，Zheng Y，Li L. 2019. A comprehensive evaluation of the development and utilization of China's regional renewable energy[J]. Energy Policy，127：73-86.

Yuan J，Li P，Wang Y，et al. 2016. Coal power overcapacity and investment bubble in China during 2015—2020[J]. Energy Policy，97：136-144.

Yuan L，Xi J. 2019. Review on China's wind power policy（1986—2017）[J]. Environmental Science and Pollution Research，26（25）：25387-25398.

Zeng M，Duan J，Wang L，et al. 2015. Orderly grid connection of renewable energy generation in China：management mode，existing problems and solutions[J]. Renewable and Sustainable Energy Reviews，41：14-28.

Zeng M，Liu X，Li Y，et al. 2014. Review of renewable energy investment and financing in China：status，mode，issues and countermeasures[J]. Renewable and Sustainable Energy Reviews，31：23-37.

Zeng S，Jiang C，Ma C，et al. 2018. Investment efficiency of the new energy industry in China[J]. Energy Economics，70：536-544.

Zhang G X，Gao W X，Zhang Z H，et al. 2017a. Can industrial collaboration promote the effectiveness of energy conservation and emissions reduction：based on the research of 1052 energy conservation and emissions reduction policies[J]. Chinese Journal of Management Science，25（3）：181-189.

Zhang H，Zheng Y，Ozturk U A，et al. 2016a. The impact of subsidies on overcapacity：a comparison of wind andsolar energy companies in China[J]. Energy，94：821-827.

Zhang L，Bai W，Xiao H，et al. 2021. Measuring and improving regional energy security：a methodological framework based on both quantitative and qualitative analysis[J]. Energy，227：120534.

Zhang L，Yu J，Sovacool B K，et al. 2017b. Measuring energy security performance within China：toward an inter-provincial prospective[J]. Energy，125：825-836.

Zhang M，Zhou D，Zhou P，et al. 2017c. Optimal design of subsidy to stimulate renewable energy investments：the case of China[J]. Renewable and Sustainable Energy Reviews，71：873-883.

Zhang Q，Zhou D，Fang X. 2014a. Analysis on the policies of biomass power generation in China[J]. Renewable and Sustainable Energy Reviews，32：926-935.

Zhang W，Li K，Zhou D，et al. 2016b. Decomposition of intensity of energy-related CO_2 emission in Chinese provinces using the LMDI method[J]. Energy Policy，92：369-381.

Zhang Y J，Da Y B. 2015. The decomposition of energy-related carbon emission and its decoupling with economic growth in China[J]. Renewable and Sustainable Energy Reviews，41：1255-1266.

Zhang Y J，Liu Z，Zhang H，et al. 2014b. The impact of economic growth，industrial structure and urbanization on carbon emission intensity in China[J]. Natural Hazards，73（2）：579-595.

Zhang Y，Song J，Hamori S. 2011. Impact of subsidy policies on diffusion of photovoltaic power generation[J]. Energy Policy，39（4）：1958-1964.

Zhang Y，Zhang M，Liu Y，et al. 2017d. Enterprise investment，local government intervention and coal overcapacity：the case of China[J]. Energy Policy，101：162-169.

Zhang Y，Zhou Q. 2018. Partially linear functional-coeffi cient dynamic panel data models：sieve estimation and specification testing[D]. Baton Rouge：Louisiana State University.

Zhao H，Guo S，Fu L. 2014. Review on the costs and benefits of renewable energy power subsidy in China[J]. Renewable and Sustainable Energy Reviews，37：538-549.

Zhao X，Li S，Zhang S，et al. 2016. The effectiveness of China's wind power policy：an empirical analysis[J]. Energy Policy，95：269-279.

Zhao X，Luo D. 2017. Driving force of rising renewable energy in China：environment，regulation and employment[J]. Renewable and Sustainable Energy Reviews，68：48-56.

Zhao X，Lynch J，Chen Q. 2010. Reconsidering baron and kenny：myths and truths about mediation analysis[J]. Journal of Consumer Research，37（2）：197-206.

Zhao X，Ma Q，Yang R. 2013. Factors influencing CO_2 emissions in China's power industry：co-integration analysis[J]. Energy Policy，57：89-98.

Zhao X，Yao J，Sun C，et al. 2019. Impacts of carbon tax and tradable permits on wind power investment in China[J]. Renewable Energy，135：1386-1399.

Zheng J，Mi Z，Coffman D，et al. 2019. Regional development and carbon emissions in China[J]. Energy Economics，81：25-36.

Zheng S，Yang J，Yu S. 2021. How renewable energy technological innovation promotes renewable power generation：evidence from China's provincial panel data[J]. Renewable Energy，177：1394-1407.

Zheng W，Walsh P P. 2019. Economic growth，urbanization and energy consumption——a provincial level analysis of China[J]. Energy Economics，80：153-162.

Zhu B，Zhang M，Zhou Y，et al. 2019a. Exploring the effect of industrial structure adjustment on interprovincial green development efficiency in China：a novel integrated approach[J]. Energy Policy，134：110946.

Zhu W，Zhang Z，Li X，et al. 2019b. Assessing the effects of technological progress on energy efficiency in the construction industry：a case of China[J]. Journal of Cleaner Production，238：117908.

Zhu Y，Wang Z，Yang J，et al. 2020. Does renewable energy technological innovation control China's air pollution? A spatial analysis[J]. Journal of Cleaner Production，250：119515.